Manual Imprescindible

MI Office 2016

Manual Imprescindible

MI Office 2016

José María Delgado

MANUAL IMPRESCINDIBLE

Todos los nombres propios de programas, sistemas operativos, equipos hardware, etc. que aparecen en este libro son marcas registradas de sus respectivas compañías u organizaciones.

Edición española:

© EDICIONES ANAYA MULTIMEDIA (GRUPO ANAYA, S.A.), 2016
   Juan Ignacio Luca de Tena, 15. 28027 Madrid
   Depósito legal: M-5693-2016
   ISBN: 978-84-415-3804-7
   Printed in Spain

…a Nacho por sus ganas de vivir.
…a Carlos por su buen corazón.
…a Fátima por su sonrisa.

Agradecimientos

Quiero agradecer sinceramente a Eugenio Tuya la oportunidad de trabajar en este proyecto.

Sobre el autor

José María Delgado ha escrito durante los últimos quince años más de 50 libros de diferentes materias como Photoshop, Illustrator, Microsoft Office o Windows. También ha coordinado y desarrollado materiales formativos para el Centro Nacional de Formación del Profesorado organismo dependiente del Ministerio de Educación y Ciencia. Actualmente combina su actividad profesional como administrador de sistemas con la gerencia de varias empresas familiares y diferentes actividades relacionadas con el mundo de la formación. Todo esto sin abandonar sus grandes pasiones: la fotografía y por supuesto, sus tres pequeños diablillos.

Si desea opinar acerca de este libro, aclarar dudas o recibir material complementario, puede ponerse en contacto con el autor.

Muchas gracias por elegir este libro, esperamos que cumpla todas sus expectativas.

Josemdelgado.ba@gmail.com

Índice de contenidos

3. Primeros pasos con Word 58

4. Formatos de carácter y párrafo 78

17. Transiciones y efectos especiales 338

18. OneNote 350

Cómo usar este libro

¿Es éste su libro?

Si se encuentra decidiendo entre éste y otros tantos libros sobre Office que podrá encontrar en las estanterías de su librería, intentaremos ayudarle un poco, por lo menos en lo que a este manual se refiere.

El propósito del libro que tiene entre sus manos no es otro que hacerle mucho más sencillo el aprendizaje de la mejor herramienta ofimática que existe actualmente en el mercado. Si nunca ha tenido ningún contacto con Office, o sólo lo ha utilizado para trabajos sencillos y desconoce el verdadero alcance de sus posibilidades, no lo dude, éste es su libro. Si por el contrario dispone de conocimientos avanzados debería buscar otro manual.

Cada vez que iniciamos el trabajo de elaboración de un manual de este tipo surgen miles de cuestiones: ¿la estructura será la correcta?¿Cubre las necesidades planteadas por la mayoría de los usuarios? ¿Ofrecemos los contenidos apropiados en cada caso? En fin, todo un mar de dudas que tras la revisión final de los expertos quedan resueltas y aunque pequemos de vanidosos, podemos decir que tiene entre sus manos un libro completo y eficaz para obtener todo el partido de las principales aplicaciones de Office 2016.

Por supuesto es imposible plasmar en poco más de cuatrocientas páginas todo lo que se puede hacer con estas potentes aplicaciones. Los contenidos del libro se han desarrollado teniendo en cuenta la opinión de muchos usuarios y la experiencia del autor.

Organización del libro

La organización de este libro está planteada de modo que la curva de aprendizaje sea progresiva y el avance en el conocimiento de las distintas aplicaciones no suponga ningún problema.

Teniendo en cuenta el carácter de iniciación del manual que tiene entre sus manos, los primeros capítulos están dedicados a describir conceptos básicos sobre el manejo de archivos y temas fundamentales de Office. A partir de ahí, hemos dividido el libro en varios bloques, dedicados a cada una de las aplicaciones básicas que componen el paquete Microsoft Office 2016. No en todas sus distribuciones se incluye Access pero, en este libro, hemos querido hablar de esta aplicación ya que nos parece una de las más importantes del conjunto. También dedicamos un capítulo al magnífico bloc de notas digital OneNote.

De Word, el procesador de textos de Microsoft Office, describimos desde técnicas básicas de creación de documentos hasta la aplicación de formatos y el uso de herramientas más avanzadas, como estilos, plantillas y tablas.

También dedicamos varios capítulos a la hoja de cálculo, Microsoft Excel. Partimos de las definiciones más sencillas y llegamos a las fórmulas y funciones que recogen la verdadera potencia de este tipo de herramientas. La creación de cualquier tipo de presupuesto, análisis o valoración de posibilidades se verá facilitada con el uso de Excel. En los últimos capítulos, describimos cómo mejorar la apariencia de las hojas de trabajo e, incluso, añadiremos vistosos gráficos de datos a nuestros proyectos. Las herramientas de análisis ocupan un apartado importante dentro de la aplicación y por este motivo describimos aquellas que consideramos más útiles.

Access es el gestor de bases de datos relacional de Office y además de comentar los conceptos básicos sobre teoría de bases de datos, el resto de capítulos analizan los elementos básicos que puede incluir una base de datos de Access: tablas, formularios, consultas e informes.

En los capítulos dedicados a PowerPoint se describe cómo crear presentaciones llamativas utilizando vistosas transiciones y efectos de texto. Además, también enumeramos algunos consejos sobre cómo realizar presentaciones elegantes y eficaces para que tenga éxito en la exposición de sus proyectos e ideas.

Cómo se utiliza este libro

Como guía de aprendizaje, cada capítulo trata un conjunto de conceptos relacionados entre sí, aumentando progresivamente su dificultad; los conocimientos que adquiera en un capítulo se utilizan y amplían en los siguientes. Por este motivo, recomendamos seguir los capítulos por orden.

En cada capítulo intentamos hacer el aprendizaje más ameno y didáctico mediante numerosos ejemplos prácticos. En este sentido, recomendamos seguirlos al mismo tiempo que lee para mejorar la comprensión de las ideas.

Qué necesita para usar este libro

Es obvio que para utilizar este libro necesita un ordenador, además de algunas de las distribuciones de Microsoft Office 2016. Recomendamos alguna que incluya la base de datos relacional Access que tratamos en uno de los bloques que compone el libro.

Convenios empleados en este libro

Las combinaciones de teclas que en la pantalla aparecen relacionadas con el signo más, como por ejemplo Ctrl+U, en este libro aparecen relacionadas con un guión e impresas en negrita, por ejemplo, **Control-U**.

Los nombres de botones y combinaciones de teclas aparecen en negrita para facilitar su identificación; por ejemplo, el botón **Guardar**.

Los nombres de comandos, cuadros de diálogo, menús y submenús aparecen con un tipo de letra diferente para facilitar su identificación; por ejemplo, el menú Ventana.

Los comandos consecutivos para seleccionar aparecen separados por el signo mayor que (>) y en el orden de la selección. Por ejemplo, Archivo>Guardar como.

En el libro aparecen resaltados una serie de temas o acontecimientos extraordinarios de la siguiente forma:

Nota:

Comentarios o noticias a tener muy en cuenta.

Advertencia:

Señal de peligro. Bajo este título se engloban todos los comentarios destinados a que el lector no se encuentre con desagradables sorpresas durante su trabajo con AutoCAD.

Truco:

Consejos y artimañas para facilitar nuestro trabajo o conseguir mejores resultados. Son muy abundantes a lo largo de todo el libro.

1

Descubramos Office 2016

En este capítulo aprenderá a:

- Las ventajas que ofrece la suite Office 2016.
- Elegir la versión más adecuada de Office.
- Instalar Microsoft Office.

Hasta dónde queremos llegar...

Antes de empezar queremos agradecer su confianza en nosotros y esperamos que este libro sirva como medio para mejorar sus conocimientos sobre la herramienta de ofimática más utilizada actualmente, Microsoft Office. En este primer capítulo nuestras pretensiones no son aún demasiado ambiciosas, ya que sólo describiremos algunas de las cualidades de la suite, sus novedades y una breve descripción del proceso necesario para instalar las distintas aplicaciones.

Además de todo esto, describiremos un elemento fundamental en el ecosistema de cualquier sistema actual, hablamos del almacenamiento remoto o nube. OneDrive es el nombre que Microsoft utiliza para este servicio y, como no podía ser de otro modo, es una parte esencial en el nuevo Office 2016.

Office es una magnífica herramienta con la que podrá optimizar y mejorar muchas de sus labores cotidianas tanto profesionales como personales. En este sentido, un pequeño consejo: no se limite a utilizar las herramientas básicas de cada aplicación, investigue, avance y no tema dedicar algún tiempo a conocer esas características menos conocidas y que pueden ser de gran ayuda. Nuestra experiencia nos dice que la mayoría de las personas que utilizan herramientas de ofimática, apenas usan un diez por ciento de las posibilidades de la aplicación, dejando de lado muchas otras. No permita que este sea su caso.

Hace algunos años la "simplicidad" de los programas permitía la existencia de un famoso personaje conocido como "autodidacta". Éste presumía de saber más que nadie de cualquier aplicación y además se jactaba de haberlo aprendido todo sin ningún tipo de ayuda o manual. En la actualidad, la complejidad de las aplicaciones ha llegado a un nivel en el que la única forma de sacarles todo el partido es mediante materiales de apoyo como este libro.

Microsoft Office 2016

Office es un paquete de aplicaciones englobadas dentro de la categoría de aplicaciones ofimáticas. Los programas que la componen se han convertido en los últimos años en herramientas imprescindibles tanto en entornos corporativos como en nuestros propios hogares.

Las aplicaciones centrales que componen la suite Microsoft Office 2016 son las siguientes:

- El conocido procesador de texto, Word. Con él, podrá crear cualquier tipo de documento, manual o proyecto escrito.

- La hoja de cálculo, Excel. Aplicación dedicada al trabajo y manipulación de datos numéricos. Permite llevar el control de nuestra economía doméstica hasta el desarrollo de potentes sistemas de análisis, previsión y cálculo para nuestra empresa.

- El gestor de bases de datos, Access, donde se conjuga sencillez de uso y potencia dentro de un entorno relacional de base de datos.

- Programa de presentaciones, PowerPoint. Herramienta imprescindible para el apoyo audiovisual y la transmisión de ideas en cualquier conferencia, charla, exposición de proyectos, etcétera.

> **Nota:**
>
> *Como describimos en este mismo capítulo, Microsoft ofrece básicamente dos formas de adquirir Office 2016: mediante un sistema de suscripción y a través del tradicional soporte físico. El gestor de bases de datos Access se encuentra disponible sólo en algunas de las distribuciones físicas de la suite pero en todas las modalidades de suscripción.*

Como no podía ser de otro modo, todas las aplicaciones descritas en los puntos anteriores se mantienen y siguen siendo el eje principal sobre el que gira Microsoft Office, y sobre ellas hablaremos en este manual. Pero a estos productos se han unido nuevas opciones que debería tener muy en cuenta como:

- Outlook es una agenda personal bastante completa con la que puede desde gestionar citas hasta consultar el correo electrónico.

- Una potente herramienta de maquetación y diseño gráfico, Publisher. Con ella podrá realizar desde sencillos proyectos de autoedición hasta elaboradas maquetas ayudado por la increíble variedad de plantillas predefinidas y listas para ser utilizadas.

- OneNote como herramienta pensada para facilitar el trabajo cuando se trata de tomar apuntes, anotaciones o notas rápidas.

- Skype es una de las herramientas de comunicación más populares de la actualidad. Además, las versiones de Office 365 ofrecen a sus usuarios minutos gratis para realizar llamadas a cualquier número de teléfono.

Por qué utilizar Microsoft Office

Necesitaríamos muchas páginas para enumerar las múltiples ventajas de Microsoft Office. Por este motivo, sólo detallaremos en los siguientes puntos las más importantes:

- Disponibilidad dentro de un mismo producto de las herramientas de ofimática más demandadas en la actualidad: procesador de textos, hoja de cálculo, bases de datos, presentaciones, gestor de tareas, anotaciones, almacenamiento en la nube…

- Grandes posibilidades de interacción y de intercambio de información entre las distintas aplicaciones que componen la suite, gracias a tecnologías como OLE, desarrollada por Microsoft y por supuesto a XML, como soporte nativo para todas las aplicaciones de la suite.

- Enfoque total hacia Internet con innumerables herramientas para compartir información, trabajo colaborativo, uso del correo electrónico, redes sociales… Y por supuesto, trabajo en la nube de la mano de OneDrive.

- Posibilidades para trabajo en grupo, compartiendo información, creando espacios de diálogo, etcétera. En Office 2016 es posible elaborar y editar un documento entre varios usuarios, quedando constancia de los cambios y aportaciones realizados por cada uno.

- Permite trabajar con un mismo proyecto indistintamente del lugar o el dispositivo. Esto es posible gracias a que Microsoft ha puesto a disposición de los usuarios versiones de Office para las plataformas móviles más usadas actualmente.

- Son las aplicaciones más utilizadas en prácticamente todo el mundo. Este hecho hace mucho más fácil el intercambio de información entre usuarios o empresas de cualquier ámbito y país.

- Reparación automática. Esta característica permite detectar todos aquellos archivos que han sufrido algún daño y restaurarlos por una copia operativa de los mismos de forma totalmente automática.

- Instalación personalizada, incluyendo sólo aquellos elementos que sean necesarios, de manera que si necesita alguna herramienta no instalada lo puede hacer en ese mismo instante.

- El Centro de confianza ayuda a evitar la ejecución de código malicioso en nuestro equipo, determinando de forma precisa qué ubicaciones y qué personas son de confianza.

- Skype se incorpora a la suite como herramienta para facilitar la comunicación entre grupos mientras trabajan, ofreciendo la posibilidad de utilizar mensajes, llamadas de voz, videoconferencias, compartir escritorios, etcétera.

- Entorno mucho más amigable e intuitivo, orientado a tareas. De forma que siempre resulte sencillo encontrar aquello que deseamos hacer en cada momento.

- Los nuevos asistentes y opciones de ayuda permiten ahorrar mucho trabajo a la hora de realizar tareas frecuentes.

- Cortana, el asistente que empezó en los dispositivos móviles y que Microsoft incorporó como novedad en Windows 10, también interactúa con Office 2016 para ayudar en nuestro día a día.

Éstas son algunas de las ventajas que ofrece Office pero, en resumen, podríamos decir que se trata del conjunto de aplicaciones de carácter general más completo del mercado.

Versiones de Office 2016, en todas partes y en cualquier dispositivo

Microsoft ofrece distintas características, precios y componentes de Office 2016 en función de las diferentes demandas y necesidades de los usuarios. Por este motivo, le recomendamos que visite la página del producto para conocer de primera mano las opciones disponibles. En cualquier caso, intentaremos describir las particularidades de las modalidades, online, suscripción y soporte físico tradicional.

En primer lugar hablaremos de las versiones online disponibles en la dirección www.office.com y las aplicaciones para dispositivos móviles. La versión online es completamente gratuita y sólo necesita introducir la dirección indicada en el navegador y registrarse. En la figura 1.1 puede comprobar su aspecto. Con ella podrá crear y editar

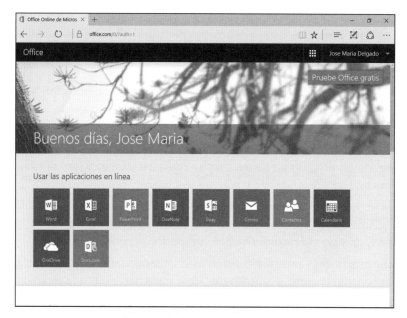

Figura 1.1. www.office.com

documentos de textos, hojas de cálculo y presentaciones, entre las opciones más importantes. Como podrá imaginar, sus funcionalidades no son tan completas como las versiones de pago. Por ejemplo, estas herramientas carecen de algunas características como seguimiento de cambios en Word, gráficos avanzados en Excel o las muchas de las transiciones disponibles en PowerPoint. Al margen de estos detalles, se trata de versiones totalmente funcionales con las que podrá llevar a cabo la mayoría de tareas habituales.

Advertencia:

Debe saber que uno de los inconvenientes de la versión online es que no se pueden abrir o modificar archivos que se encuentren alojados físicamente el equipo. Para hacerlo, en primer lugar tendrá que copiarlo en OneDrive o Dropbox. Una vez abierto, sí podrá descargar una copia en el ordenador en diferentes formatos incluido PDF y OpenDocument. Por defecto, cualquier cambio se guardará automáticamente en OneDrive.

En cuanto a los dispositivos móviles, Microsoft ha desarrollado versiones de sus aplicaciones más importantes: Word, Excel, PowerPoint y Outlook para plataformas como Android, IOS y, por su puesto, su propio sistema operativo móvil, Windows Phone. Puede encontrar estas aplicaciones en las tiendas online de las diferentes plataformas, y lo mejor, son gratuitas.

Truco:

Si ya dispone de una cuenta Microsoft, puede utilizarla para comenzar a disfrutar de las aplicaciones en línea de Office y compartir todos sus trabajos.

Office 365 es la plataforma a la que más esfuerzos está dedicando Microsoft y creemos que será la forma más habitual de adquirir aplicaciones en los próximos años. En esta modalidad, los programas se instalan físicamente en el equipo y el usuario debe abonar una cantidad mensual o anual para poder disfrutar de ellos durante el tiempo que desee. Para hacer más atractiva esta opción, Microsoft ofrece diferentes ventajas:

- Importante cantidad de espacio gratuito en OneDrive.
- Acceso a todas las aplicaciones de la suite sin restricción.
- Minutos gratis para utilizar con Skype y llamar a números de todo el mundo.
- Instalación en más de un ordenador independientemente de que su sistema operativo sea Windows o Mac.
- Actualizaciones inmediatas, así como el acceso a las nuevas versiones.

- Existen condiciones especiales para estudiantes.
- Microsoft puede añadir nuevas aplicaciones o funciones que estarían disponibles inmediatamente.

Truco:

Si dispone de una suscripción a Office 365 existen limitaciones que podrá desbloquear tanto en las versiones móviles de las diferentes aplicaciones de la suite como en Office.com.

Por último se encuentra la versión física que todos conocemos. En este caso, se realiza un único pago por el software y podremos disfrutarlo indefinidamente. Con este formato de compra perderemos muchas de las ventajas descritas en el apartado anterior; a cambio, sólo realizaremos un único desembolso.

La elección de uno u otro método dependerá de las circunstancias particulares de cada usuario, por lo que recomendamos leer con detalle las características de las ofertas disponibles en la página de Microsoft.

OneDrive, la nube de Microsoft

Haremos referencia en más de una ocasión a OneDrive en los capítulos siguientes como pieza fundamental en el nuevo Office 2016 y en general, en todo el ecosistema Windows. Por este motivo, es importante que conozca cuanto antes las características básicas de este importante servicio así que a continuación describiremos brevemente su propósito.

Debe entender OneDrive como una extensión de nuestro sistema de escritorio que permite acceder a documentos y archivos independientemente del lugar donde nos encontremos y del dispositivo que estemos utilizando en cada momento. Imagine que empieza una presentación en el equipo de su oficina, después realiza algunos cambios en el portátil de su casa y finalmente, de camino al cliente, completa el trabajo en la tableta. Todo eso es posible con Office 2016 y OneDrive.

A partir de Windows 10, OneDrive se encuentra completamente integrado en el sistema operativo por lo que será suficiente con utilizar una cuenta Microsoft para disfrutar de todas sus posibilidades.

Nota:

Dropbox es sin lugar a dudas uno de los servicios de almacenamiento remoto más utilizados en la actualidad. Office 2016 permite usarlo como soporte para nuestros documentos y archivos.

Cuenta Microsoft

Las cuentas de usuario de Microsoft, además de proporcionar una forma segura de acceder a sistemas Windows, abren la puerta a todo un mundo de posibilidades como el almacenamiento remoto, sincronización de datos con otros dispositivos, notificaciones, correo electrónico, etcétera. Todo, sin más esfuerzo que introducir un nombre usuario y por supuesto una contraseña. En el caso de Office, disponer de una cuenta será la forma de acceder a nuestros documentos desde otros dispositivos o desde la propia Web mediante Office.com.

Instalación de Microsoft Office

Como es obvio, para empezar a utilizar el programa lo primero que debemos hacer es instalarlo. Los asistentes de instalación son tan detallados que no vamos a extendernos demasiado en este apartado.

Si dispone de un soporte físico para la instalación, deberá introducirlo en el equipo y seguir las instrucciones que inmediatamente aparecerán en pantalla. Si transcurridos unos segundos no ocurriera nada, haga clic sobre el icono del Explorador de archivos situado en la barra de tareas y en el margen izquierdo, seleccione el icono Este equipo. Después, haga doble clic en el icono correspondiente a la unidad donde se encuentra el disco de instalación; finalmente, localice el archivo denominado *Instalar.exe* o *Setup. exe* y haga doble clic sobre él.

Si se ha decidido por la versión 365 de Office debe ir hasta la página principal del producto cuyo aspecto puede comprobar en la figura 1.2. En ella puede seleccionar alguna de las opciones que ofrece el fabricante o utilizar la opción **Iniciar sesión** situada en la esquina superior izquierda si dispone de una cuenta Microsoft. En este último caso, debe elegir en la parte superior el menú **Productos** y a continuación elegir **Office**.

Entre las opciones disponibles, Microsoft ofrece la posibilidad de probar de forma gratuita durante 30 días la última versión de Office. Tanto para esta posibilidad como para el resto es necesario introducir los datos de una tarjeta de crédito como información obligatoria para completar el proceso.

Advertencia:

Pasados los treinta días de prueba y si no hemos indicado lo contrario, Microsoft realizar el cargo correspondiente a la cuota mensual de uso del producto.

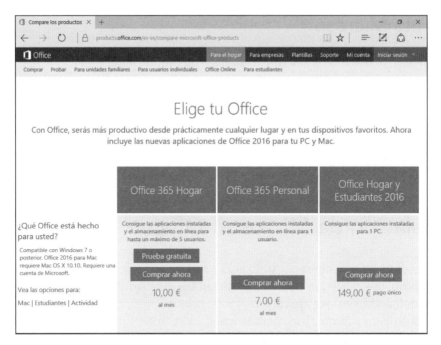

Figura 1.2. Página de producto de Office 365.

Una vez completados todos los pasos, se descargará en nuestro equipo el archivo de instalación asociado. Deberá hacer clic sobre él y seguir los pasos que indica el asistente.

> **Nota:**
>
> *Debe saber que Microsoft dispone de licencias educativas especiales para estudiantes con las que podrá disfrutar de sus productos con unas condiciones muy ventajosas.*

Resumen

Después de conocer las bondades de Office, el motivo de por qué necesitamos un libro como éste, las posibilidades de cada componente y, sobre todo, una vez instalada la aplicación, estamos un poco mejor preparados para abordar los capítulos siguientes.

2

Elementos comunes

En este capítulo aprenderá a:

- Trabajar con archivos y carpetas.
- Iniciar las aplicaciones de Office.
- Aprovechar las posibilidades de pantalla de inicio.
- Reconocer los elementos esenciales del entorno.
- Utilizar el menú Archivo.
- Compartir y colaborar con otros usuarios.
- Usar la ayuda.

Introducción

Después de nuestra primera aproximación a Office y de la instalación del programa, describiremos algunos conceptos generales, necesarios para abordar los temas siguientes y que son comunes a todas las aplicaciones de la suite. Algunos están directamente relacionados con Office y otros, con funciones básicas de Windows. Pero no se preocupe, no vamos a extendernos demasiado y daremos sólo algunas pinceladas sobre temas que debe conocer antes de continuar.

Archivos

Los archivos son la unidad mínima de información que cualquier sistema permite almacenar y manipular. Entre los ejemplos más habituales de archivos encontramos documentos de texto, imágenes, presentaciones o nuestras canciones favoritas.

Los archivos tienen una característica muy importante que determina la aplicación que permitirá trabajar con ellos, su extensión. Nos referimos a la parte que va después del nombre separada por un punto. Por ejemplo, midocumento.docx indica por su extensión que se trata de un documento de texto asociado a Microsoft Word, salto. avi será un vídeo y verde.jpg, una imagen.

Después de leer esto, se preguntará por qué sus archivos no la tienen. No se preocupe, en realidad está ahí pero Windows en su configuración por defecto la oculta y únicamente muestra el nombre. Entonces, ¿cómo saber qué tipo de archivo es? Pues muy sencillo, mediante su icono. Cada tipo de archivo y según al programa que pertenezcan, tendrá asociado un icono distinto. En la figura 2.1 puede ver varios archivos con diferentes iconos correspondientes a distintas aplicaciones.

Tareas más habituales con archivos

Teniendo en cuenta que los archivos serán los elementos que utilicemos con más frecuencia veamos cómo llevar a cabo las tareas más comunes. Pero antes, para que pueda seguir las explicaciones cree un archivo de ejemplo en su escritorio:

1. Haga clic con el botón derecho del ratón sobre el escritorio.

2. En el menú emergente que aparece a continuación seleccione el comando **Documento de texto**. Windows creará en el escritorio un icono similar al que puede ver en la figura 2.2.

3. Seguidamente y mientras que el texto aparece seleccionado, escriba un nombre para el nuevo archivo y pulse **Intro**.

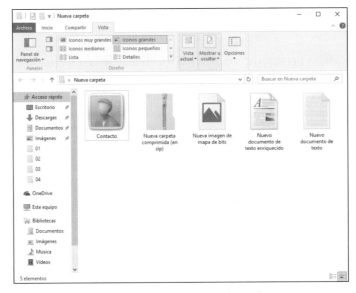

Figura 2.1. Iconos y tipos de archivos.

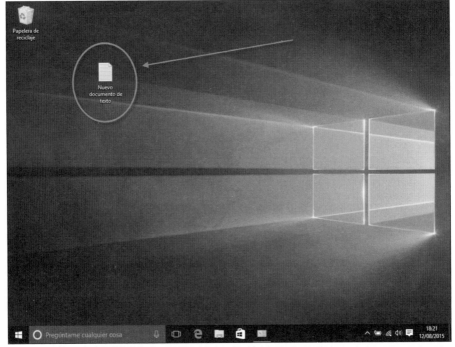

Figura 2.2. Nuevo archivo de ejemplo creado en el escritorio.

Una vez creado el archivo de ejemplo, lo primero que debe saber es cambiar el nombre:

1. Haga clic con el botón derecho sobre el archivo y en el menú emergente, elija Cambiar nombre.

2. A continuación escriba el nuevo nombre y pulse **Intro** para terminar.

Truco:

Otra posibilidad para cambiar el nombre de un archivo es hacer clic sobre él para se-leccionarlo y pulsar la tecla **F2**. *Para terminar, utilice la tecla* **Intro**.

Para trabajar con nuestro archivo de ejemplo y en general con cualquier otro, simple-mente es necesario hacer doble clic sobre él. Al instante se abrirá la aplicación que permitirá ver o editar su contenido. En nuestro caso será el Bloc de notas pero podría ser Word, Excel o cualquier otra aplicación instalada en el sistema.

Imagine que por cualquier motivo necesita abrir el archivo con una aplicación dife-rente de la que tiene asociada. Esta situación es muy habitual con archivos de texto o de imágenes para los que es normal tener más de un programa instalado:

1. Haga clic con el botón derecho sobre el archivo y seleccione el comando Abrir con.

2. Elija alguno de los programas propuestos en la lista o utilice la opción Elegir otra aplicación para mostrar el cuadro de diálogo que puede ver en la figura 2.3.

3. En este nuevo cuadro de diálogo, haga clic sobre Más aplicaciones y elija la que necesite en cada caso.

Figura 2.3. Elegir una aplicación distinta.

> **Truco:**
>
> *Si activa la casilla de verificación* Usar siempre esta aplicación para abrir los archivos, *Windows recordará la acción y abrirá a partir de ahora todos los archivos del mismo tipo con la aplicación seleccionada con tan sólo hacer doble clic sobre él.*

Si quiere eliminar cualquier archivo, simplemente haga clic sobre él para seleccionarlo y pulse la tecla **Supr**. También puede utilizar el comando Eliminar del menú que aparece después de hacer clic con el botón derecho sobre el archivo.

> **Advertencia:**
>
> *No olvide que al eliminar un archivo o cualquier otro elemento de Windows no se borra definitivamente. El archivo queda almacenado temporalmente en la* Papelera de reciclaje. *Pero hablaremos de ella un poco más adelante.*

Entre las acciones que puede ejecutar directamente desde las opciones que muestra el menú emergente asociado a cualquier archivo estaría el comando Imprimir. Esta tarea tan habitual puede ser ejecutada sin necesidad de abrir la aplicación previamente.

Carpetas

Las carpetas son otro de los elementos fundamentales e imprescindibles en nuestro trabajo diario. Con ellas podrá agrupar archivos, otras carpetas y en resumen, organizar toda la información disponible de forma que resulte mucho más fácil acceder a ella.

Existen varias formas de crear una carpeta, veamos una de ellas:

1.   Haga clic con el botón derecho sobre cualquier espacio vacío del escritorio y seleccione el comando Nuevo.

2.   A continuación, elija Carpeta para crear este elemento en la ubicación elegida.

3.   Por último, escriba un nombre y pulse **Intro**.

Una vez creada puede hacer doble clic sobre ella para abrirla. Evidentemente se encontrará vacía pero podríamos añadirle el archivo de pruebas que utilizamos en el apartado anterior:

1.   Si la capeta no se encuentra abierta haga doble clic sobre ella para hacerlo.

2. Compruebe que el archivo que tenemos que copiar no se encuentre oculto detrás de la carpeta. Si es así, haga clic en la parte superior de la ventana y sin soltar, desplácela a cualquier otro lugar del escritorio.

3. A continuación, haga clic con el botón izquierdo sobre el archivo, y sin soltar, arrastre hasta que se encuentre dentro de la ventana correspondiente a la carpeta. Una vez completados los pasos anteriores suelte el botón izquierdo del ratón.

Si necesita añadir más de un archivo a una carpeta no es necesario hacerlo uno a uno. Haga clic en algún espacio cercano a los elementos que quiere seleccionar y sin soltar, arrastre el cursor. Describirá un área de selección donde puede incluir todos los elementos que desee.

> **Truco:**
>
> *La combinación de teclas* **Control – Mayúsculas – N** *permite crear una nueva carpeta en la ubicación actual.*

Tareas comunes con carpetas

Del mismo modo que ocurría con los archivos, existen una serie de tareas habituales relacionadas con carpetas y que necesita conocer. Veamos las más importantes.

* La forma de cambiar el nombre de una carpeta, y en general de cualquier elemento de Windows, es siempre la misma: hacer clic sobre el objeto para seleccionarlo o pulsar la tecla **F2**. Si lo prefiere, puede hacer clic con el botón derecho y utilizar el comando Cambiar nombre.

* Para cambiar la posición de una ventana, haga clic en la barra de título y sin soltar, desplácela hasta la posición que desee.

* Sitúe el cursor en cualquiera de los bordes hasta que el cursor se transforme en una doble flecha. En ese momento, haga clic y sin soltar, arrastre para modificar el ancho o el alto de la ventana.

* En la esquina inferior derecha de la ventana aparecen dos pequeños iconos. Con ellos puede configurar el aspecto de los elementos que contiene la carpeta: en modo lista, con información detallada de cada archivo o en modo icono. En la figura 2.4 puede comprobar la diferencia entre ellos.

* El cuadro de búsqueda disponible al abrir cualquier carpeta permite localizar archivos dentro la misma. Es evidente que si tenemos pocos elementos en la carpeta no merece la pena utilizarlo, pero resulta imprescindible cuando la información que contiene es considerable.

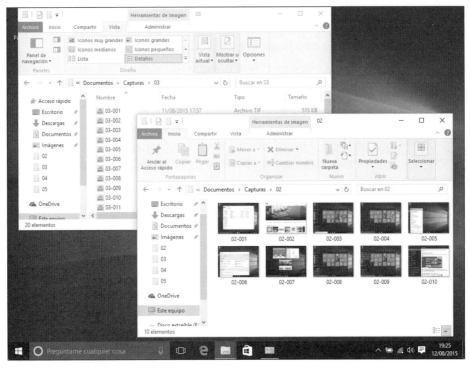

Figura 2.4. Vista en modo lista y en modo icono.

- Para eliminar una carpeta y en general cualquier elemento de Windows, el método es siempre el mismo: seleccionarlo en primer lugar y pulsar la tecla **Supr**.

Truco:

Si se equivoca a la hora de eliminar una carpeta o algún otro elemento de Windows puede utilizar la combinación de teclas **Control-Z** *para deshacer la operación. Esta posibilidad sólo está disponible si la ejecuta inmediatamente después del borrado. También puede recuperarlo de la Papelera de reciclaje como aprenderemos en este mismo capítulo.*

- Abra cualquier ventana, por ejemplo haga doble clic sobre una carpeta, y pruebe la combinación de teclas **Windows-Tecla de cursor**. Experimente con cursor arriba, abajo, izquierda y derecha para comprobar el aspecto de la ventana después de utilizar cada una de ellas.
- Puede crear carpetas dentro de carpetas y así crear una estructura ordenada para organizar mejor cualquier contenido que necesite.

Por último, las carpetas de usuario se crean por defecto y están asociadas a cada cuenta de forma individual. De este modo, cada persona que utilice el equipo y se identifique adecuadamente tendrá acceso a su propia información. Estas carpetas de usuario serían las siguientes:

- Descargas.
- Documentos.
- Imágenes.
- Escritorio.
- Música.
- Vídeos.

El nombre de cada una de ellas es bastante descriptivo con respecto a su contenido y lo más recomendable es utilizarlas.

Nota:

El Escritorio es uno de los elementos principales de Windows, pero en realidad no es más que otra carpeta, eso sí, con algunas características que la hacen especial. En el Escritorio podemos colocar cualquier archivo o carpeta y normalmente se utiliza para situar todos aquellos elementos que usemos con más frecuencia. Aunque la mayoría tenemos la curiosa costumbre de ir colocando archivos en el Escritorio hasta que prácticamente no vemos el fondo, deberíamos evitarlo si queremos tener organizados los archivos.

Iniciar aplicaciones

La forma de iniciar los programas incluidos en la suite Office no es distinta de la que ya conoce para cualquier otra aplicación. Haga clic sobre el menú Inicio, seleccione **Todas las aplicaciones** y navegue por la lista de programas hasta encontrar la que desea utilizar. Este método corresponde a la versión 10 de Windows, pero si utiliza ediciones anteriores del sistema operativo es posible que el método sea algo diferente.

Nota:

La primera vez que inicie Word, Excel o PowerPoint, una ventana mostrará información sobre los formatos de archivos admitidos en Office tal y como puede ver en la figura 2.5. Inicialmente las dos opciones son buenas, pero si quiere aprovechar al máximo *las características de la suite le recomendamos que elija **Formatos Office Open XML**. Por otra parte si prefiere dar prioridad a la compatibilidad de sus trabajos con aplicaciones de terceros como OpenOffice o LibreOffice debería seleccionar la opción **Formatos OpenDocument**. Si no está seguro sobre qué opción elegir, no se preocupe, siempre podrá cambiarlo desde las opciones de configuración del programa.*

Figura 2.5. Seleccionar el tipo de archivo predeterminado.

Si tiene pensado utilizar con frecuencia Word, Excel o cualquier otro programa incluido en Office 2016 le recomendamos que añada un acceso directo a estas aplicaciones a la barra de tareas, el escritorio o al nuevo menú Inicio si dispone de Windows 10.

Independientemente de la aplicación que utilice, existen una serie de elementos y comportamientos que son comunes a la mayoría de los programas que componen Office, por ejemplo, el menú Archivo, la pantalla de inicio o la cinta de opciones. Tanto en este apartado como en los siguientes describiremos estas características con el objetivo de ir familiarizándonos con el entorno de Office.

Pantalla de inicio

Siempre que inicie alguna de las aplicaciones principales de Office: Word, Excel, Access o PowerPoint el programa mostrará una pantalla similar. En la figura 2.6 puede comprobar el aspecto de esta ventana en el caso de Excel.

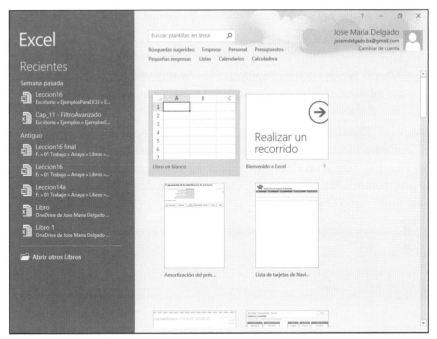

Figura 2.6. Pantalla de inicio Excel.

Archivos recientes y comando Abrir

En el margen izquierdo de la ventana de inicio aparecerán los últimos archivos con los que haya trabajado. Para volver a abrir cualquiera de ellos basta con hacer clic sobre su nombre. Esta lista irá cambiando pero observe el pequeño icono que aparece a la derecha al situar el ratón sobre alguno de ellos. Puede utilizarlo para anclar el archivo a la lista permanentemente y hacer que siempre esté disponible.

Si el archivo que necesita no se encuentra en la lista comentada en el párrafo anterior utilice el comando Abrir otros Documentos situado en la parte inferior. Este nombre cambia para las diferentes aplicaciones pero su significado siempre es el mismo y debemos recurrir a él para localizar archivos que no se encuentren en la lista Recientes. Observe en la figura 2.7 la ventana asociada al comando Abrir. Compruebe como además de los últimos archivos que hemos abierto muestra las siguientes opciones:

- Recientes: Muestra los últimos archivos con los que haya trabajado.
- OneDrive: Permite acceder al contenido de nuestra cuenta de OneDrive. Esto solo es posible si estamos conectados y ha introducido los datos de su cuenta. Si no lo ha hecho aún, puede utilizar la opción Cuenta situada en el margen izquierdo de

la ventana Abrir para introducir el nombre de usuario y la contraseña de su cuenta Microsoft.

- **Este PC:** Muestra los archivos locales de nuestro equipo, más concretamente aquellos que se encuentren en la carpeta Documentos.

- **Agregar un sitio:** Añade ubicaciones para almacenar nuestros archivos en la nube más cómodamente.

- **Examinar:** Despliega el típico cuadro de diálogo Abrir de Windows que podrá utilizar para localizar el archivo que necesita en cualquier ubicación del equipo. Por ejemplo, este sería el método que debe usar si necesita acceder al contenido de una memoria externa o a la carpeta compartida de sistemas de almacenamiento en la nube como Dropbox.

Truco:

La combinación de teclas **Control – F12** _permite mostrar en cualquier momento el cuadro de diálogo_ Abrir.

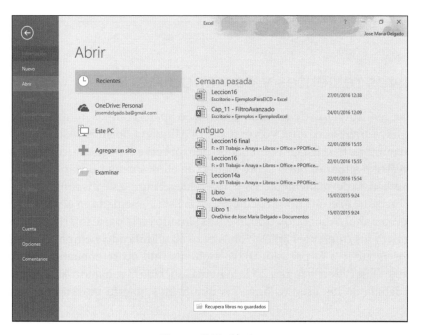

Figura 2.7. Abrir.

Puede ocurrir que mientras trabaja con algún archivo la aplicación se cierre sin guardar los últimos cambios. No se preocupe, no está todo perdido, la próxima vez que inicie el programa seleccione la opción Abrir otros Documentos en la ventana principal, recuerde que este nombre cambia para Excel, Access o PowerPoint. En la ventana Abrir, justo en la parte inferior tal y como hemos señalado en la figura 2.8 se encuentra un pequeño botón denominado Recuperar documentos sin guardar. Haga clic sobre él y aparecerá un cuadro de diálogo donde muy posiblemente encontrará el documento que desea recuperar.

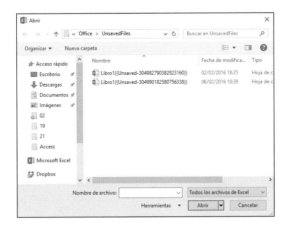

Figura 2.8. Recuperar archivos sin guardar.

Plantillas

Ya hemos visto que el margen izquierdo de la ventana de inicio de las aplicaciones de Office muestra los archivos recientes y el comando Abrir. El resto del espacio se encuentra ocupado por las plantillas predefinidas de cada aplicación. Las plantillas son documentos que ya tienen definidos componentes de su diseño de acuerdo a diferentes temáticas. Esto permite ahorrar mucho trabajo y llevar a cabo trabajos profesionales con muy poco esfuerzo.

Por defecto el programa incluye algunos ejemplos, pero si quiere aprovechar todas las ventajas de esta increíble característica debe recurrir al buscador de plantillas en línea. La forma de hacerlo es bien sencilla:

1. Haga clic en el cuadro de búsqueda para situar el cursor en él.

2. Escriba el término sobre el que desea encontrar resultados. Por ejemplo, teclee: **Ventas**. Al instante el aspecto de la ventana se transformará como puede comprobar en la figura 2.9.

3. A partir de aquí, puede navegar por el resultado de la búsqueda hasta encontrar la plantilla que desee utilizar.

4. Haga clic una sola vez sobre ella para ver una pequeña ventana con una breve descripción y un botón denominado **Crear**. Si desea utilizarla, seleccione este botón.

5. Si tiene claro qué plantilla quiere usar puede hacer doble clic sobre ella para descargarla y comenzar a trabajar.

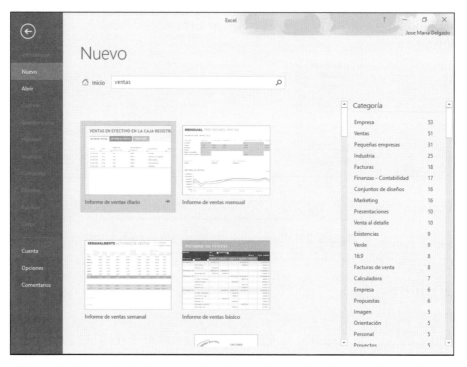

Figura 2.9. Resultado después de utilizar el buscador de plantillas en línea.

Nota:

Bajo el cuadro de búsqueda de plantillas, aparecen una serie de categorías generales que habitualmente hacen referencia a los temas más recurrentes. Haga clic sobre cualquiera de ellas para acceder a las plantillas relacionadas.

Le recomendamos que preste atención al listado de categorías que aparece en el margen derecho, después de ejecutar la búsqueda de plantillas en línea. Esta división ofrece una idea del número y diversidad de ejemplos disponibles en Office 2016 para crear trabajos de calidad en el menor tiempo posible.

Cuenta de usuario Microsoft

Lo último que comentaremos sobre la ventana de inicio es la información correspondiente a los datos de la cuenta Microsoft activa situada en la esquina superior derecha. Si aún no ha introducido los datos de una cuenta Microsoft, un enlace advertirá de la importancia de hacerlo cuanto antes para obtener el máximo rendimiento de Office.

Si ya utiliza una cuenta activa, podrá observar su nombre de usuario y la opción de cambiar de cuenta.

Nota:

Insistiremos mucho en las ventajas de utilizar una cuenta de usuario Microsoft para aprovechar muchas de las nuevas características de Office 2016. En caso de las versiones 365 este dato es imprescindible.

Interfaz de usuario de Office 2016

Ya hemos superado la ventana inicial y ante nosotros se muestra el entorno de Word, Excel, Access o PowerPoint. Microsoft ha elegido un color predominante para cada una de ellas como detalle característico de la versión 2016. Al margen de esta particularidad, queremos que observe con atención la parte superior de la ventana donde se encuentran los elementos que permitirán acceder a las distintas herramientas que ofrece cada una de las aplicaciones.

En la figura 2.10 hemos resaltado gráficamente cada uno de los elementos principales de la interfaz de Office, y a continuación comentaremos el propósito de cada uno de ellos. El motivo es familiarizarlos con los diferentes elementos del entorno a los que haremos referencia con frecuencia en los siguientes capítulos.

Cinta de opciones

Como sustituto a los menús e iconos de toda la vida, la cinta de opciones se ha convertido en uno de los elementos más característicos de las aplicaciones diseñadas por Microsoft en los últimos años. Será como nuestro cuadro de mandos y en ella encontraremos las diferentes opciones, comandos y herramientas disponibles en cada una de las aplicaciones de Microsoft Office.

La cinta de opciones está compuesta por diferentes elementos como señalamos en la última figura. Veamos el significado de cada uno de ellos:

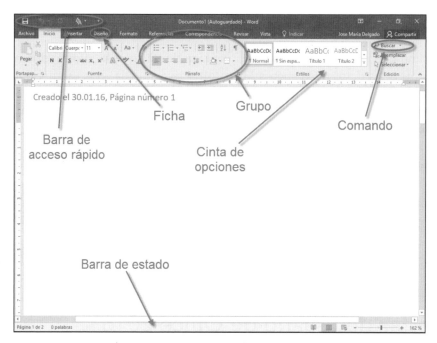

Figura 2.10. Elementos comunes del entorno de las aplicaciones de Office 2016.

- **Fichas**: En la parte superior de la cinta de opciones encontrará las distintas categorías: Inicio, Insertar, Diseño… en las que se divide. Cada una de ellas está destinada a una tarea concreta como aplicar formato, añadir elementos gráficos y de diseño o recopilar las funciones más sencillas como sería el caso de la ficha Inicio. En determinadas circunstancias, las aplicaciones de Office mostrarán fichas específicas para trabajar con gráficos, imágenes o elementos especiales.

- **Grupos de comandos**: El siguiente elemento utilizado para organizar las funciones y herramientas dentro de cada ficha serían los grupos de comando. Divididos por una fina línea de color más oscuro, haremos referencia a ellos por el nombre que aparece en la parte inferior. En función del tamaño de la pantalla, los grupos podrán mostrar todos sus elementos o sólo el nombre de grupo y un pequeño icono en la parte inferior sobre el que deberá hacer clic para acceder al resto de comandos.

- **Comandos**: Por último, dentro de cada grupo tendremos acceso a los comandos, herramientas y funciones que permitirán trabajar cada aplicación.

El elemento Archivo es algo especial y diferente al resto de fichas. Ofrece acceso a una serie de comandos que trataremos en los apartados siguientes.

Nota:

Si lo desea puede personalizar el aspecto y los contenidos de la cinta de opciones aunque esto queda un poco lejos de nuestros propósitos en este libro. En cualquier caso, si tiene curiosidad haga clic en el menú Archivo *y a continuación seleccione el comando* Opciones. *En el margen izquierdo del cuadro de diálogo que aparece encontrará la entrada denominada* Personalizar barra de opciones.

Muchos de los botones o iconos que encontrará en la cinta de opciones aparecen divididos en dos partes, tal y como puede observar en el ejemplo de la figura 2.11. Si hace clic sobre la pequeña flecha situada a la derecha o en la parte inferior se desplegará un listado de opciones relacionadas. Por otra parte, cuando haga clic sobre el propio icono el resultado será aplicar directamente el comando para el que esté diseñado.

Figura 2.11. Botones complejos en la cinta de opciones.

Truco:

Si desea conocer el significado de cualquier elemento de la cinta de opciones basta con situar el cursor encima y al instante aparecerá una viñeta con una pequeña descripción sobre su propósito.

Por último, comentar que puede ocultar la cinta de opciones si desea obtener un entorno de trabajo más despejado con tan sólo hacer clic en el icono que puede ver resaltado en la figura 2.12. Desde ese momento, para acceder de nuevo a este elemento bastará con hacer clic en el nombre de alguna de las fichas y para volver a fijarlo a su posición habitual, seleccione el icono con forma de chincheta situado en el extremo derecho.

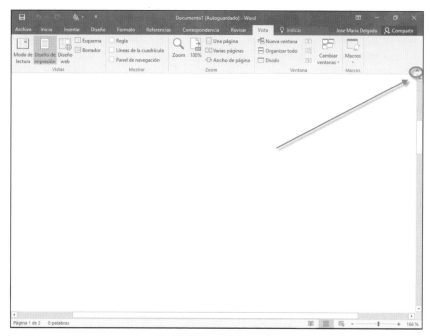

Figura 2.12. Ocultar la cinta de opciones.

Barra de herramientas de acceso rápido

Otro elemento importante de la interfaz de las principales aplicaciones de Office es la barra de herramientas de acceso rápido situada en la parte superior derecha de la ventana del programa. Por defecto, incluye una serie de comandos básicos como Guardar o Deshacer, pero si lo desea puede añadir aquellos que le resulten más útiles con tan sólo seleccionar el icono que hemos resaltado en la figura 2.13. A partir de aquí, sólo necesita hacer clic sobre cualquiera de ellos para añadirlo a la barra de acceso rápido.

Si en la lista de comandos más utilizados no se encontrara la opción que necesita, seleccione Más comandos para mostrar un cuadro donde, en la columna de la izquierda se encuentran todos los comandos del programa y a la derecha, los que ya forman parte de la barra de acceso rápido.

Barra de estado

La misión de la barra de estado es proporcionarnos información adicional sobre cualquier aspecto del programa. Se encuentra en la parte inferior de la pantalla y, en aplicaciones como Word, resulta prácticamente imprescindible.

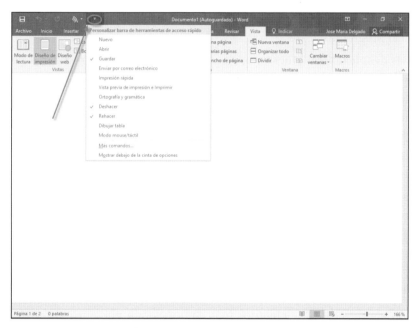

Figura 2.13. Personalizar la barra de herramientas de acceso rápido.

Cuadros de diálogo

Los cuadros de diálogo son nuestro medio de comunicación con las distintas aplicaciones. En la figura 2.14 puede ver un cuadro de diálogo típico donde se indica el nombre de cada uno de sus componentes. A continuación describimos cada uno de ellos:

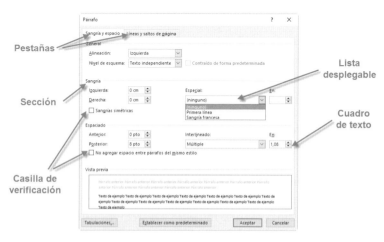

Figura 2.14. Elementos básicos de un cuadro de diálogo.

- **Cuadro de texto**: Permite escribir en él, para proporcionar algún tipo de información al programa.

- **Listas desplegables**: Muestra una serie de opciones siendo necesario elegir una de ellas.

- **Botones de comando**: Ejecutan alguna acción; los más comunes son **Aceptar** y **Cancelar**. El primero de ellos aplica todos los ajustes contenidos en el cuadro de diálogo y el segundo permite salir del mismo sin realizar ningún cambio.

- **Botones de radio**: Activan o desactivan opciones, con la particularidad de que son excluyentes, es decir, sólo puede estar seleccionado uno al mismo tiempo.

- **Casillas de verificación**: Al igual que los botones de radio también permiten activar o desactivar opciones pero, en este caso, actúan de forma independiente.

- **Pestañas**: Algunos cuadros de diálogo contienen tanta información que resulta imposible mostrarla toda al mismo tiempo. En estos casos, se agrupan en categorías y éstas aparecen reflejadas en el cuadro mediante diferentes pestañas.

Estos son algunos de los elementos más comunes que podemos encontrar en un cuadro de diálogo. Como podrás imaginar existen algunos más que iremos comentando a lo largo de este libro.

El menú Archivo

En la versión 2007 Microsoft sorprendió, entre otras características, con una interfaz completamente renovada pero sobre todo, llamó la atención el botón de generosas dimensiones situado en la esquina superior izquierda. Este botón tuvo una existencia ciertamente efímera, ya que en la versión 2010 de la suite fue sustituido por un elemento mucho menos "llamativo" y más familiar, el menú Archivo. En Office 2016 se mantiene e incluso ha visto mejorada sus funcionalidades como puede comprobar en la figura 2.15. Al seleccionarlo aparecen en el margen izquierdo diferentes comandos de uso común como Guardar, Guardar como, Compartir o Exportar y a la derecha, las opciones relacionadas con estos comandos.

Para volver de nuevo al entorno del programa desde las opciones del menú Archivo utilice la tecla **Esc** o haga clic en el icono situado en la esquina superior izquierda.

Otras opciones, también frecuentes, muestran ahora mucha más información o lo hacen de forma más clara como es el caso del comando Abrir del que hablamos al principio del capítulo. Este comando muestra los archivos utilizados recientemente, pero también ofrece la posibilidad de acceder al contenido de su cuenta de OneDrive o recuperar archivos que no se guardaron correctamente.

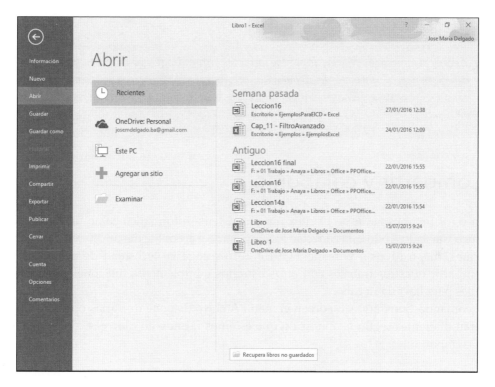

Figura 2.15. Menú Archivo.

Truco:

Como sabe, la lista de archivos utilizados recientemente se actualiza cada vez que abrimos un nuevo documento. En Office 2016 puede hacer que un archivo determinado permanezca siempre en esta lista con tan solo hacer clic en el pequeño icono situado a la derecha de su nombre.

Otro de los elementos destacados del menú Archivo es sin lugar a dudas el comando Imprimir. Con sólo dos clics de ratón tendrá una vista preliminar del documento, así como acceso rápido a los parámetros más comunes de configuración como el número de copias, la impresora por defecto, la orientación, los márgenes, etcétera. Sobre la vista preliminar podremos aplicar diferentes porcentajes de zoom y avanzar o retroceder páginas para comprobar el aspecto de todo el documento.

Tampoco debemos olvidar las posibilidades de los comandos Compartir de las que hablaremos un poco más adelante y Exportar con el que convertir en pdf un documento y enviarlo por correo electrónico será un juego de niños.

> **Nota:**
>
> *XPS es la apuesta de Microsoft por los formatos seguros y que permiten mantener las características de formato del documento original. Es evidente que le queda mucho camino por recorrer para ser tan popular como el formato PDF pero todo es cuestión de tiempo.*

Compartir y colaborar

En estos tiempos nadie se plantea ningún sistema informático como un elemento único y aislado. Todo está conectado, compartido y accesible desde diferentes ubicaciones, dispositivos y personas. Office 2016 recoge la necesidad de colaborar y compartir nuestros trabajos con otros usuarios e implementa funciones realmente útiles para llevarlas a cabo.

El comando Compartir situado en el menú Archivo dispone de varias opciones que serán diferentes según la aplicación que estemos usando en cada caso. Veamos las más importantes:

- **Compartir con otras personas:** Sin lugar a dudas una de las opciones más destacadas de Office 2016. Utilizando OneDrive como soporte de almacenamiento, permite que varios usuarios realicen aportaciones a un proyecto de forma simultánea. Veremos en próximos capítulos con más detalle la forma de aprovechar esta interesante característica.

- **Correo electrónico:** Quién no dispone a estas alturas de una dirección de correo electrónico. Esta opción es una de las más utilizadas por los usuarios por la comodidad e inmediatez que supone enviar cualquier trabajo a través de este medio.

- **Presentar en línea:** Permite a otros usuarios examinar nuestro trabajo utilizando únicamente un navegador Web. Como requisito indispensable necesita disponer de una cuenta de usuario Microsoft.

- **Publicar en blog:** Algunas aplicaciones de Microsoft Office como Word permiten añadir cualquier documento a nuestro blog mediante esta característica. Cada vez son más las opciones compatibles, pero las más conocidas como Blogger o WordPress están disponibles.

- **Publicar diapositivas:** Esta opción se encuentra disponible únicamente en PowerPoint y permite compartir una presentación con otras personas para que puedan utilizarla.

Nota:

No todas las posibilidades descritas del menú **Compartir** *se encuentran disponibles en las diferentes aplicaciones que integra la suite Office 2016. Word y PowerPoint serían los programas que más opciones ofrece y otros como Access, ni siquiera dispone de alguna de ellas.*

Además de las funcionalidades incluidas en el menú Archivo, Office 2016 cuenta con una opción específica para invitar a otros usuarios a colaborar en cualquier proyecto. Se trata del elemento que hemos resaltado en la figura 2.16. Una vez seleccionado y almacenado el archivo en la nube como paso indispensable para poder compartirlo, muestra la ventana que aparece en la misma figura desde la que podrá seleccionar a los usuarios que colaborarán en la elaboración del archivo.

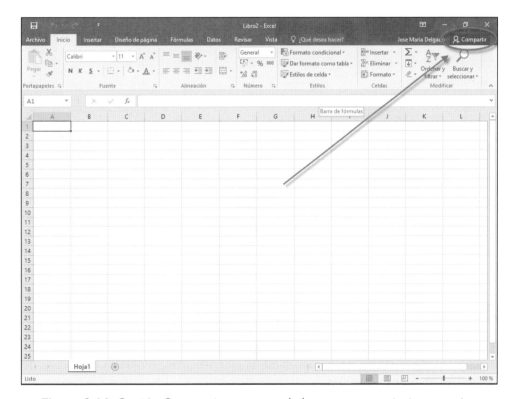

Figura 2.16. Opción Compartir y aspecto de la ventana para invitar usuarios al proyecto.

Cuadro de información

En la parte superior de la cinta de opciones, justo en la última posición de la lista de fichas se encuentra un cuadro de texto con el título ¿**Qué desea hacer?** En él, puede escribir una pregunta, el nombre del comando que necesita utilizar o dudas que le surjan mientras trabaje con Office. Como puede comprobar en la figura 2.17 a medida que escribe, el sistema de ayuda muestra en primer lugar los comandos y funciones relacionadas, a continuación la opción **Obtenga ayuda sobre** permitirá abrir una ventana con más información sobre la cuestión solicitada.

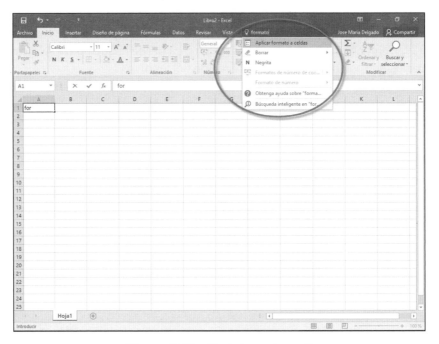

Figura 2.17. ¿Qué desea hacer?

Búsqueda inteligente

Siguiendo con el mundo de posibilidades que ofrece un equipo conectado, queremos describir el significado de una importante característica disponible en la mayoría de las aplicaciones de Office 2016:

1. Haga doble clic sobre cualquier palabra para seleccionarla.

2. A continuación, haga clic con el botón derecho del ratón sobre la palabra seleccionada.

3. En el menú emergente, elija el comando denominado **Búsqueda** inteligente.

4. Compruebe como de inmediato aparece en el margen derecho una ventana con información sobre el término seleccionado tal y como muestra la figura 2.18.

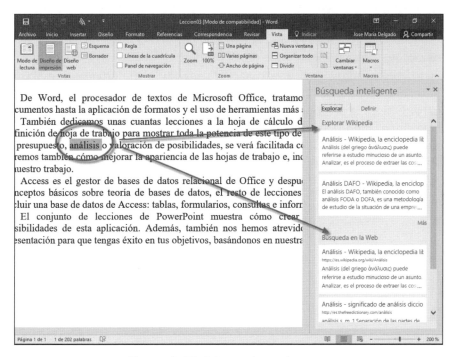

Figura 2.18. Búsqueda inteligente.

Bueno, hasta aquí podríamos decir que el comando descrito no es más que un acceso directo a cualquier buscador de Internet. Entonces, ¿por qué se denomina "inteligente"? La respuesta está el modo en que realiza la búsqueda, ya que no sólo tiene en cuenta el término seleccionado sino el contexto en el que se encuentra. De este modo, el resultado será distinto en función de la frase o párrafo donde esté incluido el texto elegido.

Nota:

La búsqueda inteligente asociada a los resultados del cuadro de información se conectará a diferentes proveedores de información fiables y mostrará un panel con los resultados. Haga clic sobre cualquiera de ellos para abrir el explorador de Internet por defecto y acceder a la información.

Resumen

Manteniendo la filosofía de la colección, en este primer capítulo hemos querido dar un repaso a conceptos comunes como la estructura básica del sistema de archivos, la pantalla de inicio, el menú Archivo… sin olvidar los elementos más importantes del entorno como la cinta de opciones, la barra de tareas o la barra de herramientas de acceso rápido.

También hacemos una primera aproximación a novedades importantes de esta versión de Office: el comando **Compartir** o las búsquedas inteligentes. Hasta aquí, la visión general de Office y la descripción de los elementos comunes más importantes. A partir de ahora empezaremos a tratar en detalle las posibilidades de Word, Excel, Access y PowerPoint.

3

Primeros pasos con Word

En este capítulo aprenderá a:

- Crear un nuevo documento.
- Escribir tus primeras palabras en Word.
- Llevar a cabo procesos de selección.
- Editar aspectos básicos de texto.
- Utilizar los comandos Rehacer y Deshacer.
- Cortar, Copiar y Pegar.
- Obtener ayuda desde Microsoft Word.

Introducción

Comenzamos con el que es sin duda uno de los programas más conocido y utilizado del paquete de programas Microsoft Office, hablamos por supuesto de Word. Word es el procesador de textos de la suite y resulta una herramienta imprescindible tanto para trabajos profesiones como para nuestras necesidades domésticas.

En multitud de ocasiones el modo de presentar cualquier informe, análisis o documento reflejará en cierto modo nuestra forma de actuar y proceder. Por este motivo, se hace indispensable aprender a utilizar un procesador de textos como herramienta para dar a nuestros proyectos un aspecto profesional y elegante.

Un consejo, no utilice demasiados recursos de diseño que recarguen en exceso los documentos. Es recomendable utilizar los elementos justos para conseguir un aspecto homogéneo y tener como objetivo que el destinatario del documento preste más atención a su contenido que a su apariencia, pero sin que ésta última le resulte desagradable o incómoda. Sin duda, un complicado equilibrio sobre el que intentaremos arrojar algo de luz.

Nuevo documento en blanco

Ya sabemos iniciar la aplicación, de modo que sin más veamos como crear nuestro primer documento. La forma más rápida y sencilla es la siguiente:

1. En la página de inicio de la aplicación, justo en el margen derecho se encuentran todas las plantillas disponibles.

2. Haga clic sobre la primera de ellas denominada Documento en blanco tal y como muestra la figura 3.1.

3. Después, tendrá acceso al entorno de Microsoft Word con un documento en blanco listo para empezar a trabajar.

Advertencia:

Word abre una ventana de aplicación para cada documento. Es decir que tendrá tantas versiones de Word ejecutándose como documentos abiertos, siendo de esta forma mucho más sencillo pasar de uno a otro con la combinación de teclas **Control-Tab**.

Una vez dentro del entorno de trabajo de la aplicación, también puede crear un nuevo documento pero, en este caso, es necesario recurrir al menú Archivo y al comando

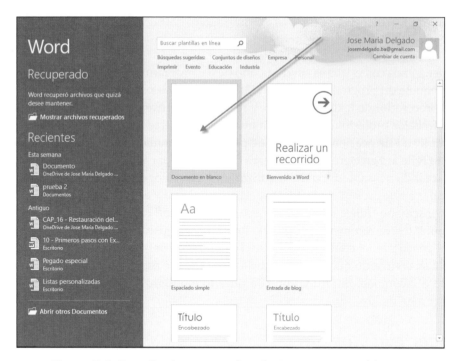

Figura 3.1. Pantalla de inicio y plantilla Documento en blanco.

Nuevo. En el margen derecho aparecen de nuevo todas las plantillas disponibles para que seleccione la que necesite en cada caso.

Truco:

No olvide el buscador de plantillas en línea. Escriba cualquier término relacionado con el modelo de plantilla que necesita y seguro que encuentra algún resultado que le permita obtener un resultado profesional para su trabajo.

Abrir un documento existente

En el capítulo anterior comentamos la manera de abrir archivos así que no vamos a extendernos en este sentido. Sólo recordar que tanto desde la pantalla de inicio de la aplicación como desde el comando Abrir situado en el menú Archivo puede acceder al historial de los últimos documentos abiertos. Del mismo modo, dispone de la posibilidad de abrir archivos situados en ubicaciones locales o en OneDrive.

Por último, el comando **Examinar** permite acceder al contenido completo del equipo para acceder a esos documentos que se encuentren fuera de las carpetas por defecto.

> **Truco:**
>
> *Recuerde que puede personalizar la barra de herramientas de acceso rápido añadiendo los comandos que utilice con más frecuencia. Entre la lista que ofrece después de hacer clic en el pequeño icono situado a la izquierda del último icono, encontrará el comando* **Abrir.**

El punto de inserción

El punto de inserción es la barra vertical negra parpadeante que aparece en la esquina superior izquierda cuando creamos un documento nuevo. Su función principal es determinar la posición exacta desde la que se introducirá nuevo texto.

Hacer clic y escribir

Word ofrece la posibilidad de colocar el cursor en cualquier posición dentro de un documento y empezar a escribir. Esta propiedad se denomina *Hacer clic y escribir* pero sólo está disponible en las vistas Diseño Web y Diseño de impresión de las que hablaremos un poco más adelante. A continuación veamos un ejemplo de cómo funciona este sistema de edición:

1. Abra un nuevo documento.

2. Haga clic en la ficha **Vista** y seleccione el comando **Diseño de impresión** situado en el extremo izquierdo de la cinta de opciones.

3. Mueva el cursor hasta el centro de la página y compruebe cómo cambia su aspecto en función del lugar de la página donde se encuentre.

4. Cuando esté en la posición correcta, haga doble clic.

5. A partir de ese momento puede comenzar a escribir. Según la zona del documento, Word alineará el texto a la izquierda o la derecha.

Por ejemplo, podría aprovechar esta característica a la hora de escribir una carta donde el encabezado debe ir arriba y a la derecha, después el texto en el centro, y finalmente la firma abajo y a la izquierda. En lugar de ir cambiando las propiedades de alineación del texto o utilizar la tecla **Intro**, puede situar el cursor donde necesite y listo.

Movimientos del punto de inserción

El punto de inserción es un elemento que nos permitirá añadir texto entre dos palabras, caracteres o párrafos, así como elementos gráficos, objetos, etcétera. Pero antes debemos conocer los métodos para situarlo en la posición adecuada. Por supuesto la forma más sencilla es hacer clic con el cursor en el lugar exacto, pero en la tabla 3.1 encontrará un buen número de atajos de teclado para realizar las operaciones más habituales y con los que ahorrará mucho tiempo.

Tabla 3.1. Teclas asociadas al movimiento del punto de inserción.

Tecla	Acción
Flecha dcha.	Mueve el punto de inserción un carácter a la derecha.
Flecha izda.	Mueve el punto de inserción un carácter a la izquierda.
Flecha arriba	Mueve el punto de inserción a la línea anterior.
Flecha abajo	Mueve el punto de inserción a la línea siguiente.
Control-Flecha dcha.	Mueve el punto de inserción una palabra a la derecha.
Control-Flecha izda.	Mueve el punto de inserción una palabra a la izquierda.
Inicio	Mueve el punto de inserción al principio de la línea actual.
Fin	Coloca el punto de inserción detrás de la última palabra de la línea actual.
Control-Inicio	Mueve el punto de inserción al principio del documento actual.
Control-Fin	Mueve el punto de inserción hasta el final del documento actual.
AvPág	Desplaza el punto de inserción una pantalla hacia abajo.
RePág	Desplaza el punto de inserción una pantalla hacia arriba.

Con toda la información de la tabla anterior no debería tener ningún problema para situar el punto de inserción en la posición que desee.

Seleccionar...

La acción de seleccionar consiste en resaltar todo o parte del texto incluido en el documento para posteriormente realizar sobre él algún tipo de modificación. Como puede comprobar en la figura 3.2, después de efectuar cualquier operación de selección sobre el texto, éste aparece en destacado facilitando su identificación.

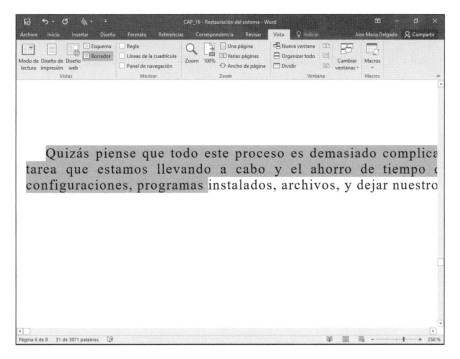

Figura 3.2. Texto seleccionado.

Para entender mejor el concepto de selección y poder practicar al mismo tiempo que explicamos los diferentes métodos disponibles, cree un nuevo documento y escriba varios párrafos cortos. Después, compruebe sobre el texto que acaba de teclear cada una de las opciones siguientes.

…un carácter

Para seleccionar el carácter situado inmediatamente a la izquierda o a la derecha del punto de inserción, mantenga pulsada la tecla **Mayús** y haga clic sobre la tecla de cursor **Flecha dcha** o **Flecha izda**.

…una palabra

Para seleccionar una palabra basta con mantener pulsadas las teclas **Control-Mayús** al tiempo que utiliza la tecla **Flecha izda** o **Flecha dcha**. Con el ratón el método es mucho más sencillo, dado que sólo es necesario hacer doble clic sobre la palabra que quieres seleccionar.

…una línea

En primer lugar coloque el cursor al principio de la línea usando la tecla **Inicio**. A continuación mantenga pulsada la tecla **Mayús** mientras hace clic sobre la tecla **Fin**. Si no se encuentra al principio de la línea, seleccionará desde el punto actual hasta el final de la línea.

De igual forma, si prefiere utilizar el ratón para realizar esta misma operación, siga estos sencillos pasos:

1. Desplace el ratón hasta el margen izquierdo del documento.
2. Compruebe como se transforma en una flecha apuntando hacia arriba y hacia la derecha.
3. Sitúe el cursor a la altura de la línea que quiere seleccionar y haga clic.

> **Truco:**
>
> *Para seleccionar líneas de texto consecutivas, tanto hacia arriba como hacia abajo, mantenga pulsado el botón izquierdo del ratón cuando se encuentre en el margen izquierdo del documento y arrastre hacia arriba o hacia abajo. De este modo puede seleccionar tantas líneas consecutivas como desee.*

…una frase

Para seleccionar una frase necesita el ratón. Coloque el cursor sobre alguna de las palabras que forman parte de la frase que quiere seleccionar, y después mantenga pulsada la tecla **Control** al mismo tiempo que hace clic con el botón izquierdo del ratón.

…un párrafo

Se entiende por un párrafo el bloque de texto contenido entre dos pulsaciones de la tecla **Intro**. El punto final no delimita el final de un párrafo, aunque en algunas ocasiones pueda coincidir. El final de párrafo lo determina la marca de fin de párrafo que aparece al pulsar **Intro**. Si quiere ver esta marca, tendrá que utilizar el botón **Mostrar todo** situado en la ficha Inicio tal y como hemos resaltado en la figura 3.3.

Para seleccionar un párrafo completo, debe hacer un triple clic, es decir, tres pulsaciones consecutivas con el botón izquierdo del ratón. Quizás al principio le cueste un poco, pero seguro que después de hacerlo varias veces no tendrá ningún problema.

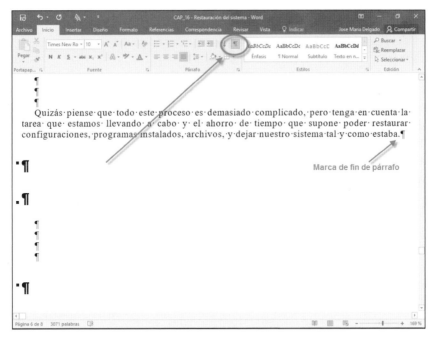

Figura 3.3. Comando Mostrar todo en la ficha Inicio.

...parte de un párrafo

Cuando necesite seleccionar sólo parte de un párrafo o incluso de varios, utilice la secuencia de pasos que se describe a continuación:

1. Sitúe el punto de inserción delante del primer carácter en la zona de texto que quiere seleccionar.

2. A continuación, mantenga pulsada la tecla **Mayús** y haga clic con el ratón sobre la palabra que será la última que contendrá el fragmento de texto seleccionado.

Para ajustar de forma más concreta el método de selección descrito, puede utilizar las teclas **Flecha izda.** y **Flecha dcha.**, mientras mantiene pulsada la tecla **Mayús**.

...todo, de todo

Para seleccionar todo el documento existen varios métodos, pero el más sencillo es utilizar la combinación de teclas **Control-E** o la opción Seleccionar todo del comando Seleccionar situado en el extremo derecho de la ficha Inicio. No olvide que al seleccionar todo también se incluyen los objetos que contenga el documento como imágenes, líneas, etcétera.

Borrar y reemplazar texto

Si desea eliminar todo o parte del texto de un documento, debe utilizar en primer lugar alguna de las técnicas de selección descritas en los apartados anteriores. Una vez hecho esto, pulse la tecla **Supr**.

Para sustituir cualquier texto dentro del documento, también es necesario seleccionar en primer lugar el fragmento que quiere cambiar y después empezar a escribir para reemplazar el texto original.

Truco:

Observe en la figura 3.4 la situación del comando **Borrar todo el formato** *situado en la ficha* **Inicio**. *Utilícelo para conservar el texto pero eliminar todas sus propiedades de formato como: negrita, cursiva, subrayado, etcétera.*

Figura 3.4. Comando Borrar todo el formato.

Insertar texto

Insertar texto es una operación muy habitual, y para llevarla a cabo lo único que debe hacer es situar el punto de inserción en la posición exacta dentro del documento en el que quiere añadir el nuevo texto y escribir.

Unir y separar párrafos

Otra de las tareas comunes cuando trabajamos con un procesador de textos es unir y separar párrafos. Como hemos comentado en los apartados anteriores puede utilizar el comando **Mostrar todo** para reconocer las marcas de fin de párrafo dentro del documento. Después de utilizarlo compruebe como el documento se llena de puntos negros y de símbolos extraños.

Explicamos todo esto porque no siempre podrá localizar con exactitud dónde acaba un párrafo y dónde empieza el siguiente. Al activar esta opción no tendrá problemas, aunque también le recomendamos que una vez haya cumplido su misión, la desactive para no distraerse entre tanto símbolo.

Y por fin, ¿cómo unimos y separamos párrafos? Pues bien, para unir dos párrafos:

1. Desplace el punto de inserción hasta el final del mismo y…

2. Pulse la tecla **Supr**.

Pero si lo que quiere es separar o dividir el párrafo en dos:

1. Sitúe el punto de inserción en el lugar en el que desee realizar la división.

2. Pulse la tecla **Intro**.

Deshacer y rehacer

Rectificar es de sabios es una frase típica que conocemos todos y que hace alusión directa a lo sencillo que resulta cometer errores. En Word en particular y en cualquiera de las aplicaciones de Office en general lo tenemos fácil gracias a los potentes comandos que permiten deshacer cualquier operación e incluso volver a restablecer la modificación si decidimos cambiar de opinión.

Los comandos en cuestión son Deshacer y Rehacer y se encuentran por defecto en la barra de herramientas de acceso rápido.

Deshacer

El comando Deshacer permite restablecer el aspecto del documento después de ejecutar alguna operación de edición sobre él: cortar, pegar, operaciones de formato, etcétera. Lo cierto es que se pueden deshacer prácticamente todos los comandos disponibles en Word, salvo raras excepciones.

Nota:

Word dispone de múltiples instancias del comando Deshacer, es decir, no sólo puede restaurar la última operación, también es posible recuperar un buen número de nuestras últimas acciones. Lástima que no dispongamos de algo de esto en la vida real.

Como hemos comentado, la situación por defecto del comando Deshacer se encuentra en la barra de herramientas de acceso rápido. Pero si presta atención comprobará que se encuentra dividido en realidad en dos partes:

1. Si hace clic sobre el propio botón, ejecutará el comando y recuperará la última acción. En cambio, seleccione la pequeña flecha negra situada a su derecha para mostrar una lista con la descripción de las últimas acciones realizadas, tal y como puede ver en la figura 3.5.

2. Sin hacer nada, arrastre hacia abajo el ratón para seleccionar todas aquellas operaciones que desea deshacer. Si lo necesita puede utilizar la barra de desplazamiento situada a la derecha para acceder a las operaciones que permanecen ocultas.

3. Una vez elegidas las acciones que quiere deshacer, haga clic. La lista se cerrará y el estado del documento se restaurará hasta la operación seleccionada.

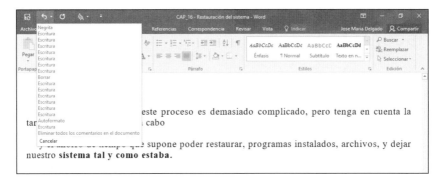

Figura 3.5. Lista asociada al botón Deshacer.

Truco:

La forma más rápida de deshacer el último cambio aplicado sobre el documento es utilizar la combinación de teclas **Control-Z**. *No olvide esta combinación de teclas.*

Rehacer

El comando Rehacer permite recuperar los cambios realizados con el comando Deshacer. El comando Rehacer se encuentra situado en la barra de herramientas de acceso rápido, justo a continuación del comando Deshacer.

Para rehacer más de una acción, en la barra de herramientas Estándar haga clic sobre el botón tantas veces como operaciones necesite recuperar.

Truco:

El atajo de teclado asociado al comando **Deshacer** *es* **Control-Y**. *Ésta es sin duda la manera más rápida de rehacer la última operación.*

Movimiento vs desplazamiento

Antes de tratar con detalle el funcionamiento y utilidad de las barras de desplazamiento, queremos explicar la diferencia entre moverse y desplazarse dentro de un documento de Word. Aunque esto no parezca relevante son dos conceptos que resulta esencial no confundir y se deben tener muy claros ya que dentro de Word no tienen un significando tan semejante como en la vida real.

Modificar la posición del punto de inserción en un documento de Word entraría dentro de la definición de "moverse" por el texto. Desplazarse, sin embargo, no implica un cambio de posición del punto de inserción, sino que se trata de mostrar cualquier otra parte del documento utilizando las barras de desplazamiento.

Advertencia:

Las teclas **RePág (Página arriba)** *y* **AvPág (Página abajo)** *además de avanzar o retroceder en el documento también modifican la posición del punto de inserción por lo que no podemos considerarlas como herramientas de desplazamiento.*

Las barras de desplazamiento son el principal medio para desplazarnos en documentos largos, además por supuesto, de las teclas avanzar (**AvPág**) y retroceder página (**RePág**). La descripción de los elementos más importantes que podemos encontrar en las barras de desplazamiento sería la siguiente:

- **Botones de desplazamiento**: Hacen referencia a los botones situados en los extremos. En la barra de desplazamiento vertical, el documento avanza o retrocede una sola línea, según utilicemos la flecha superior o inferior. En el caso de la barra horizontal, el documento se desplaza a la derecha o la izquierda utilizando movimientos cortos.

- **Cuadro de desplazamiento**: Determina la posición relativa en la que nos encontramos con respecto a la longitud total del documento. Haga clic sobre él y mantenga pulsado el botón izquierdo del ratón para mostrar información sobre el número de página actual, información también disponible en la barra de estado. Al hacer clic sobre este cuadro y desplazarlo, podrá llegar a cualquier zona del documento fácilmente, con la ventaja de que al mismo tiempo que desliza el cuadro, muestra el número de página.

- **Zona gris**: Se trata del espacio definido entre los botones superior e inferior y el cuadro de desplazamiento. Esta zona sirve para deslizar el documento una pantalla completa hacia arriba, hacia abajo, a la izquierda o a la derecha.

Truco:

Una forma realmente cómoda de desplazarnos por un documento es utilizar la rueda de nuestro ratón. Su función es equivalente a usar las barras de desplazamiento.

Si desea desplazarse rápidamente hasta el principio del documento utilice la combinación de teclas **Control-Inicio**. Del mismo modo, si necesita ir hasta la última línea use la combinación **Control-Fin**. Estas son las pequeñas cosas que harán que día a día mejore su habilidad con la aplicación.

Cortar, copiar y pegar... por si acaso

Cortar, copiar y pegar son acciones tan utilizadas y comunes que seguramente no necesiten demasiadas explicaciones. En cualquier caso, para cumplir con la filosofía de la colección nos detendremos brevemente a explicar estos tres conceptos.

El Portapapeles

Antes de nada queremos hacer referencia a un elemento esencial e íntimamente relacionado con los comandos Cortar, Copiar y Pegar, nos referimos al Portapapeles. Éste será el destino de los contenidos cortados o copiados. El Portapapeles se comporta como un contenedor de elementos donde podrá tener al mismo tiempo parte de un documento de Word, datos de una hoja de Excel, presentaciones de PowerPoint e incluso resultados de Access, y todos se pueden tratar de forma conjunta o independiente.

Advertencia:

El Portapapeles es un elemento común a todas las aplicaciones basadas en el sistema operativo Windows, pero la posibilidad de incluir múltiples elementos dentro del Portapapeles, por ahora, sólo está disponible en Office.

En muchas ocasiones puede resultarnos útil visualizar el contenido del Portapapeles y aún más acceder a él. Para mostrarlo haga clic en el pequeño icono que hemos resaltado en la figura 3.6. Una vez en pantalla puede aprovechar sus posibilidades como describimos a continuación:

- El botón **Pegar todo** insertará todo el contenido almacenado en el Portapapeles en el lugar donde se encuentre el punto de inserción.

- **Borrar todo** vacía por completo el Portapapeles.

- Para utilizar un elemento en concreto alojado en el Portapapeles, sólo es necesario hacer clic sobre él y al instante se añadirá al documento. Word muestra parte del elemento copiado, de modo que le resulte mucho más sencillo identificarlo.

- El botón **Opciones** permite configurar algunos comportamientos del Portapapeles como hacer que aparezca automáticamente cuando copiamos dos o más elementos, o al ejecutar dos veces la combinación **Control-C**.

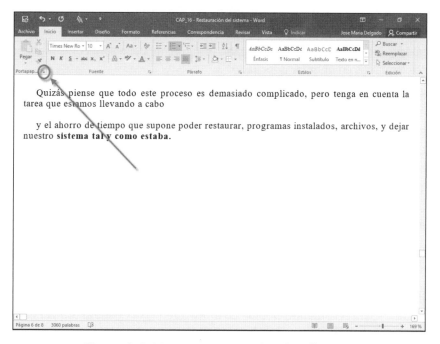

Figura 3.6. Mostrar Portapapeles de Office.

Nota:

El Portapapeles de Office no sólo admite palabras o párrafos, también es posible incluir imágenes, vínculos, celdas y gráficos de hojas de cálculo, etcétera.

Copiar

El proceso de copia consiste en enviar el texto o los objetos seleccionados al Portapapeles dejando intactos los elementos originales:

1. Utilice alguno de los métodos descritos en este capítulo para seleccionar aquello que desea copiar.

2. Seleccione la ficha Inicio y en el margen izquierdo, haga clic sobre **Copiar**. A partir de este momento, la selección se encuentra en el Portapapeles.

> **Truco:**
>
> *El atajo de teclado asociado al comando* Copiar *es* **Control-C** *y sin lugar a dudas es otro que no debería olvidar.*

Pegar

Después de ejecutar el comando Copiar, el siguiente paso será colocar el texto o los objetos copiados en el lugar adecuado:

1. Sitúe el punto de inserción en la posición exacta a partir de la cual desea añadir el texto copiado o incluir el objeto.

2. Seleccione la ficha Inicio y haga clic en el comando Pegar situado en el extremo izquierdo. También puede utilizar la combinación de teclas **Control-V**. Ambas opciones pegarán el último objeto copiado o cortado.

3. También puede utilizar el propio panel Portapapeles. En este caso, será suficiente con hacer clic sobre el elemento que necesita pegar para que aparezca al instante en el lugar en el que se encuentre el punto de inserción.

Cortar

La filosofía del comando Cortar y su funcionamiento es prácticamente el mismo que hemos visto para el comando Copiar. La única diferencia es que al utilizar el comando Cortar eliminamos el elemento o elementos seleccionados al tiempo que lo incluimos en el Portapapeles.

> **Truco:**
>
> *El atajo de teclado asociado al comando* Cortar *es* **Control-X** *y también se encuentra disponible en la cinta de opciones en forma de botón.*

Portapapeles de Office y Portapapeles del sistema

Antes de continuar queremos contar algo sobre la relación entre el Portapapeles de Office y el del sistema. El Portapapeles del sistema no dispone de las funcionalidades descritas en Office, pero en cualquier caso sigue siendo igual de útil ya que permite intercambiar elementos entre aplicaciones de todo tipo e incluso de distintos fabricantes. Por ejemplo, podría copiar el contenido de una página Web desde su navegador favorito y pegarlo en el documento de Word con el que está trabajando.

Del mismo modo, podría utilizar cualquier texto u objeto copiado en Word y utilizarlo en otras muchas aplicaciones, sin que necesariamente pertenezca a Office. Todo, combinando simplemente el Portapapeles del sistema con el de Office.

> **Nota:**
>
> *Office siempre copia al Portapapeles del sistema el último de los elementos cortado o pegado. Esto le puede servir para pegar el último elemento copiado en alguna de las aplicaciones de Office en cualquier otro programa. Del mismo modo, cuando vacía el Portapapeles de Office, también borra el Portapapeles del sistema.*

Impresión de documentos

Una vez acabado nuestro trabajo estaremos deseando ver los resultados. Aunque a primera vista parece sencillo, a la hora de imprimir nuestros documentos existen algunos conceptos que es imprescindible conocer y tener en cuenta.

La forma más rápida de imprimir el documento actual utilizando las opciones por defecto de Word es utilizar el comando Imprimir situado en el menú Archivo:

1. Haga clic en el menú Archivo y seleccione el comando Imprimir para mostrar la ventana que puede ver en la figura 3.7.

2. Si tiene más de una impresora instalada, en la lista Impresora puede seleccionar el dispositivo que desee utilizar en cada caso. Además, la opción **Propiedades de la impresora** permite ajustar sus parámetros.

3. La primera opción de la sección Configuración permite escoger entre imprimir todo el documento, la página actual o el intervalo de páginas que desee. Los intervalos de páginas se determinan separando con un guión las páginas consecutivas y con una coma las alternas en el cuadro de texto Páginas. Por ejemplo, el intervalo "15-17, 20" imprimiría las páginas 15, 16, 17 y 20.

4. En las opciones siguientes debe elegir entre imprimir a una o dos caras, la forma de distribuir las páginas en caso de imprimir varias copias del documento, la orientación, el tamaño del papel o los valores asociados a los márgenes del documento.

5. La última de las opciones ofrece la posibilidad de incluir más de una página del documento dentro de cada hoja impresa. Además, permite ajustar el tamaño del documento a diferentes formatos de papel mediante el último comando de la lista

denominado Escalar al tamaño del papel. La función de escalado del papel es sólo temporal ya que una vez terminado el proceso de impresión el documento recupera su configuración original.

6. Una vez establecidos todos los ajustes necesarios y comprobado que todo es correcto en la vista preliminar, haga clic en el botón **Imprimir**.

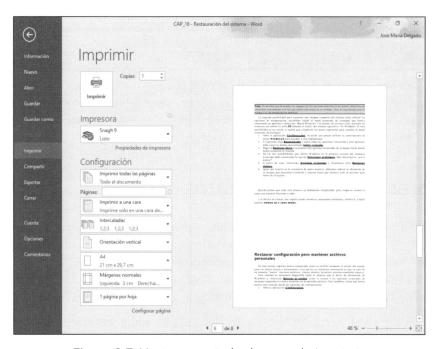

Figura 3.7. Ventana asociada al comando Imprimir.

Truco:

*Si desea imprimir varias copias de un documento no es necesario usar la secuencia de pasos de impresión tantas veces como copias desee. A la derecha del botón **Imprimir**, aparece un recuadro de texto llamado Número de copias. Escribiendo en este cuadro el número de copias, las conseguirá en una sola operación de impresión.*

La vista preliminar que muestra en el margen izquierdo de la ventana permite conocer el aspecto que tendrá el documento antes de imprimirlo. Es una buena idea acostumbrarnos a utilizarla principalmente por dos razones:

*   Evitaremos resultados inesperados a la hora de imprimir como saltos de página mal situados, orientación inadecuada de la página, etc.

- Salvar algún que otro árbol al ahorrar todo el papel posible, ya que si nos equivocamos o el resultado no es el esperado, tendremos que volver a imprimir el documento.

La barra de zoom situada en la esquina inferior derecha permite ampliar o reducir el tamaño de visualización. También puede utilizar el control situado en el extremo inferior izquierdo para navegar por las distintas páginas del documento.

Buenas maneras

Antes de continuar, creemos conveniente conocer algunos errores típicos que se cometen cuando se utiliza por primera vez un procesador de textos. Algunos parecerán obvios y otros no tanto, pero es bueno tenerlos en cuenta:

- No utilice retornos de carro para definir la separación entre párrafos; en este manual, aprenderá métodos mucho más elegantes que proporcionan un aspecto homogéneo al documento.
- No es recomendable usar espacios en blanco para cambiar la posición del texto. Hay herramientas de alineación específicas con las que podrá hacerlo de forma mucho más sencilla.
- Para aplicar el sangrado en la primera línea de un párrafo se utilizarán las herramientas de sangría que estudiaremos en este libro y no la tecla **Tab**, aunque éste puede ser un método de emergencia para textos cortos.
- Word permite definir el límite donde termina una página y empieza la siguiente, por lo que no es necesario pulsar repetidamente la tecla **Intro** para situar un párrafo en la página siguiente.
- Si necesita crear un documento con varias columnas, existen comandos en Word que puede utilizar para este fin sin tener que insertar tabuladores, espacios o cualquier otro recurso manual.
- Todas las herramientas de Office incluyen herramientas para revisar tanto la ortografía como la gramática de un documento. Utilícelas, no hay nada más desagradable que un texto repleto de errores ortográficos.
- Utilice tipos de letras sencillos y fáciles de leer, de lo contrario su documento parecerá excesivamente sobrecargado.

Nota:

En estos consejos hemos utilizado términos que quizás no conozca como, por ejemplo, sangrías o tabuladores. No se preocupe, a lo largo de los capítulos siguientes los explicaremos con detalle y aprenderá a utilizarlos sin problemas.

Resumen

Hemos comenzado describiendo en este primer capítulo algunos conceptos sencillos: crear y abrir documentos, el punto de inserción, seleccionar texto, desplazarse, imprimir, etcétera.

El portapapeles y las operaciones de cortar, copiar y pegar ocupan un espacio importante en la funcionalidad de cualquier aplicación, pero más si se trata de un procesador de textos como Word o una hoja de cálculo como Excel. Cuando copia, envía la selección al Portapapeles pero manteniendo intacto el original; en cambio, cuando corta, al mismo tiempo que envía la selección al Portapapeles, ésta desaparece del documento. Por último, el comando **Pegar** coloca el contenido del Portapapeles en el lugar en el que se encuentre el cursor.

4

Formatos de carácter y párrafo

En este capítulo aprenderá a:

- Reconocer los tipos de letra y su tamaño.
- Aprovechar las posibilidades del comando Fuente.
- Aplicar diferentes atributos de fuentes.
- Definir el espacio entre caracteres.
- Añadir símbolos y fórmulas.
- Alinear párrafos.
- Utilizar viñetas y numeraciones.
- Definir sangrías y tabuladores.
- Usar la regla.
- Copiar y pegar formato.

Introducción

Hemos descrito los aspectos más básicos de Office en general y de Word en particular, pero todavía no sabemos cómo dar forma y mejorar el aspecto de nuestros documentos. En este capítulo empezaremos por el nivel más básico, los comandos para cambiar el tamaño de fuente, la alineación de párrafos, el sangrado, etcétera.

Cuidar el resultado final de nuestros documentos es fundamental, y no sólo se trata de revisar la ortografía o de cuidar la redacción, también es importante prestar atención a su apariencia. Si lo hacemos así, nuestros trabajos tendrán un aspecto mucho más profesional y elegante. En los siguientes apartados descubrirá un buen número de opciones para trabajar sobre el formato de cualquier documento, desde el tratamiento básico de caracteres hasta las transformaciones disponibles para párrafos y textos complejos.

Formatos de carácter

La idea de este capítulo es dividir las posibilidades de formato de Word en dos grandes grupos. En primer lugar describiremos los atributos más utilizadas para dar forma, mejorar o resaltar caracteres, palabras o textos. A este conjunto de comandos se le denomina formatos de carácter o de fuente y para utilizarlos tendremos que recurrir al grupo Fuente de la ficha Inicio como puede observar en la figura 4.1.

Figura 4.1. Grupo Fuente de la ficha Inicio.

Fuentes

Las fuentes, o tipos de letras como se les denomina más comúnmente, son colecciones de caracteres que comparten características similares en cuanto a su aspecto y su diseño. Estas colecciones incluyen letras, números, símbolos y caracteres especiales (no todos los tipos de fuentes incluyen todos los caracteres, por ejemplo, nuestra querida eñe o las vocales con tilde). También existen tipos especiales que sólo contienen símbolos o caracteres especiales; dos ejemplos serían las fuentes Wingdings y Symbols.

Aviso:

No es recomendable utilizar demasiados tipos de fuentes dentro de un mismo documento; sobre todo, para el grueso del texto es aconsejable recurrir a un tipo de letra de fácil lectura como por ejemplo la Times New Roman.

En Word existen varias formas de seleccionar el tipo de fuente que deseamos utilizar o asignar a un texto. La forma más sencilla es la lista desplegable **Fuente** situada en la ficha **Inicio** como puede observar en la figura 4.2. Esta lista muestra todas las fuentes instaladas en nuestro sistema. Otra ventaja es que muestra el nombre de cada fuente con su propio aspecto; de este modo, tenemos una vista preliminar de la fuente sin necesidad de aplicarla.

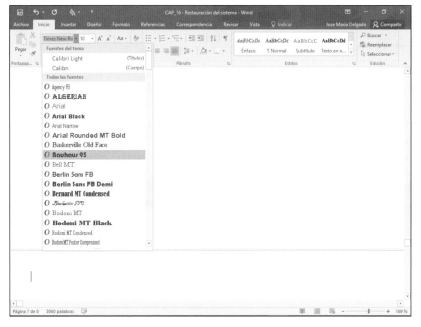

Figura 4.2. Lista desplegable Fuente.

Si todavía no ha empezado a escribir, elija la fuente que desee en la lista desplegable **Fuente** y, a partir de ese momento, el texto aparecerá con el modelo seleccionado. Pero si lo que necesita es modificar la fuente de cualquier palabra o párrafo del documento:

1. Seleccione el texto que desee cambiar utilizando alguno de los métodos descritos en el capítulo anterior.

2. Abra la lista Fuente de la ficha Inicio y elija el tipo de letra que quiere utilizar para el texto seleccionado.

Tamaño de fuente

Para definir el tamaño de las fuentes se utiliza una unidad de medida especial, los puntos (72 puntos equivalen a una pulgada). En el grupo Fuente de la ficha Inicio, junto a la lista desplegable Fuente, encontrará otro cuadro de lista denominado Tamaño de fuente, donde podrá seleccionar el valor que desee o bien escribirlo directamente.

> **Nota:**
>
> *El cuadro* Tamaño de fuente *permite utilizar valores decimales, como por ejemplo 9,5.*

A la derecha de la lista Tamaño de fuente se encuentran dos iconos que permiten aumentar o reducir un punto el tamaño del texto seleccionado.

Cuadro de diálogo Fuente

Observe en la figura 4.3 el pequeño icono que hemos resaltado en la esquina inferior derecha del grupo Fuente. Después de hacer clic sobre él, Word muestra el cuadro de diálogo Fuente cuyo aspecto también puede comprobar en la misma figura.
El cuadro de diálogo Fuente agrupa la mayoría de los atributos de carácter que trataremos en los próximos apartados. Además, permite comprobar el resultado en la vista previa que aparece en la parte inferior.

Color y resaltado

En la gran mayoría de documentos, el color negro que Word aplica por defecto al texto será suficiente, pero esto no tiene por qué ser siempre así. En la siguiente secuencia describimos la forma de aplicar color al texto:

1. Seleccione la palabra, párrafo o párrafos a los que quiere cambiar de color.
2. En el grupo Fuente de la ficha Inicio, haga clic en el pequeño botón situado a la derecha del icono **Color de fuente**. Al instante se desplegará la paleta de colores como puede comprobar en la figura 4.4. Si necesita un tono diferente a los que aparecen por defecto o utilizar algún efecto de degradado, haga clic en **Más colores** o **Degradado** respectivamente.

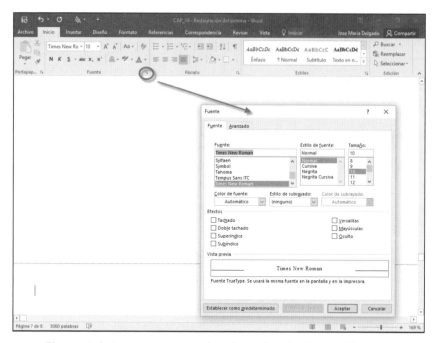

Figura 4.3. Icono para acceder al cuadro de diálogo Fuente.

3. Seleccione el color o efecto que desee aplicar.

Para devolver de nuevo el texto al color original, siga los mismos pasos anteriores y elija la opción **Automático**.

Figura 4.4. Cambiar el color del texto.

Una forma diferente de aplicar color a un texto es utilizar el comando **Color de resaltado**. El resultado imita el efecto de los típicos marcadores de oficina y es un método realmente efectivo para documentos de trabajo como borradores donde queremos destacar ideas o ciertos elementos del texto. El pequeño botón situado a la derecha del icono permite elegir entre varios tonos de resaltado. La opción Sin color recupera el aspecto original del texto.

Negrita, cursiva y subrayado

Además del tipo de fuente, el color y el tamaño, existen otros atributos de uso muy frecuente. Estos son Negrita, Cursiva y Subrayado. El motivo principal de utilizar alguno de estos recursos es atraer la atención de la persona o personas a las que va dirigido el documento sobre algún aspecto determinado. Para el caso de la negrita resulta habitual aplicarla sobre títulos o encabezados. En cambio, la cursiva es una forma elegante de resaltar alguna palabra o frase dentro de nuestro documento, sin desentonar demasiado.

> **Nota:**
>
> *También existe la posibilidad de realizar combinaciones con estos atributos, como por ejemplo negrita cursiva o negrita subrayado.*

A continuación explicaremos en qué consisten estas propiedades. La figura 4.5 muestra la situación de los iconos **Negrita**, **Cursiva** y **Subrayado** en el grupo Fuente de la ficha Inicio.

Figura 4.5. Iconos Negrita, Cursiva y Subrayado.

La forma de aplicar cualquiera de estos atributos es sencilla, basta con seleccionar el texto y a continuación hacer clic sobre el icono **Negrita**, **Cursiva** o **Subrayado**. También puede aplicar más de uno al mismo tiempo combinando sus efectos.

> **Nota:**
>
> *Al aplicar el formato cursiva sobre el texto, éste experimenta una ligera inclinación hacia la derecha. Como ya hemos comentado, es un modo bastante sencillo y elegante de resaltar ciertas partes del documento.*

Antes de terminar con estos atributos básicos, queremos comentar un aspecto importante del comando **Subrayado**. Como puede comprobar en la figura 4.6, el icono asociado a este atributo está formado por dos elementos, el propio icono y una pequeña lista desplegable que puede activar con tan sólo hacer clic en el símbolo situado a la derecha. En ella podrá elegir diferentes modelos de líneas, su color y si todo esto no es suficiente el comando **Mas subrayados** abre el cuadro de diálogo **Fuente** donde tendrá acceso a todos los tipos de líneas y colores disponibles.

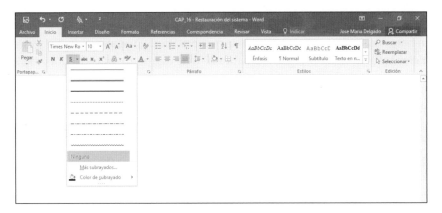

Figura 4.6. Opciones de subrayado disponibles.

Más atributos de fuente

El cuadro de diálogo **Fuente** contiene una sección denominada **Efectos** donde encontrará nuevas posibilidades de formato de carácter. A continuación comentamos el significado de cada una de ellas:

- **Tachado:** Añade una línea sobre el texto seleccionado. Este comando también está disponible en la cinta de opciones justo a la derecha del icono **Subrayado**.

- **Doble tachado:** Dibuja una doble línea sobre el texto seleccionado.

- **Superíndice:** Eleva el texto seleccionado y le asigna un tamaño menor.

- **Subíndice:** Baja un poco el texto seleccionado y le asigna un tamaño menor. Tanto esta opción con la anterior se encuentran disponibles en el grupo **Fuente** de la cinta de opciones.

- **Versalitas:** Convierte todo el texto seleccionado a mayúsculas y reduce su tamaño, más concretamente el alto de los caracteres.

- **Mayúsculas:** Simplemente convierte el texto en mayúsculas.

- Oculto: Evita que el texto se muestre en pantalla o en las copias impresas del documento. Para visualizarlo después de aplicarle este atributo, haga clic sobre el icono **Mostrar todo**, situado en el grupo Párrafo de la ficha Inicio.

> **Truco:**
>
> *Para comprobar el resultado de cada uno de los efectos, en la parte inferior del cuadro de diálogo existe un espacio en el que aparece una vista previa del texto con el efecto seleccionado.*

Efectos visuales

Además de todas las posibilidades descritas hasta ahora para cambiar el aspecto de cualquier texto existe una sorpresa más. Se trata del comando Efectos de texto y tipografía con el que podrá añadir textos, habitualmente títulos, con una apariencia realmente espectacular.

Este tipo de efectos también puede ser de gran utilidad a la hora de crear logotipos o cualquier título vistoso, incluso pequeños carteles. Los pasos para aplicarlo serían los siguientes:

1. Seleccione el carácter, palabra o texto sobre el que desee aplicar el efecto.
2. Asegúrese de que Inicio es la ficha seleccionada en la cinta de opciones. A continuación, en el grupo Fuente haga clic sobre el icono **Efectos de texto y tipografía**.
3. Coloque el cursor sobre alguno de los modelos disponibles para comprobar al instante el resultado sobre el texto.
4. Finalmente haga clic sobre el que desee aplicar.

En la figura 4.7 puede comprobar tanto la situación del icono **Efectos de texto y tipografía** en la cinta de opciones como el resultado de utilizar una de las combinaciones disponibles sobre un texto de ejemplo.

Word permite combinar los efectos del texto con otros atributos como negrita, cursiva y por supuesto también puede utilizar diferentes tipos de fuentes o tamaños de letra.

Espacio entre caracteres

Como su propio nombre indica, el espacio entre caracteres determina la distancia entre ellos dentro de una misma palabra. Si alguna vez ha pensado en separar caracteres usando, por ejemplo, espacios en blanco, olvídelo. A continuación describimos cómo se puede hacer de forma mucho más eficaz y elegante.

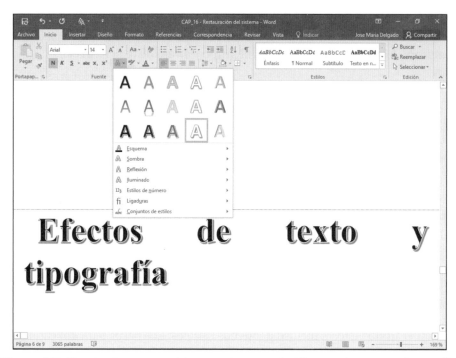

Figura 4.7. Resultado conseguido con el comando Efectos de texto y tipografía.

Ajustar el espacio entre caracteres permite modificar la extensión total de cualquier palabra o frase, expandiéndola o reduciéndola. Con este recurso puede adaptar fácilmente la longitud del texto a cualquier espacio del documento sin modificar el tamaño de la fuente.

Dentro del cuadro de diálogo Fuente, seleccione la pestaña Avanzado y preste atención a la sección Espacio entre caracteres. El significado de cada una de sus opciones es el siguiente:

- Escala: Aumenta o reduce el espacio total que ocupa el texto seleccionado a partir del porcentaje elegido en esta lista.

- Espaciado: Las opciones Expandido o Comprimido modifican el espacio entre caracteres utilizando como valor de ajuste el número de puntos que indiquemos en el cuadro de la derecha.

- Posición: En este caso puede subir o bajar el texto seleccionado con respecto a la línea base. El valor vendrá determinado por el número de puntos que introduzcamos en el cuadro de la derecha.

- Interletraje para fuentes: Adapta el espacio entre caracteres a partir de un tamaño determinado que debemos indicar en el cuadro de la derecha.

Nota:

La línea base hace referencia al trazo imaginario sobre el que estarían apoyados los caracteres. En la figura 4.8 puede ver representada esta línea.

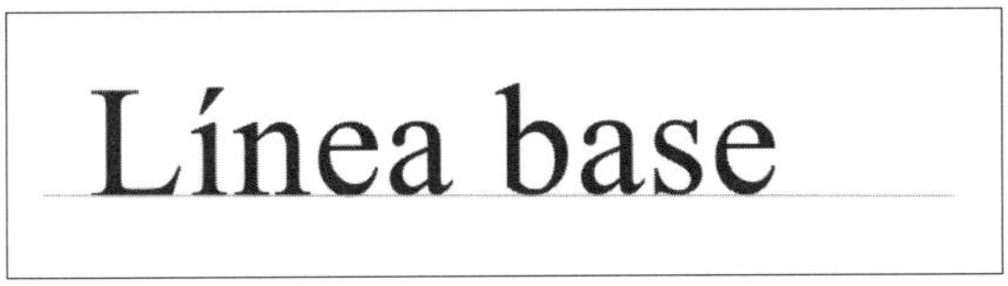

Línea base

Figura 4.8. Línea base.

Símbolos y fórmulas matemáticas

En cualquier momento puede necesitar incluir algún símbolo, fórmula matemática o carácter especial como parte del texto. Para hacerlo siga estos pasos:

1. Coloque el punto de inserción en el lugar exacto del texto donde necesita incluir el símbolo.

2. En la cinta de opciones, haga sobre clic la ficha Insertar.

3. Observe como en el margen derecho se encuentra el grupo Símbolos y dentro, el comando Símbolo.

4. Al seleccionarlo, Word muestra una lista de los símbolos especiales más utilizados, pero si no encuentra el que desea haga clic sobre la opción Más símbolos y aparecerá un cuadro de diálogo como el que puedes ver en la figura 4.9.

5. En la primera ficha denominada Símbolos, utilice la lista Fuente para elegir el tipo de letra que contiene el elemento que desea. Recuerde que las fuentes más típicas en Windows dedicadas exclusivamente a símbolos son las familias Wingdings y Symbols.

6. Haga doble clic sobre el símbolo que desee utilizar. También tiene la posibilidad de seleccionar el símbolo y utilizar el botón **Insertar** para colocarlo en el texto.

Nota:

La segunda ficha del cuadro de diálogo Símbolo, *denominada* Caracteres especiales, *incluye una lista con símbolos como el guión largo, las comillas, el símbolo del copyright, etcétera.*

Si necesita incluir una ecuación o fórmula matemática en su documento, dentro del mismo grupo **Símbolos** se encuentra el comando **Ecuación**. Haga clic sobre él y Word mostrará una versión especial de la cinta de opciones dedicada exclusivamente a este propósito como puede comprobar en la figura 4.9: fracciones, integrales, matrices y prácticamente cualquier elemento que necesite estará disponible.

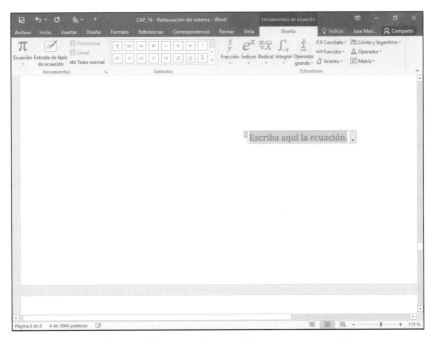

Figura 4.9. Incluir ecuaciones y fórmulas matemáticas.

Formatos de párrafo

Es prácticamente obligatorio utilizar distintos formatos de párrafo para dar forma y mejorar la legibilidad de un documento. Imagine cualquier página de este libro en la que los títulos de cada apartado tuvieran la misma forma que el resto del texto. O si lo prefiere observe la figura 4.10: resulta casi imposible distinguir los apartados en el texto, además de tener un aspecto final realmente pobre y de ser muy complicado entender su contenido.

Por el contrario, compruebe el aspecto de la página de la figura 4.11, donde los párrafos correspondientes a los títulos de los apartados se han resaltado con un tipo de letra mayor y se han separado del párrafo anterior y posterior. Comparando estos dos ejemplos se aprecia claramente la importancia que tiene el formato de párrafo. En los

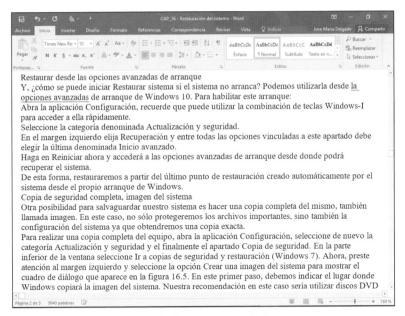

Figura 4.10. Documento sin formato.

próximos apartados trataremos las herramientas más importantes disponibles en Word para modificar el aspecto de los párrafos de nuestros documentos.

Alineación

La alineación define las distintas formas de ajustar las líneas de un párrafo entre los márgenes predefinidos de la página. Existen varios tipos; a continuación describimos los más importantes y los que seguramente utilizará con mayor frecuencia:

- **Izquierda** o **derecha**: Las líneas que forman el párrafo se ajustan al margen izquierdo o derecho, quedando la parte contraria de forma irregular.

- **Central**: En este tipo de alineación cada línea del párrafo queda centrada con respecto al punto medio definido entre los márgenes de la página.

- **Justificada**: Las líneas del párrafo ocupan todo el espacio disponible entre los márgenes de la página. Para lograr una cierta uniformidad en este tipo de alineación, Word se encarga de ajustar los espacios entre las palabras hasta lograr la justificación completa.

En la figura 4.12 puede ver un ejemplo donde aparece uno de los tipos de alineación anteriormente descritos. También se muestra el lugar que ocupan dentro del grupo Párrafo de la ficha Inicio cada uno de los comandos necesarios para aplicarlas.

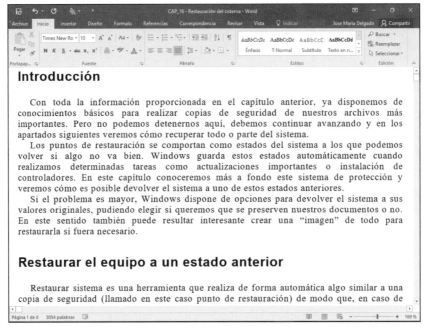

Figura 4.11. Documento donde hemos aplicado algo de formato a sus párrafos.

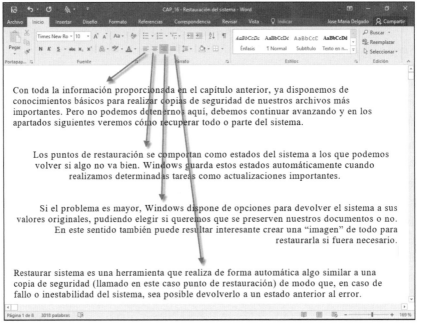

Figura 4.12. Modelos de alineación de párrafo y situación de los iconos asociados.

> **Truco:**
>
> *Cualquiera de los atributos descritos hasta ahora se pueden también aplicar a varios párrafos consecutivos con sólo arrastrar para seleccionar todos los párrafos que desee.*

Espacio entre líneas

El interlineado determina la distancia que separa cada una de las líneas que componen un párrafo. Por defecto, Word aplica un interlineado sencillo que en la mayoría de los casos es la opción más conveniente, pero si desea cambiarlo haga lo siguiente:

1. Sitúe el punto de inserción sobre el párrafo al que desea cambiar el interlineado o si lo prefiere, utilice las herramientas de selección para aplicar los ajustes sobre más de un párrafo al mismo tiempo.

2. Haga clic en el botón **Espaciado entre líneas y párrafos** situado en el grupo Párrafo de la ficha Inicio.

3. Seleccione alguno de los valores predeterminados o haga clic en Opciones de interlineado para abrir el cuadro de diálogo Párrafo.

El cuadro de diálogo Párrafo contiene la lista desplegable Interlineado. En ella encontrará algunos modelos de interlineado que permiten introducir valores en el cuadro de texto situado a la derecha con el propósito de establecer de forma precisa el espacio entre líneas. Por ejemplo:

- Mínimo: Word utilizará en este caso la distancia más reducida posible entre líneas. No es una opción demasiado recomendable ya que perderá legibilidad en el texto.

- Exacto: En este caso puede definir el espacio de separación entre líneas introduciendo el valor exacto en el cuadro de texto En.

- Múltiple: Aquí debe introducir la cantidad de líneas que quiere utilizar como valor de interlineado para el párrafo o los párrafos seleccionados.

> **Truco:**
>
> *En la parte inferior del cuadro de diálogo Párrafo encontrará una Vista previa de los ajustes en tiempo real. Utilícela para comprobar los cambios antes de aplicarlos.*

Espacio entre párrafos

Quién no ha utilizado alguna vez un retorno de carro, o lo que es lo mismo, una pulsación de la tecla **Intro** para separar dos párrafos. Ahora aprenderemos un método mucho más elegante ya que Word permite establecer el espacio anterior y posterior que separará cada párrafo del documento. Un ejemplo, cada título de apartado utilizado en este libro tiene aplicado diferentes valores de espaciado para separarlos del resto del texto. Debemos tratar siempre de mantener una cierta homogeneidad a la hora de aplicar espacios, es decir, intentar definir un mismo espacio para los párrafos que consideremos del mismo tipo. En el caso de los títulos, se consigue un efecto visual más agradable separándolos más del párrafo anterior que del posterior.

Truco:

Para añadir el espacio equivalente a una línea encima de un párrafo, utilice la combinación de teclas **Control-0**.

La siguiente secuencia de pasos describe el método para definir el espaciado anterior o posterior de un párrafo:

1. Sitúe el punto de inserción sobre el párrafo. Si necesita aplicar los mismos valores sobre más de un párrafo, seleccione en primer lugar todos los que desee. Recuerde que no necesita seleccionar párrafos completos, es suficiente con que parte de ellos estén dentro de la selección.

2. Seleccione la ficha Inicio y haga clic en el pequeño icono situado en la esquina inferior derecha del grupo Párrafo para abrir el cuadro de diálogo del mismo nombre.

3. En la sección Espaciado, utilice los cuadros de texto Anterior y Posterior para introducir los valores de separación del párrafo o párrafos seleccionados.

4. Haga clic en **Aceptar** para aplicar los cambios.

Advertencia:

Cuando dos párrafos consecutivos tienen aplicado un determinado espacio de separación, el espacio resultante entre ambos es la suma del valor posterior del primero más el del valor anterior del segundo. Lo más recomendable es aplicar espacio sólo por encima en los párrafos de texto normal y por ambos extremos en títulos o apartados.

Numeración y viñetas

Las viñetas son esos pequeños símbolos que aparecen a la izquierda de algunos conjuntos de párrafos. Es un método eficaz cuando necesitamos describir diferentes ideas o conceptos. La única diferencia entre las numeraciones y las viñetas es que las primeras utilizan números consecutivos para identificar cada párrafo mientras que las viñetas usan símbolos.

Para aplicar viñetas o numeraciones sobre una serie de párrafos debe seguir estos pasos:

1. Seleccione los párrafos a los que quiere aplicar la viñeta o numeración. No es necesario seleccionarlos por completo, basta con incluir una parte de ellos.

2. Utilice el botón **Viñetas** o el botón **Numeración** situados en el grupo Párrafo de la ficha Inicio.

Tanto el botón **Viñetas** como el botón **Numeración** están compuestos por dos elementos. El propio botón y una pequeña lista desplegable que puede activar haciendo clic en la pequeña flecha situada a la derecha de cada icono. Si hace clic sobre el icono se aplicará el modelo de viñeta o numeración por defecto. Por otra parte, si utiliza la lista asociada, Word muestra la biblioteca de viñetas para que elija el modelo más adecuado tal y como puede comprobar en la figura 4.13.

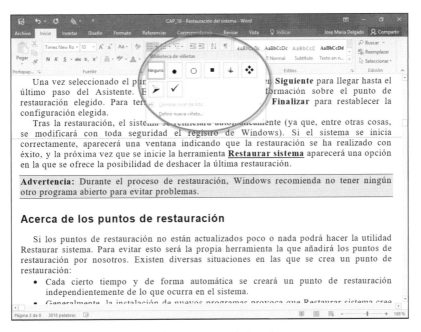

Figura 4.13. Acceso a los diferentes modelos de viñetas y numeraciones.

Si las opciones por defecto no son suficiente, aún queda la posibilidad de diseñar su propio modelo de viñeta o numeración. Para ello, seleccione Definir nueva viñeta o Definir nuevo formato de número en las listas desplegables asociadas a cada uno de los botones.

Con respecto a las numeraciones, un último detalle. Haga clic con el botón derecho sobre algún párrafo sobre el que haya aplicado el formato numeración. En el menú emergente, seleccione el comando **Establecer el valor de numeración** para mostrar un pequeño cuadro de diálogo con interesantes opciones. Entre ellas, la posibilidad de comenzar la numeración con el valor que desee, iniciar la lista desde cero o a partir de la lista inmediatamente anterior.

Bordes y sombreados

Word permite resaltar cualquier párrafo rodeándolo con un borde, que puede ser completo o incluir sólo líneas encima y debajo, o a derecha y debajo, etcétera. Veamos a continuación un método rápido y sencillo para utilizar este recurso:

1. Haga clic sobre un párrafo para situar el punto de inserción sobre él. Si lo desea, puede aplicar bordes sobre más de un párrafo al mismo tiempo con tan sólo seleccionarlos previamente.

2. En la cinta de opciones seleccione la ficha **Inicio**. El icono asociado al comando **Bordes** situado en el grupo **Párrafo** está compuesto por dos elementos, el propio icono y una lista desplegable que muestra los diferentes modelos de bordes.

3. Si hace clic sobre el icono aplicará el último borde utilizado o la opción por defecto. Pero mejor, haga clic sobre el pequeño símbolo situado a la derecha para mostrar las opciones disponibles tal y como puede ver en la figura 4.14.

4. Seleccione el tipo de borde y al instante se aplicará sobre el párrafo seleccionado.

Si necesita aplicar un borde no completo, por ejemplo en la parte inferior y a la derecha del párrafo, repita la secuencia de pasos anterior dos veces, seleccionando primero el borde inferior y después, el borde derecho.

Truco:

Al mismo tiempo que situamos el cursor sobre alguno de los modelos de bordes disponibles, Word muestra su aspecto de forma provisional sobre el documento para que podamos comprobar el resultado antes de aplicarlo definitivamente.

En la secuencia de pasos anterior, hemos descrito el camino más corto para añadir un borde a uno o varios párrafos. Pero si lo desea, seleccione la opción **Bordes y sombreados** situada al final de la lista para acceder al cuadro de diálogo del mismo nombre. En él encontrará todas las posibilidades de configuración y personalización disponibles:

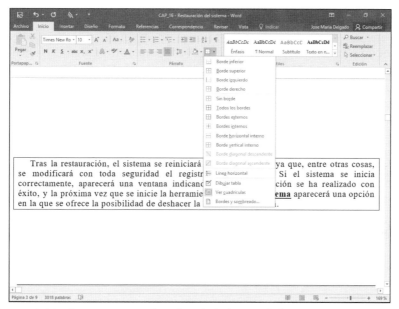

Figura 4.14. Opciones para bordes de la barra de herramientas Formato.

1. En la sección Valor de la ficha **Bordes,** seleccione el modelo de borde que desee.
2. Ahora en el apartado Estilo podrá elegir el tipo de línea, su color y su ancho.
3. Por último, utilice los botones que tiene junto a la vista previa para elegir los lados del párrafo sobre los que desea aplicar el borde.
4. Si fuera necesario, puede utilizar el botón **Opciones** para definir la distancia entre el borde y el párrafo.
5. Finalmente, compruebe en la Vista previa que todo es correcto y haga clic en el botón **Aceptar** para añadir los bordes al párrafo.

Advertencia:

Cuando seleccione varios párrafos y le aplique bordes, éste rodeará a toda la selección y no a cada párrafo de forma independiente.

Sombreados

En el cuadro de diálogo Bordes y sombreado se encuentra la pestaña Sombreado. Haga clic sobre ella y utilice la sección Relleno para elegir el color de sombreado que desea aplicar sobre el párrafo. En la parte inferior puede elegir entre diferentes estilos y colores de tramas.

La regla

La regla es un elemento imprescindible en Word para utilizar algunas funciones relacionadas con el ajuste de la posición del texto. El comando **Regla** del menú **Ver** permite tanto mostrarla como ocultarla.

En lugar de abrumarle con explicaciones, en la figura 4.15 hemos señalado los componentes más relevantes de la regla.

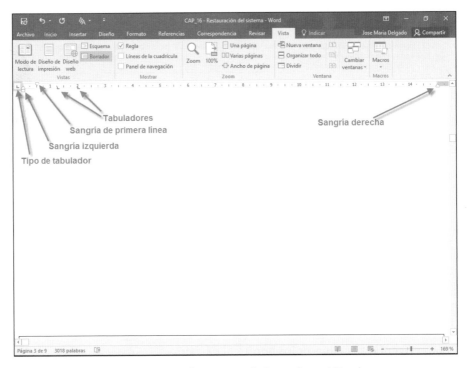

Figura 4.15. Elementos de la regla en Word.

Como puede apreciar en la figura, existe una regla horizontal que será la que utilice con más frecuencia, pero también se encuentra disponible una regla vertical.

Sangrías

Las sangrías son el espacio que separa cada una de las líneas de un párrafo de los márgenes izquierdo y derecho de la página. Este espacio se puede aplicar a la primera línea del párrafo, a todas las líneas o incluso se pueden utilizar distintas combinaciones sobre un mismo párrafo.

Existen diferentes tipos de sangrías:

- **Sangría primera línea**: Consiste en definir, para la primera línea del párrafo, una distancia hasta el margen izquierdo diferente del resto de las líneas del párrafo.

- **Sangría izquierda**: Determina la distancia que separa todas las líneas del párrafo con respecto al margen izquierdo de la página.

- **Sangría derecha**: Aplica a todo el párrafo una determinada separación con respecto al margen derecho de la página.

- **Sangría francesa**: En este caso, la primera línea del párrafo queda alineada más a la izquierda que el resto de las líneas.

- **Sangría doble**: Se establece una distancia de separación para las líneas del párrafo tanto del margen derecho como del izquierdo de la página.

Para entender mejor cada modelo de sangría la figura 4.16 muestra un ejemplo de cada una de ellas.

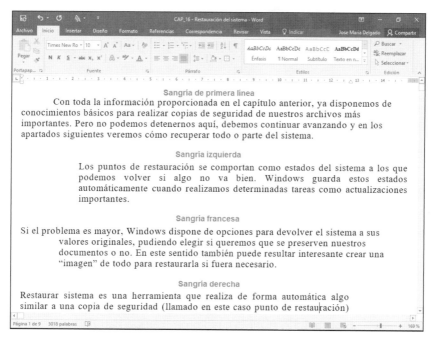

Figura 4.16. Modelos de sangría.

Empecemos con el caso más simple y a la vez uno de los más utilizados, la sangría de la primera línea. Si necesita aplicarla debe completar la siguiente secuencia de pasos:

1. Sitúe el punto de inserción sobre el párrafo al que desea aplicar la sangría.

2. A continuación muestre el cuadro de diálogo **Párrafo**. Para hacerlo haga clic en el icono que hemos resaltado en la figura 4.17.

3. Dentro de la sección **Sangría**, seleccione la opción **Primera línea** en la lista desplegable **Especial**.

4. En el cuadro situado a la derecha de la lista anterior indique el valor que desee, por ejemplo: 1,25 cm.

5. Haga clic en **Aceptar**. La primera línea del párrafo aparecerá desplazada a la derecha con el valor indicado. Este tipo de sangría se utiliza comúnmente para diferenciar varios párrafos consecutivos y conseguir de este modo una lectura más cómoda.

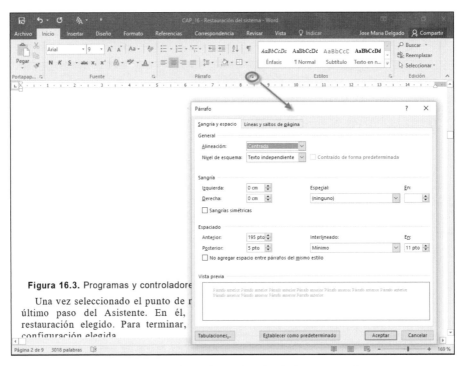

Figura 4.17. Abrir el cuadro de diálogo Párrafo.

Truco:

Para aplicar la mayoría de los formatos de párrafo, no es necesario seleccionar el párrafo completo, basta con situar el punto de inserción sobre él.

El mismo efecto conseguido en el apartado anterior podemos realizarlo más rápidamente, aunque con menor precisión, con la regla:

1. El primer paso será mostrar la regla si no se encuentra visible. En la cinta de opciones, haga clic en la ficha **Vista**. Ahora, en el grupo **Mostrar** active la casilla de verificación **Regla**.

2. A continuación, sitúe el punto de inserción sobre el párrafo que quiere aplicar la sangría.

3. En la regla, coloque el cursor sobre el triángulo superior y una etiqueta informa que se trata de la sangría de primera línea. Haga clic y sin soltar, arrastre hacia la derecha.

Esta forma de sangrar los párrafos es muy cómoda y mucho más visual que la anterior, pero algo menos precisa.

A continuación, aplicaremos una sangría izquierda a nuestro párrafo pero dejando la sangría para la primera línea definida en el apartado anterior.

Los pasos para aplicar la sangría izquierda sobre el mismo párrafo que ya tiene con una sangría de primera línea serían los siguientes:

1. Coloque el punto de inserción sobre el párrafo y abra de nuevo el cuadro de diálogo **Formato**.

2. Dentro de la sección **Sangría**, introduzca un valor en el cuadro de texto **Izquierda**, por ejemplo: 2 cm.

3. Haga clic en **Aceptar** para aplicar los cambios y compruebe como todas las líneas del párrafo se desplazan a la izquierda del valor indicado.

Advertencia:

Si hemos definido una sangría para la primera línea y aplicamos una sangría izquierda, el valor indicado para la primera línea se sumará al que definamos como sangría izquierda.

Para aplicar una sangría izquierda utilizando la regla, es necesario desplazar el pequeño cuadrado situado en la parte inferior. Sitúe el ratón sobre él y sin soltar, arrástrelo hacia la izquierda la distancia que sea necesaria.

Por último, la sangría francesa es un caso especial de sangría, ya que la primera línea del párrafo sobresale del resto. Puede crear un nuevo párrafo para este ejemplo o eliminar los valores que habíamos aplicado al párrafo anterior.

Para aplicar una sangría francesa siga los pasos:

1. Coloque el punto de inserción sobre el párrafo y abra de nuevo el cuadro de diálogo **Formato**.

2. Dentro de la sección Sangría, utilice la lista Especial y seleccione Sangría francesa.

3. En el cuadro situado a la derecha introduzca el valor que desee, por ejemplo: 1 cm.

4. Haga clic en **Aceptar** y compruebe como la primera línea del párrafo aparecerá desplazada a la izquierda el valor que hayamos indicado.

Para aplicar una sangría francesa con la regla, desplace el triángulo superior hacia la izquierda tanta distancia como necesite hacer sobresalir la primera línea del párrafo.

Nota:

Para utilizar una sangría derecha o doble, debe indicar los valores correspondientes en los cuadros Izquierda *y* Derecha *del cuadro de diálogo* Párrafo. *También puede utilizar la regla para aplicar una sangría derecha arrastrando el pequeño triángulo gris situado en el extremo derecho de la misma.*

Tabuladores

Cada vez que pulse la tecla **Tab** el cursor avanzará y empujará el texto para situarlo en una posición determinada. Este punto no es casual y puede controlarlo mediante tabuladores.

Los tabuladores serán marcas que situaremos en la regla para determinar donde se detendrá el punto de inserción cada vez que utilice la tecla **Tab**. El objetivo de esta herramienta es establecer marcas de referencia que permitan alinear el texto de forma homogénea.

Para establecer una marca de tabulación es necesario que la regla se encuentre visible. Recuerde que para hacerlo debe marcar la casilla de verificación situada en el grupo Mostrar de la ficha Vista. Una vez hecho:

1. Sitúe el cursor sobre la regla, justo en el punto exacto donde desea colocar la marca de tabulación y haga clic. En la figura 4.18 hemos señalado la zona de la regla donde debe hacer clic y el aspecto de una de estas marcas.

2. A partir de paso anterior, si necesita establecer de forma mucho más precisa la marca de tabulación, haga doble clic sobre ella para mostrar el cuadro de diálogo Tabulaciones.

3. Entre las posibilidades disponibles, utilice el cuadro de texto Posición para indicar la distancia exacta del tabulador.

4. Sobre las opciones de alineación, dependiendo del dato que desee tabular, deberá utilizar un tipo distinto:

- **Izquierda:** Se utiliza normalmente para datos alfabéticos.

- **Derecha:** Está destinado a datos numéricos sin decimales.

- **Decimal:** Al igual que el anterior, también se utiliza para datos numéricos pero en esta ocasión con decimales.

- **Centrada:** Se utilizar generalmente para letras que describen títulos.

- **Barra:** Añade una línea vertical sobre el documento en la posición en la que se encuentra el tabulador.

5. La sección **Relleno** ofrece varias posibilidades para completar con distintos símbolos el espacio vacío situado a la izquierda del tabulador. Por ejemplo, es habitual usar esta opción en índices para rellenar el espacio entre el nombre de la entrada y el número de página.

6. Para terminar, haga clic en **Aceptar**.

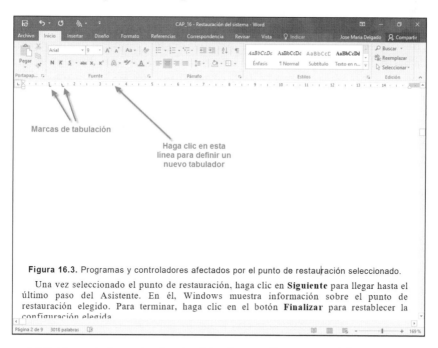

Figura 4.18. Zona de la regla donde debe hacer clic para establecer una marca de tabulación.

Truco:

El botón **Eliminar** *borra el tabulador actual, pero si lo prefiere utilice el botón* **Eliminar todas** *para quitar de la regla todas las marcas de tabulación.*

Si lo desea, puede mover los tabuladores haciendo clic sobre ellos y desplazándolos por la regla. Para eliminar cualquiera de ellos, arrastre la marca de tabulación hacia abajo, fuera de la regla. Esto último hará que el texto se adapte a los tabuladores que permanezcan.

Acceso rápido a las opciones de formato

Si desea acceder de forma rápida a muchas de las características descritas en este capítulo, relacionadas tanto con el formato de texto como con el formato de párrafo, tenga en cuenta lo siguiente. Después de seleccionar cualquier palabra, frase o párrafo, Word mostrará automáticamente una mini barra de herramientas con algunos de los comandos más frecuentes tanto de fuente como de párrafo: Tipo y tamaño de fuente, color, subrayado, negrita, enumeraciones, viñetas, etcétera.

Otra forma de acceder a estas características e incluso a algunas posibilidades más es hacer clic con el botón derecho en algún punto del texto. En ese momento aparecen tanto la barra de formato rápido como un menú emergente con diferentes comandos tal y como puede comprobar en la figura 4.19. Entre ellos podemos destacar Fuente y Párrafo con los que podrá abrir directamente cada uno de estos cuadros de diálogo.

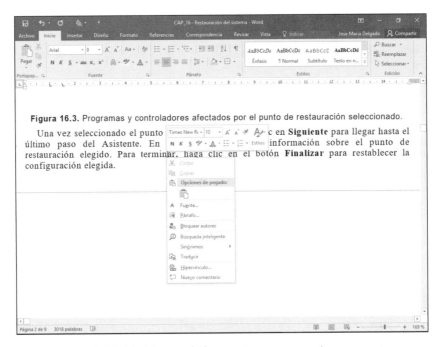

Figura 4.19. Mini barra de herramientas y menú emergente.

Copiar y pegar formato

En el capítulo anterior describimos los comandos Copiar, Cortar y Pegar como una característica realmente útil en aplicaciones como Word y, en general, en cualquier entorno de trabajo donde se maneje información. Pero existe un comando más, denominado Copiar formato, que puede ser muy útil para ahorrar trabajo cuando tratamos de cambiar el aspecto de un documento.

Imagine que ha trabajado duro sobre varios párrafos, aplicando diferentes características de formato hasta conseguir el resultado deseado. A continuación añade un nuevo párrafo y le gustaría que tuviera el mismo aspecto pero no quiere volver a repetir todo el trabajo. La solución sería la siguiente:

1. Seleccione el texto que tiene los atributos de formato que desea copiar. Si se trata de un párrafo completo, bastará con situar el punto de inserción en él.

2. Seleccione la ficha Inicio y en el grupo Portapapeles situado a la izquierda, haga clic sobre el comando Copiar formato.

3. Por último, haga clic sobre el párrafo que quiere copiar las características de formato. Si quiere aplicar el formato sobre una parte del texto, haga clic y arrastre para seleccionar únicamente lo que necesita.

> **Advertencia:**
>
> *Es fundamental que no realice ninguna otra acción después de seleccionar el comando* Copiar formato.

Etiquetas inteligentes, opciones de pegado

Después de copiar o cortar texto y utilizar el comando Pegar, Word mostrará una pequeña etiqueta inteligente tal y como puede observar en la figura 4.20. Haga clic sobre ella para tener acceso a las siguientes opciones de pegado:

*   Mantener formato de origen: El primero de los iconos aplica al texto que acabamos de pegar las mismas características de formato que tenía al copiarlo. En resumen, que lo deja tal y como estaba. Esta sería la opción por defecto.

*   Combinar formato: Cace coincidir el formato del texto pegado con el del párrafo donde lo colocamos pero mantiene algunas características.

*   Mantener sólo texto: No tendría en cuenta el formato y sólo pega el contenido.

Si quiere conocer el aspecto del texto pegado antes de aplicar alguna de las opciones de pegado, coloque el cursor sobre los diferentes iconos. Word mostrará una vista previa del resultado si necesidad de realizar ningún acción.

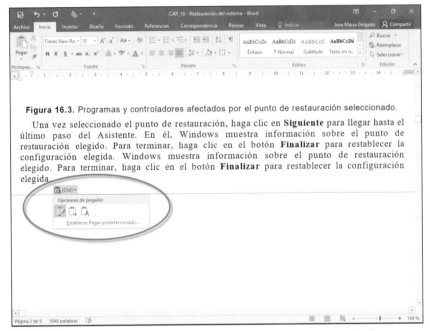

Figura 4.20. Etiqueta inteligente con diferentes opciones de formato.

Nota:

No siempre la etiqueta inteligente muestra todas las opciones que acabamos de describir en los puntos anteriores.

Resumen

Incluso cuando se utilizaban las antiguas máquinas de escribir, existía alguna que otra posibilidad de aplicar ciertas propiedades de formato a nuestros textos. Evidentemente, en Word estas posibilidades son mucho mayores. Puede aplicar desde las características de formato más sencillas como negrita, cursiva, subrayado, espacio entre párrafos... hasta posibilidades mucho más complejas como interlineados, espacio entre palabras, efectos de texto, etcétera.

5

Formatos de página y documento

En este capítulo aprenderá a:

- Configurar los márgenes de página.
- Seleccionar el tipo y la orientación del papel.
- Trabajar con los distintos modos de visualización.
- Crear y añadir secciones.
- Trabajar con varias columnas.
- Incluir encabezados y pies de página.
- Agregar numeración a las páginas de nuestro documento.
- Añadir vistosas portadas.

Introducción

Poco a poco vamos ganando conocimientos y habilidades en el tratamiento de nuestros documentos. En este capítulo seguiremos avanzando y trataremos todo lo referente a la configuración de las páginas que lo componen, desde la definición de los márgenes o el tamaño del papel hasta incluir atractivas portadas.

Las vistas de documento son otro aspecto que trataremos dentro de este capítulo y hacen referencia a las distintas posibilidades de visualización que ofrece Word para trabajar con nuestros documentos.

Márgenes

Los márgenes determinan el espacio que separa cada uno de los bordes del texto con los límites reales del papel como muestra la figura 5.1. Con esto podemos decir que los márgenes establecen el área útil dentro de la página, y son cuatro: margen superior, inferior, derecho e izquierdo.

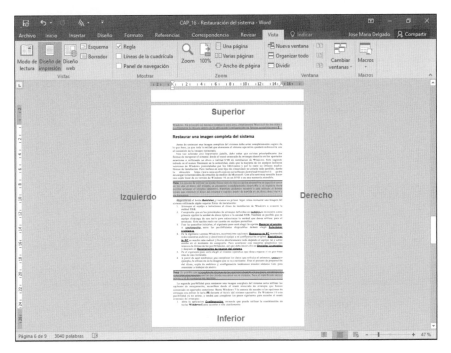

Figura 5.1. Representación gráfica de los márgenes en una página típica en Word.

Por defecto, al crear un nuevo documento a partir de la plantilla en blanco, Word asigna valores por defecto a los cuatro márgenes del documento. Para modificarlos debe seguir estos pasos:

1. En la cinta de opciones, haga clic sobre la ficha Formato y seleccione el comando Márgenes del grupo Configuración de página.

2. Al instante, como puede ver en la figura 5.2, Word muestra diferentes modelos de márgenes predefinidos para que elija el que mejor se adapte a sus necesidades.

3. Si ninguno de ellos le parece adecuado, haga clic en la opción situada al final de la página denominada Márgenes personalizados. Después de ejecutarla aparecerá el cuadro de diálogo Configurar página.

4. En los cuadros de texto Superior, Inferior, Derecho e Izquierdo introduzca los valores necesarios para definir los márgenes del documento.

5. Compruebe en la Vista previa situada en la parte inferior derecha del cuadro de diálogo el aspecto de la página.

6. Si todo está correcto, haga clic en **Aceptar**.

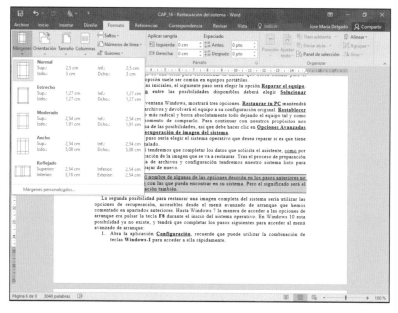

Figura 5.2. Modelos de márgenes predefinidos.

En el cuadro de diálogo Configurar página, además de las casillas de texto donde puede introducir valores para los márgenes superior, inferior, izquierdo y derecho, existen otras posibilidades interesantes:

- Encuadernación: En esa casilla indique el espacio adicional que reservará Word en caso de que tengamos pensado encuadernar de algún modo el documento.

- Posición del margen interno: Determina el lugar donde aplicará el margen adicional de encuadernación definido en la opción anterior. Las opciones son arriba o a la izquierda.

Advertencia:

Todas las impresoras tienen unos márgenes mínimos y no permiten imprimir hasta el límite de los bordes del papel. En caso de sobrepasarlos, el programa mostrará un mensaje de aviso.

En la sección Páginas de la ficha Márgenes encontrará una lista desplegable que debe configurar cuando trabaje con documentos para encuadernar o enviar a imprenta. Las opciones disponibles tienen en cuenta la distribución de los márgenes y en estos casos, por ejemplo, puede utilizar la opción Márgenes simétricos para documentos que vaya a imprimir a dos caras. De este modo, los márgenes izquierdos de las páginas impares y los márgenes derechos de las páginas pares serán iguales.

Nota:

Otro de los aspectos de configuración de páginas que puedes determinar en la ficha Márgenes *es la orientación de las páginas: vertical u horizontal.*

Tamaño y orientación del papel

Otra de las decisiones importantes a la hora de configurar un nuevo documento es elegir su tamaño y la orientación del papel. Es muy posible que con los valores por defecto establecidos por Word sea suficiente, pero si no es así, en los pasos siguientes indicamos cómo modificarlos:

1. En la cinta de opciones debe estar seleccionada la ficha Formato.

2. En el grupo Configurar página haga clic sobre el icono **Orientación** y elija Vertical u Horizontal según necesite.

3. A continuación, seleccione el icono Tamaño para acceder a un menú desplegable con varios modelos predefinidos. Es importante prestar atención tanto al nombre como a las medidas que aparecen junto a él como puede observar en la figura 5.3.

4. Para seleccionar alguno de ellos basta con hacer clic sobre su nombre.

5. Si no encuentra el modelo que desea o necesita crear un documento con medidas personalizadas seleccione **Más tamaños de papel** al final de la lista.

6. Word muestra el cuadro de diálogo **Configurar página** con la ficha **Papel** en primer plano.

7. En la lista **Tamaño del papel** seleccione **Tamaño personal** e introduzca los valores en los cuadros de texto **Ancho** y **Alto**.

8. Compruebe en la Vista previa de esta ficha si todos los ajustes son correctos y, si es así, haga clic en **Aceptar**.

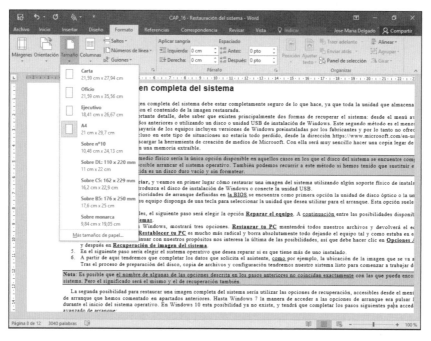

Figura 5.3. Posibilidades asociadas al comando Tamaño.

Advertencia:

Antes de utilizar un tamaño personalizado compruebe que su dispositivo de impresión admite las dimensiones que necesita.

En la parte inferior del cuadro de diálogo **Configurar página**, la opción **Aplicar a** situada a la izquierda de la vista previa permite elegir entre hacer efectivos los cambios para todo el documento o sólo a partir de la página actual.

En la sección **Origen del papel** encontrará dos listas: la primera establece la bandeja de donde cogerá la primera página del documento y la segunda para el resto. Para utilizar esta opción nuestra impresora debe tener al menos dos bandejas de entrada. Si esto es así, podría utilizar un tipo de papel (por ejemplo con el logotipo de la empresa) para la primera página y papel normal para las demás.

Modos de visualización

Word ofrece diferentes modos de visualización que permiten trabajar y acceder a distintos detalles del documento. Para mostrar cualquiera de ellos debe recurrir a la ficha Vista de la cinta de opciones tal y como puede comprobar en la figura 5.4.

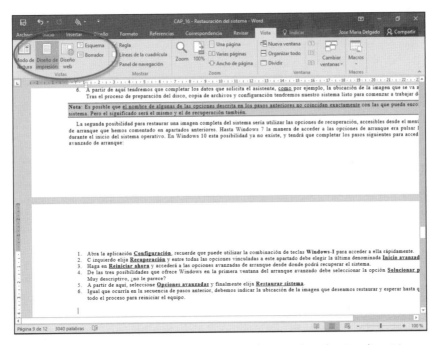

Figura 5.4. Iconos de acceso directo a los modos de visualización en la ficha Vista de la cinta de opciones.

El primero de los iconos del grupo Vistas, activa el Modo de lectura. Con este formato de visualización resultará mucho más sencilla la lectura del documento y sacrificaremos menos nuestros preciados ojos. Office utiliza la tecnología ClearType que permite mejorar la legibilidad de los textos en pantalla. La figura 5.5 muestra el aspecto de un documento en la vista Modo de lectura.

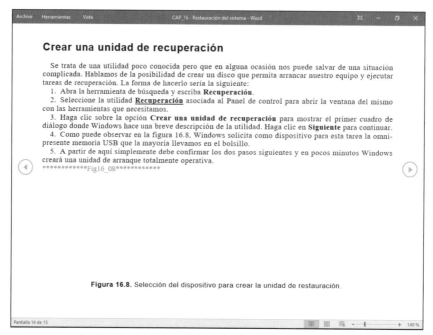

Figura 5.5. Vista Modo de lectura.

Truco:

La forma más rápida de acceder a la vista Modo de lectura es utilizar la combinación de teclas **Alt-N** *en primer lugar y seguidamente* **Alt-M**. *Del mismo modo, para abandonar esta vista pulse la tecla* **Esc**.

La vista Diseño de impresión muestra una presentación muy aproximada del documento al aspecto que tendrá al imprimirlo. Puede comprobar el lugar exacto dentro cada página que ocupará el texto, los gráficos o cualquier otro elemento que haya incluido en el documento. Este modelo de vista resulta ideal para comprobar los márgenes del documento, situar elementos gráficos o incluso trabajar con columnas. Otra ventaja que ofrece esta vista es el uso de la característica *Hacer clic y escribir*, mediante la cual puede empezar a escribir en cualquier parte del documento con tan sólo hacer clic.

Además del Modo lectura y la vista Diseño de impresión que acabamos de describir, existen otras posibilidades dentro del grupo Vistas:

- **Diseño Web**: Muestra el aspecto que tendría la página si la visualizáramos con un navegador de Internet.

- **Esquema:** Cuando un documento tiene un tamaño considerable, esta vista permite organizarlo de forma mucho más eficaz. Con el modo Esquema puede ver tan sólo los niveles de apartados que desee y reestructurar toda la información con algunos clic de ratón. También resulta imprescindible, por ejemplo, en la creación de cartas modelo para mailing o impresión de sobres.

- **Borrador:** Es una vista de trabajo, sencilla y en la que el documento ocupa todo el espacio disponible en la pantalla.

Zoom

La herramienta Zoom permite ampliar o reducir el tamaño del documento en la pantalla. En la ficha Vista de la cinta de opciones encontrará el grupo Zoom con varias posibilidades:

- Seleccione el icono **Zoom** para mostrar el cuadro de diálogo del mismo nombre. Podrá elegir entre diferentes valores predefinidos o utilizar el cuadro de texto Porcentaje para indicar la cantidad que desee. Con este método dispone de una vista preliminar en la que podrá comprobar el aspecto del texto según el porcentaje de zoom elegido.

- El icono **100%** ajusta el tamaño de visualización al valor estándar por defecto.

- Seleccione el comando Una página para reducir o ampliar el porcentaje de zoom de modo que sea posible mostrar en pantalla una página completa.

- Con el icono Varias páginas el resultado es similar al que hemos comentado en el punto anterior pero, en este caso, en lugar de una sola página mostrará tantas como permita la resolución de nuestra pantalla.

- Por último, Ancho de página utiliza como referencia los límites de la ventana de la aplicación para expandir la vista del documento.

Truco:

Una forma rápida y sencilla de ampliar o reducir el zoom de un documento en Word es mantener pulsada la tecla **Control** *mientras utiliza la rueda del ratón.*

Secciones

Las secciones proporcionan un método eficaz para crear diferentes zonas dentro del documento con características independientes del resto. A continuación enumeramos algunas situaciones en las que es recomendable usar secciones:

- Cuando sea necesario hacer algún cambio en la numeración de páginas pero sólo en una parte del documento. Por ejemplo, si las primeras fueran en romano y el resto según la numeración tradicional.

- Si queremos realizar modificaciones sobre los márgenes de alguna de las páginas del documento.

- Para cambiar la orientación del papel en algunas páginas. Este caso suele ser útil a la hora de mostrar gráficos o estadísticas.

- Para modificar la apariencia de los encabezados o pies de página, de modo que no todas las páginas tengan el mismo encabezado o incluso que en algunas no aparezcan.

- Si quiere utilizar más de una columna pero sólo en algunas páginas del documento.

Una vez descritas algunas ventajas de las secciones, veamos los pasos necesarios para crear una nueva sección:

1. Coloque el punto de inserción en el lugar exacto del documento a partir del cual quiere que comience la nueva sección. En esta ocasión, recomendamos utilizar la tecla **Intro** para incluir un salto de línea y así evitar que la nueva sección pueda dividir algún párrafo.

2. En la cinta de opciones, seleccione la ficha **Formato**.

3. Haga clic sobre el comando **Saltos** para mostrar el menú desplegable que aparece en la figura 5.6.

4. Observe el segundo apartado denominado **Saltos de sección** donde dispone de cuatro opciones:

   - **Página siguiente:** Esta opción provoca que sea cual sea la posición del punto de inserción la nueva sección comience en la página siguiente.

   - **Continua:** En este caso, la nueva sección permanece en la página actual.

   - **Página par** y **Página impar:** El texto de la nueva sección empezará en la siguiente página par o impar según la opción seleccionada. Word incluirá una página en blanco para hacer efectivo el cambio de página si es necesario.

5. Para elegir alguna de las cuatro opciones anteriores sólo es necesario hacer clic sobre ella.

En la figura 5.7 puede comprobar el aspecto de un salto de sección en la vista Borrador.

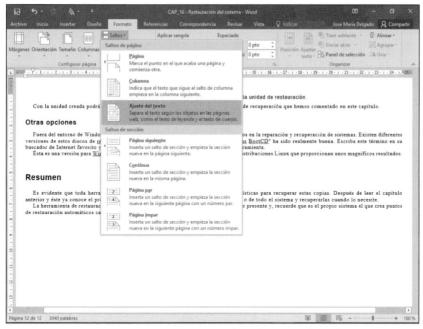

Figura 5.6. Opciones asociadas al comando Saltos.

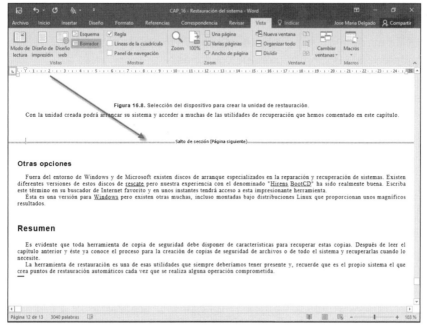

Figura 5.7. Aspecto de un salto de sección.

Columnas

Las columnas permiten estructurar cualquier documento siguiendo el conocido estilo periodístico. Puedes dividir la página en tantas columnas como permita el ancho de la misma.

Cuando utilice un formato de columnas, el texto de la página se distribuirá a través de ellas siguiendo el orden lógico de izquierda a derecha. Para crear una estructura de columnas en un documento de Word siga estos pasos:

1. En la cinta de opciones seleccione la ficha Formato.

2. Dentro de las opciones del grupo Configurar página se encuentra el comando Columnas. Haga clic sobre él para mostrar las distribuciones más habituales y elegir alguna de ellas.

3. Si lo desea, utilice la opción Más columnas para tener acceso al cuadro de diálogo Columnas que puede ver en la figura 5.8. Este comando normalmente se encuentra oculto dentro del menú Formato.

4. Elija alguna de las distribuciones disponibles o introduzca la cantidad de columnas que desee en la opción Número de columnas.

5. En la sección Ancho y espacio determine las dimensiones de cada columna y la distancia entre cada una de ellas. Si desea utilizar valores proporcionales para todas las columnas active la casilla Columnas de igual ancho.

6. En la lista Aplicar a puede elegir entre hacer efectivo el cambio sobre la sección actual o sobre todas las páginas del documento a partir de la actual.

7. Antes de terminar, observe el aspecto de la página en la vista preliminar que aparece a la derecha y, si todo es correcto, haga clic en el botón **Aceptar**.

Para dar formato de columnas sólo a determinadas páginas del documento, debe crear una sección insertando un salto antes y otro después de las páginas donde necesite aplicar columnas.

Figura 5.8. Cuadro de diálogo Columnas.

Saltos de página y de columna

El comando Saltos incluía dos secciones Saltos de página y Saltos de sección. En esta ocasión, utilizaremos las opciones de la primera de ellas para hacer que un párrafo empiece en la página o columna siguiente:

1. Coloque el punto de inserción al principio del párrafo que enviará a la siguiente página o columna.

2. En la cinta de opciones seleccione la ficha Formato.

3. Dentro del grupo Configurar página elija el comando Saltos y a continuación seleccione la opción Saltos de página o Saltos de columna.

> **Nota:**
>
> *La opción Ajuste de texto envía todo el texto desde donde se encuentre el punto de inserción, a la siguiente línea en blanco situada después de una tabla, imagen o de cualquier otro objeto. Es una forma de separar determinados objetos o de colocar párrafos en los márgenes de imágenes o tablas.*

Encabezados y pies de página

En la figura 5.9 puede ver gráficamente a qué nos referimos cuando hablamos de los encabezados y pies de página de un documento.

En Word, los encabezados y pies de página pueden contener distintos elementos como, por ejemplo:

- Fecha y hora.
- Numeración de páginas.
- Nombre del autor del documento.

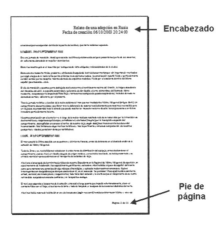

Figura 5.9. Encabezados y pies de página.

- Última fecha de impresión del documento.
- Etcétera.

Para entender mejor el funcionamiento de los encabezados y pies de página, describiremos a continuación cómo añadir uno a nuestro documento. Incluiremos en él la fecha actual y el número de página.

1. En la cinta de opciones seleccione la ficha Insertar.

2. A continuación, en el grupo Encabezado y pie de página haga clic sobre el comando Encabezado.

3. Entre los modelos disponibles, elija el primero de ellos denominado En blanco. De esta forma podremos añadir a continuación los elementos que necesitemos.

4. La ventana de Word tomará el aspecto que puede ver en la figura 5.10 activándose automáticamente una nueva categoría en la cinta de opciones dedicada exclusivamente a los encabezados y pies de página.

5. A continuación, escriba el siguiente texto "**Creado el:**" y haga clic en el botón **Fecha y hora** para mostrar el cuadro de diálogo del mismo nombre.

6. En el listado de la izquierda elija alguno de los diferentes formatos disponibles. Es importante no activar la casilla de verificación Actualizar automáticamente ya que si lo hace, Word cambiará el valor del encabezado cada vez que abra de nuevo el documento y en este caso nuestra intención es mostrar la fecha de creación del documento.

7. A continuación añada una coma, pulse la barra espaciadora, escriba el texto "Página número" y vuelva a añadir un espacio.

8. Haga sobre el icono **Número de página** de la cinta de opciones Encabezado y pie de página y entre las opciones disponibles, elija Posición actual.

9. Seleccione el primero de los modelos y automáticamente aparece el número de página actual.

10. Haga clic en el botón situado a la derecha de la cinta de opciones denominado **Cerrar encabezado y pie de página** para terminar con la edición del encabezado y recuperar el aspecto inicial del documento.

Figura 5.10. Ficha específica en la cinta de opciones dedicada a los encabezados y pies de página.

En el ejemplo anterior hemos incluido dos elementos sencillos pero las posibilidades son mucho más amplias. Explore los elementos disponibles en el grupo Insertar de la ficha Diseño de la categoría Herramientas para encabezado y pie de página. Recuerde que estas opciones sólo estarán visibles cuando editamos o creamos un encabezado o pie de página.

Advertencia:

Para comprobar el aspecto del encabezado de página es necesario utilizar la vista Diseño de impresión, en cualquiera otra Word no muestra esta parte del documento.

Los pies de página tienen una funcionalidad muy similar a los encabezados con la única salvedad que se encuentran en la parte inferior del documento. Para incluirlos, debe seleccionar el comando Pie de página en el grupo Encabezado y pie de página de la ficha Insertar. A partir de aquí, los pasos son los mismos que hemos descrito para los encabezados.

En la ficha Diseño de la categoría Herramientas para encabezado y pie de página se encuentra el grupo denominado Navegación. Utilice los comandos disponibles para alternar entre el encabezado o el pie de página, desplazarse entre los encabezados y pies de todas las páginas del documento mediante los iconos **Anterior** y **Siguiente** o repetir el encabezado y pie de la página anterior con el icono **Vincular al anterior**.

Truco:

Existe una manera rápida de abrir el encabezado o pie de página de un documento y mostrar en la cinta de opciones todos sus comandos relacionados. En la vista Diseño de impresión haga doble clic en la parte superior de la página para crear o editar el encabezado y en la parte final, si quiere añadir o modificar el pie de página.

Numeración de páginas

Si únicamente hace falta numerar las páginas de su documento, Word ofrece un método sencillo sin necesidad de recurrir a los encabezados y pies de página. A continuación describimos cómo hacerlo:

1. Seleccione la ficha Insertar en la cinta de opciones.
2. Dentro del grupo Encabezado y pié de página haga clic sobre el comando Número de página y al instante aparecerá un menú desplegable como muestra la figura 5.11.
3. Elija la posición donde quiere que aparezca la numeración dentro de la página: al principio y al final de página, en los márgenes o en la posición actual del cursor.
4. En cada una de las opciones disponibles existen modelos predefinidos. Haga clic sobre alguno de ellos para añadir al instante la numeración a su documento.
5. La opción situada al final del menú denominada Formato del número de página muestra un pequeño cuadro de diálogo donde podrá modificar el estilo por defecto del número de página o determinar el número a partir del cual empezaría la numeración.

Nota:

*Entre la lista de opciones que aparecen asociadas al icono **Número de página** utilice el comando Quitar números de página para eliminar la numeración del documento actual.*

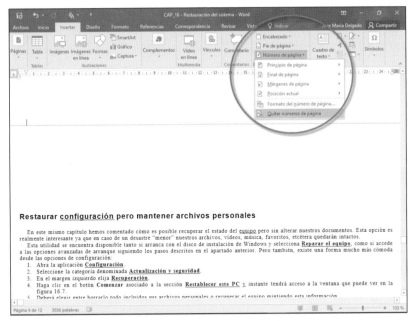

Figura 5.11. Comando Número de página.

Añadir portada

Suele ser habitual cuando trabajamos en un documento importante dejar de lado los pequeños detalles, por ejemplo, una buena portada. Esa primera página será nuestra carta de presentación y la primera impresión que tendrán de nuestro trabajo.
Word 2016 incluye una interesante característica que permite añadir vistosas portadas con varios clic de ratón.

1. Seleccione en la cinta de opciones la ficha Insertar.
2. En el primer grupo, denominado Páginas haga clic sobre el icono Portada para mostrar la ventana desplegable que aparece en la figura 5.12.
3. Utilice la barra de desplazamiento para revisar todos los modelos de portadas predefinidos y cuando encuentre el que más le guste simplemente haga clic sobre él para añadirlo al documento actual.

Si decide cambiar de opinión, el comando Quitar portada actual eliminará la página de presentación del documento.

Truco:

Utilice la opción denominada Más portadas de Office.com para acceder a los recursos disponibles en la Web.

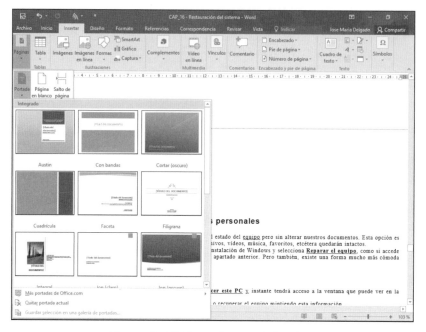

Figura 5.12. Portadas predefinidas.

Autoformato de documento

Una vez creado el documento, el proceso final de darle un aspecto atractivo puede ser muy tedioso y, en ciertos casos, hasta desesperante: aplicar estilos a cada párrafo, modificar alineaciones, incluir sombreados o bordes, etcétera.

Word puede hacerlo por nosotros a través del comando **Temas** situado en el grupo **Formato del documento** de la ficha **Diseño**. Después de hacer clic sobre este icono, aparecerán todos los temas disponibles como puede ver en la figura 5.13. Este comando aplicará el formato que Word interpreta como válido para el documento; la forma de hacerlo dependerá en gran medida de los atributos de texto aplicados al documento, como veremos más adelante.

El documento debe estar en el formato nativo de Office 2007 o superior para poder aplicar sobre él las posibilidades del comando **Temas**.

Advertencia:

Aunque siempre puede deshacer los cambios, no está de más guardar el documento antes de utilizar las opciones de autoformato.

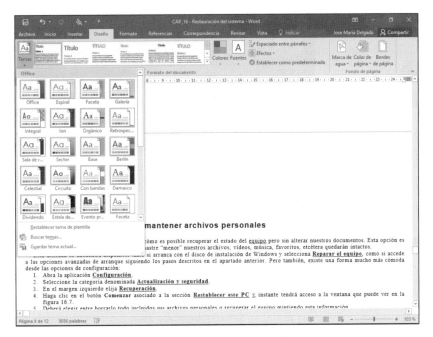

Figura 5.13. Temas disponibles.

Por último, conviene saber que las opciones situadas a la derecha del comando **Temas** permiten cambiar la combinación de colores del tema elegido, sus tipos de letras y los efectos aplicados sobre el texto.

Resumen

Sin duda un capítulo interesante donde hemos hablado sobre los márgenes que permiten definir el espacio útil de la página y descubrimos cómo las secciones ofrecen la posibilidad de tener distintas configuraciones de página dentro de un mismo documento y, de este modo, añadir textos en varias columnas o modificar la orientación. Los saltos de página, columna, sección, etcétera, sirven para modificar la posición de comienzo de cualquier párrafo. Sin duda otro atractivo recurso para dar forma a documentos con gran variedad de contenidos.

Siempre que necesite incluir información en la parte superior o inferior de cada página deberá recurrir a los encabezados y pies de página. Puede utilizarlos para añadir el número de cada página, el título del documento, el nombre de su empresa u organización…

La herramienta para añadir vistosas portadas a cualquier documento es algo que debería tener siempre presente a la hora de mejorar el aspecto final de sus trabajos, así como los temas predefinidos de la ficha Diseño.

6

Estilos

En este capítulo aprenderá a:

- Definir y aplicar estilos de párrafo.
- Modificar estilos.
- Asignar atajos de teclado a nuestros estilos.
- Crear estilos de carácter.
- Utilizar el inspector de estilos.
- Limitar la visualización de estilos.

¿Qué son los estilos y para qué sirven?

Cuando trabaje en documentos extensos o en varios de similares características, necesitará aplicar repetidas veces las mismas especificaciones de párrafo o de carácter. Para evitar perder el tiempo y agilizar esta labor, Word pone a nuestra disposición los estilos. Un estilo no es más que un conjunto de propiedades, de carácter o de párrafo agrupadas bajo un mismo nombre.

Una vez creados los estilos necesarios para dar formato al documento no hará falta asignar una y otra vez las distintas características de párrafo o de carácter, ya que bastará con aplicar el estilo adecuado en cada caso. Además, los estilos de párrafo ayudarán a conseguir que nuestro documento tenga un aspecto mucho más limpio y homogéneo. Word pone a nuestra disposición una galería de estilos predeterminados en la cinta de opciones como puede ver en la figura 6.1.

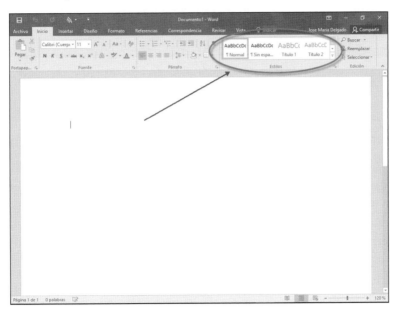

Figura 6.1. Galería de estilos.

Sin más y a partir de los modelos definidos en la Galería de estilos de Word, veamos cómo aplicarlos sobre los párrafos de nuestro documento:

1. Selecciona el párrafo o párrafos a los que desee aplicar el conjunto de características de formato, es decir, el estilo. Si es un único párrafo bastará con situar el cursor sobre él.

2. Seleccione la ficha Inicio en la cinta de opciones.

3. El grupo Estilos contiene la galería de estilos activa en este momento. Cada vez que el cursor se encuentre encima de uno de ellos el párrafo adoptará de forma provisional sus propiedades de formato. De esta forma tan visual puede hacerse una idea exacta del resultado antes de aplicarlo.

4. Finalmente, haga clic sobre el estilo que quiera aplicar. Después, compruebe como el párrafo o párrafos seleccionados han adoptado los atributos definidos en el estilo elegido.

Después de esta secuencia de pasos, habrá conseguido con un simple clic, añadir toda una serie de características de formato a los párrafos seleccionados.
Definir estilos de párrafo
Ya conocemos los estilos y para qué sirven, e incluso hemos descubierto la galería de estilos. El siguiente paso será aprender a crearlos, proceso en el que puede utilizar todos los conocimientos adquiridos hasta el momento, relacionados con el formato: tipos de fuente, sangrías, tabuladores, espacios de separación, etcétera.

Nota:

A la hora de crear los estilos que necesitará en un documento, puede resultar muy útil hacer primero una pequeña lista en papel con las características principales de cada uno de ellos: tipo de fuente, tamaño, espacio anterior y posterior, alineación, etc.

Una vez elegidas las características del nuevo estilo los pasos para crearlo serían los siguientes:

1. Coloque el punto de inserción sobre el párrafo del documento que quiere utilizar como modelo para crear el estilo.

2. Aplique todas las propiedades de formato que quiera asociar al estilo. Si ya tiene un párrafo con las características que necesita para crear un nuevo estilo puedes obviar este paso.

3. Seleccione la ficha Inicio en la cinta de opciones.

4. En el grupo Estilos, haga clic en el pequeño icono que hemos resaltado en la figura 6.2 para mostrar el panel Estilos.

5. En la parte inferior del panel encontrará tres iconos. Haga clic sobre el primero de ellos, al instante Word mostrará la ventana que aparece en la figura 6.3.

6. Por defecto, aparecerá seleccionado el contenido del campo Nombre para que pueda introducir la denominación que desee para el nuevo estilo.

7. Si lo desea, puede utilizar la sección Formato para cambiar algunas propiedades antes de finalizar la creación del nuevo estilo.

8. Para terminar haga clic en el botón **Aceptar**.

Para estar seguro de que el estilo se ha creado correctamente, abra la galería de estilos o revise el panel Estilos y compruebe que está allí.

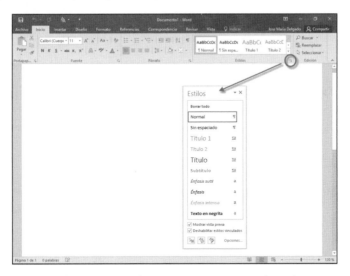

Figura 6.2. Icono del grupo Estilos que permite acceder a la ventana Estilos.

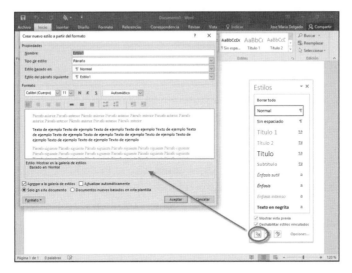

Figura 6.3. Cuadro de diálogo Crear nuevo estilo.

Truco:

El cuadro de diálogo Crear nuevo estilo, *muestra una vista preliminar donde puede comprobar su aspecto a medida que aplica las distintas propiedades disponibles. Bajo la vista preliminar también se encuentra una descripción exacta de las características del estilo.* El panel Estilos *también permite activar una vista preliminar de los estilos que contiene con tan sólo marcar la casilla de verificación* Mostrar vista previa.

Al crear un nuevo estilo, la casilla de verificación Agregar a la galería de estilos del cuadro de diálogo Crear nuevo estilo se encuentra siempre activada. Esto permite añadir automáticamente el nuevo estilo a la galería y acceder a él desde la ficha Inicio. Si no quiere que esto ocurra desactive la casilla de verificación y la única manera de aplicar el estilo sería desde el panel Estilos.

Nota:

Por defecto los estilos quedan asociados al documento donde se crearon originalmente, observe en el cuadro de diálogo Crear nuevo estilo *como en la parte inferior aparece activada la opción denominada* Sólo en este documento. *Para utilizarlos en otros documentos es necesario almacenarlos en la plantilla asociada activando la opción* Documentos nuevos basados en esta plantilla. *De este modo, si creamos un nuevo documento basado en esa misma plantilla no será necesario definir de nuevo los estilos, sino que ya estarán incluidos en ella.*

Actualizar automáticamente

La casilla de verificación Actualizar automáticamente tiene una función realmente interesante: si se encuentra desactivada y realiza alguna modificación sobre un párrafo que tiene aplicado un determinado estilo, este cambio no es asumido por el estilo y por lo tanto el resto de párrafos del documento que tuvieran aplicado ese mismo estilo no sufriría ningún cambio. Por el contrario, si la activa y realiza esta misma operación, Word entiende que deseamos modificar el estilo y así lo hace. A partir de ese momento, todos los párrafos del documento que tengan aplicado el estilo reflejan los nuevos cambios.

Truco:

Como hemos comentado, la galería de estilos tiene como propósito principal ofrecer un acceso rápido a los estilos más representativos del documento. Por otra parte, el panel Estilos *contiene todos los estilos disponibles, sin excepción. Si desea añadir algún estilo disponible en el panel a la galería, debe hacer clic sobre su nombre y seleccionar el comando* Agregar a galería de estilos.

Crear un nuevo estilo basado en otro existente

Imagine que necesita crear una serie de estilos para los distintos apartados de un documento y todos tienen las mismas características salvo el tamaño de la fuente. Para evitar definir las mismas propiedades de párrafo una y otra vez, podría crear el primer estilo y utilizarlo como modelo para los siguientes:

1. El primer paso será crear el estilo que servirá de referencia para el resto. Si ya lo tiene o quiere usar alguno de los que se encuentran disponibles en la galería puede obviar este paso.

2. A continuación, muestre el panel Estilos. Recuerde que debe utilizar el pequeño icono situado en la esquina inferior derecha del grupo Estilos.

3. Haga clic en el botón **Nuevo estilo** situado en la parte inferior del panel Estilos y de esta forma abrir de nuevo el cuadro de diálogo Crear nuevo estilo a partir del formato.

4. Escriba un nombre para el nuevo estilo y en la lista Estilo basado en seleccione el estilo creado en el paso 1 o cualquier otro que desee utilizar como origen. En ese momento, el nuevo estilo heredará todas las propiedades de formato del estilo seleccionado.

5. Utilice las opciones de la sección Formato para realizar los cambios que necesite en la definición del estilo.

6. Para terminar, haga clic en el botón **Aceptar**.

A partir de este momento, el nuevo estilo queda vinculado al elegido como origen, es decir, si modifica algunas de las propiedades del estilo de origen, éstas serán aplicadas automáticamente a todos los estilos basados en él. Esto es importante, y debe tenerlo presente a la hora de trabajar con estilos ya que es una característica muy utilizada.

Programar el estilo siguiente

Otra de las posibilidades que ofrece el cuadro de diálogo Crear nuevo estilo a partir del formato, es definir de manera predeterminada el estilo que tendrá el párrafo siguiente. Por ejemplo, es habitual que después de un título siempre siga párrafo de texto normal. En este caso, puede indicar en todos los estilos del apartado que el siguiente párrafo adopte el estilo definido para el texto normal y así evitar el trabajo de aplicarlo manualmente.

Para determinar el estilo siguiente, debe seleccionarlo en la lista desplegable Estilo del párrafo siguiente tal y como muestra la figura 6.4.

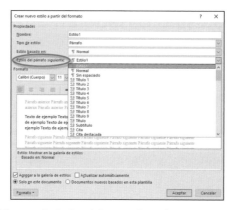

Figura 6.4. Establecer el estilo siguiente.

Modificar estilos

La forma más sencilla de modificar algunas de las características definidas en cualquiera de los estilos es hacer clic con el botón derecho sobre el nombre del estilo en la galería o en el panel Estilos y seleccionar el comando Modificar. Al instante, Word mostrará el mismo cuadro de diálogo que hemos utilizado para crear un nuevo estilo.

Actualizar estilo para que coincida con la selección

Seguimos describiendo formas de modificar un estilo, y ahora le toca el turno a una opción bastante interesante que consiste en adaptar las especificaciones de un estilo ya creado para que coincida con las que posee el párrafo que tengamos seleccionado en ese momento. El funcionamiento es sencillo:

1. Realice las modificaciones que necesite sobre el párrafo.
2. Después, en la galería o en el panel Estilos haga clic con el botón derecho sobre el estilo y seleccione el comando Actualizar [Nombre estilo] para que coincida con la selección. Al instante todos los párrafos que tuvieran asignado el estilo seleccionado adoptarán los cambios.

Eliminar estilos

Habrá ocasiones en las que no necesite utilizar algún estilo y quiera eliminarlo para no saturar el panel Estilos de entradas innecesarias. La forma más sencilla es hacer clic con el botón derecho sobre el nombre del estilo en el panel Estilos y seleccionar el comando Eliminar.

Si intenta realizar la misma operación sobre la galería de estilos comprobará que el comando no se encuentra disponible. En este caso, la única posibilidad es eliminarlos de la galería simplemente, pero no de la lista de estilos del documento.

> **Advertencia:**
>
> *No todos los estilos pueden eliminarse. Word no permite prescindir de sus estilos predeterminados.*

Seleccionar estilos

Veamos otra característica relacionada con los estilos que puede resultar de gran utilidad. Se trata de la posibilidad de seleccionar de una sola vez todos los párrafos que tengan aplicado un estilo determinado. ¿Y para qué puede servir? Pues imagine que necesita sustituir un estilo aplicado a varios párrafos de un mismo documento por otro que le parezca más adecuado. Con esta función se ahorra el trabajo de seleccionar uno a uno:

1. Muestre el panel de estilos. Recuerde que debe utilizar el pequeño icono situado en la esquina inferior derecha del grupo Estilos de la ficha Inicio.

2. A continuación, haga clic con el botón derecho sobre el estilo que desea seleccionar para mostrar el menú asociado.

3. Compruebe en la figura 6.5 como el nombre del comando se adapta al numero de veces que aparece el estilo en el documento, por ejemplo: Seleccionar las 3 veces que aparece…

4. Una vez ejecutado el comando todos los párrafos quedarán seleccionados y podrá aplicar sobre ellos el formato que desee o cualquier otro estilo.

Bajo la opción descrita en la secuencia de pasos anterior, se encuentra el comando Quitar formato de todas las instancias de…, con el que podrá eliminar cualquier atributo de formato y estilo de los párrafos que coincidan con el estilo seleccionado en el panel.

Asignar atajos de teclado a los estilos

Para escribir este libro hemos utilizado una serie de estilos y como ya estaba algo aburrido de seleccionarlos en la galería cada vez que tenía que aplicar alguno, decidí hacer uso de la potencia de Word y asociarle un atajo de teclado a los estilos que

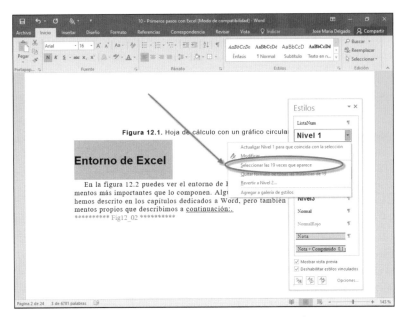

Figura 6.5. Comando seleccionar estilos.

utilizo más frecuentemente. De esta forma, cada vez que quiero aplicar cualquiera de ellos utilizo la combinación de teclas que le he asignado.

La forma de asignar atajos de teclado es sencilla y permite ahorrar bastante tiempo:

1. En la galería o en el panel Estilo, haga con en el botón derecho sobre el nombre del estilo y seleccione el comando Modificar.

2. Una vez abierto el cuadro de diálogo Modificar estilo, haga clic en el botón **Formato** situado en la parte inferior y en la lista de opciones seleccione Método abreviado. Aparecerá un nuevo cuadro de diálogo denominado Personalizar teclado como puede comprobar en la figura 6.6.

3. El cursor se encontrará activo en el cuadro Nueva tecla de método abreviado. Pulse la combinación de teclas que quiere asignar al estilo, por ejemplo, **Alt-1**. Si debajo de este cuadro aparece algo distinto a "[sin asignar]", significa que el atajo de teclado ya está asociado a otro comando, en cuyo caso, pulse la tecla **Retroceso** y pruebe con una nueva combinación de teclas.

4. En la lista Guardar cambios en, debe elegir entre almacenar la asignación de atajos en la plantilla por defecto o en el documento actual. Si decide utilizar la plantilla, el atajo estará disponible siempre que utilice documentos basados en esa plantilla. En cambio, si selecciona el documento, sólo podrá utilizar los atajos en el documento actual.

5. Haga clic en **Asignar** y después, en **Cerrar**.

Figura 6.6. Cuadro de diálogo Personalizar teclado.

No olvide los pasos anteriores y utilice las teclas de método abreviado para asignar estilos a los párrafos de sus documentos. Ahorrará tiempo y trabajo.

Estilos de carácter

Los estilos de carácter siguen los mismos principios que hemos visto hasta ahora para los estilos de párrafo. Como es lógico la principal diferencia radica en las propiedades que se definen y que en este caso son: fuente, estilo de fuente, tamaño y, en general, aquéllas referidas al formato de caracteres que ya tratamos en capítulos anteriores.

Como puede comprobar a continuación, el método para crear estilos de carácter es prácticamente el mismo que ya conoce para los párrafos:

1. Utilice el icono situado en la esquina inferior derecha del grupo Estilos para mostrar el panel del mismo nombre.

2. En el panel Estilos, haga clic en el botón **Nuevo estilo** para mostrar el cuadro de diálogo Crear nuevo estilo a partir del formato.

3. Escriba el nombre del estilo y en la lista Tipo de estilo seleccione la opción Carácter.

4. A partir de aquí utilice las opciones de la sección **Formato** para configurar las propiedades del nuevo estilo.

5. Para terminar, haz clic en el botón **Aceptar**.

En el panel Estilos puede diferenciar los estilos de carácter por el símbolo que aparece después del nombre como puede comprobar en la figura 6.7.

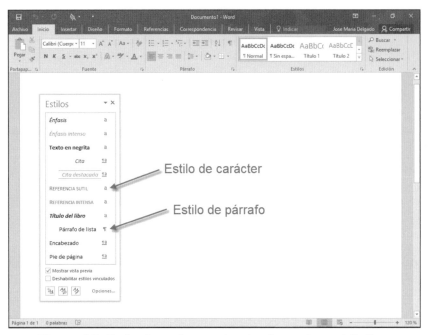

Figura 6.7. Estilo de carácter y de párrafo en el panel Estilos.

Nota:

Para crear estilos de tabla simplemente debe elegir el tipo adecuado en la lista **Tipo de estilo***. El único problema es que aún no sabemos nada sobre las tablas, y por este motivo habrá que esperar a los capítulos siguientes para conocer este tipo de elementos.*

Inspector de estilos

En la parte inferior del panel Estilos encontrará tres iconos. El primero de ellos permite crear nuevos estilos pero vamos a prestar al segundo denominado **Inspector de estilo**. Su propósito es proporcionar información detallada sobre las características de formato del texto seleccionado o del párrafo donde se encentra situado el cursor.

Haga clic sobre este icono para mostrar una pequeña ventana donde aparecerán los elementos que describimos a continuación:

- Dos secciones diferenciadas tanto para el estilo de párrafo como de carácter.

- En cada sección un primer cuadro con el nombre del estilo principal y un cuadro debajo con cualquier atributo de formato añadido.

- A la derecha de cada uno de los cuadros anteriores, un botón que permite eliminar cada formato de manera independiente.

- En la parte inferior de la ventana el botón **Borrar todo** eliminará por completo el formato del párrafo o de la selección.

- El icono **Nuevo estilo** con el que puede abrir el cuadro de diálogo Crear nuevo estilo que tratamos en apartados anteriores.

- Y por último, una opción interesante, el icono **Mostrar formato**. Después de seleccionarlo, Word muestra un panel en el margen derecho con información ampliada y muy detallada sobre todos los atributos de formato del elemento seleccionado.

Observe en la figura 6.8 todos los elementos descritos en los puntos anteriores, además del icono **Inspector de estilo** del panel Estilos.

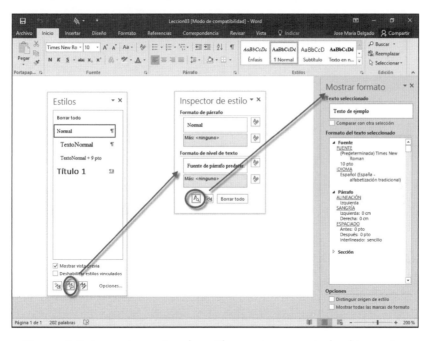

Figura 6.8. Icono Inspector de estilo, ventana asociada al inspector y panel Mostrar formato.

Limitar la visualización de estilos disponibles

En la parte inferior del panel de estilos se encuentra el comando Opciones. Haga clic sobre él para acceder al cuadro de diálogo Opciones del panel de estilos que puede ver en la figura 6.9. Entre las posibilidades que ofrece destacamos la primera de la lista desplegable donde podrá configurar los estilos que mostrará el panel. El significado de cada una de las entradas de esta lista es el siguiente:

- **Recomendado**: Muestra los estilos principales del documento más aquellos que el propio programa considera que son importantes.
- **En uso**: Muestra sólo aquellos estilos que están siendo utilizados en el documento actual.
- **En el documento actual**: Muestra todos los estilos del documento actual estén o no siendo utilizados.
- **Todos los estilos**: Muestra todos los estilos predefinidos en Word y en las plantillas asociadas al documento.

Nuestro consejo es que utilice las configuraciones Recomendado o En el documento actual.

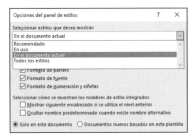

Figura 6.9. Lista desplegable con la que podrá elegir los estilos que aparecerán en el panel.

Resumen

Los estilos son una herramienta fundamental a la hora de dar formato y conseguir un aspecto homogéneo, limpio y profesional en nuestros trabajos en muy poco tiempo. La galería de estilos y el panel Estilos son los elementos básicos dentro de Word para trabajar con estilos. Desde el panel podrá realizar tareas básicas como crear un nuevo estilo, eliminarlo o modificar alguna de sus propiedades y operaciones más avanzadas para administrar los estilos de nuestros documentos y plantillas.

Una particularidad interesante de los estilos es la posibilidad de asociarle una combinación de teclas para hacer más cómoda su aplicación.

Por último, el Inspector de estilo es la herramienta perfecta para conocer los detalles de cualquier texto o párrafo del documento.

7

Tablas, gráficos y formas

En este capítulo aprenderá a:

- Crear tablas.
- Modificar la estructura de una tabla.
- Utilizar las opciones de autoformato de tablas.
- Realizar cálculos dentro de la tabla.
- Añadir gráficos a nuestros documentos.
- Distribuir el texto alrededor de la imagen.
- Usar los estilos de imagen.
- Trabajar con formas.
- Incluir capturas de pantalla.
- Añadir y trabajar con objetos SmartArt y WordArt.
- Agregar marcas de agua a un documento.

Introducción

Las tablas son uno de los medios más eficaces de organizar y estructurar información en documentos de texto. Su disposición en filas y columnas permite distribuir todo tipo de datos. Las posibilidades que presenta Word 2016 para la creación de tablas son realmente increíbles. Como podrá comprobar a lo largo de este capítulo, el número de comandos, herramientas y funciones parece no tener fin.

Crear tablas

Sin más preámbulo veamos cómo crear una tabla en Word utilizando el comando situado en la ficha Insertar:

1. Sitúe el punto de inserción en el lugar del documento donde desea colocar la tabla.

2. En la cinta de opciones, seleccione la ficha Insertar.

3. Haga clic en el botón Tabla y justo debajo, aparecerá una cuadrícula en blanco como puede comprobar en la figura 7.1.

4. A continuación, sin pulsar ningún botón arrastre el ratón encima de la cuadrícula para definir el número de filas y columnas que tendrá la tabla. Compruebe como Word muestra de forma provisional la tabla en el documento.

5. Cuando haya determinado el número de filas y columnas de la tabla, haga clic para terminar y añadir la tabla definitivamente al documento.

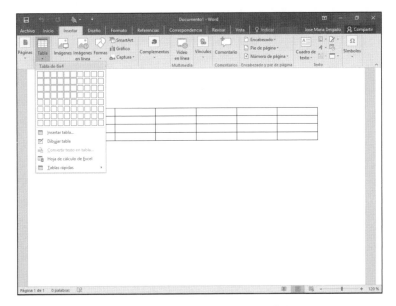

Figura 7.1. Comando Insertar tabla en la ficha Insertar.

Sin lugar a dudas, el método descrito en los pasos anteriores es la manera más cómoda y rápida para crear una tabla, pero al mismo tiempo tiene algunas carencias, existe otra forma mucho menos inmediata pero con algunas posibilidades más de configuración:

1. Sitúe el punto de inserción en el lugar del documento en el que desea incluir la tabla.

2. Compruebe que la ficha Insertar se encuentra seleccionada en la cinta de opciones.

3. Haga clic sobre el icono **Tabla** y seleccione el comando Insertar tabla situado bajo la cuadrícula. Al instante, aparecerá el cuadro de diálogo Insertar tabla que puede ver en la figura 7.2.

4. En los cuadros Número de filas y Número de columnas introduzca los valores que corresponderán con las dimensiones de la tabla que necesita crear.

5. En la sección Autoajuste hay tres opciones para indicar el ancho de las columnas:

   • Ancho de columna fijo: La opción por defecto Automático hace que sea Word quien asigne el ancho a las columnas de la tabla. También podemos escribir nosotros mismos el ancho en el cuadro de texto o utilizar los botones situados a la derecha.

   • Autoajustar al contenido: Por defecto, creará una tabla con el ancho de columna mínimo, de modo que vaya adaptando su tamaño a la información que introduzcamos en cada celda.

   • Autoajustar a la ventana: Esta opción permite que la tabla ocupe todo el ancho disponible en la página del documento.

Figura 7.2. Cuadro de diálogo Insertar tabla.

Nota:

Word permite crear tablas dentro de las celdas de otra tabla, y aunque parezca un poco absurdo, es un método muy común a la hora de dar formato a documentos con gran cantidad de textos e imágenes.

Si necesita crear tablas con divisiones asimétricas y con distribuciones algo especiales, la solución está en el comando Dibujar tabla.

6. Coloque el punto de inserción en la posición del documento donde desea insertar la tabla.

7. Compruebe que se encuentra seleccionada la ficha Insertar en la cinta de opciones.

8. Seleccione el botón Tablas y a continuación seleccione el comando Dibujar tabla. El icono se transformará en un pequeño lápiz como puede observar en la figura 7.3 y Word mostrará el documento en la vista Diseño de impresión.

9. Haga clic en el punto donde estará la esquina superior izquierda de la tabla y sin soltar el botón izquierdo del ratón, arrastre para definir sus dimensiones.

10. Una vez delimitada el área que ocupará la tabla, es el momento de dibujar sus divisiones. Coloque el extremo del lápiz sobre uno de los lados, haga clic y sin soltar arrastre hasta el lado opuesto.

11. Repita el paso anterior para crear todas las divisiones que necesite tanto horizontales como verticales, incluso diagonales.

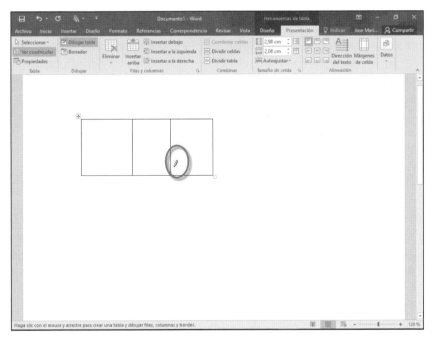

Figura 7.3. Dibujar tablas.

Quizás le haya parecido algo complicado crear tablas de este modo, pero no se preocupe simplemente es cuestión de práctica y algo de tiempo.

Como puede comprobar en la figura 7.4, cada vez que añadimos una tabla al documento utilizando cualquiera de los métodos descritos, Word muestra en la cinta de opciones una nueva categoría denominada Herramientas de tabla con dos fichas asociadas. Entre ellas, agrupan todos los comandos disponibles para diseñar, modificar y en resumen trabajar con tablas. Esta nueva categoría estará presente siempre que seleccione, haga clic o coloque el punto de inserción en una tabla.

Figura 7.4. Categoría Herramientas de tabla en la cinta de opciones.

Truco:

Crear tablas desde cero utilizando la herramienta Dibujar tabla *puede ser un trabajo algo aburrido. Por este motivo, una buena idea podría ser utilizar primero el comando* Insertar tabla *para definir la estructura básica de la tabla y seguidamente, seleccionar el comando* Dibujar tabla *para realizar todas las modificaciones necesarias hasta llegar a la composición adecuada.*

Edición de tablas

Como hemos comentado, una vez creada la tabla puede utilizar la herramienta Dibujar tabla para añadir nuevas divisiones. Pero esto no es todo, Word ofrece numerosas posibilidades para realizar múltiples modificaciones sobre su estructura. Por ejemplo, puede desplazar las divisiones del siguiente modo:

1. Sitúe el cursor sobre la división que quiere mover. El cursor se transformará en dos líneas paralelas unidas a dos flechas opuestas.

2. Mantenga pulsado el botón derecho del ratón y sin soltar, arrastre hasta que la posición de la línea sea la adecuada.

Esta operación la puede realizar sobre cualquiera de las líneas que componen la tabla, ya sean interiores o exteriores, horizontales o verticales.

Cambiar el tamaño de la tabla

Otra necesidad que se puede plantear frecuentemente es tener que modificar el tamaño de la tabla; en este caso:

1. Es suficiente con situar el cursor encima de la tabla para que aparezcan dos pequeños símbolos: uno en la esquina superior izquierda y otro en la esquina inferior derecha.

2. Haga clic sobre éste último y sin soltar el botón izquierdo del ratón, arrastre para modificar el tamaño de la tabla.

Advertencia:

Cuando modifique el tamaño de la tabla no olvide que tendrá como límite las dimensiones de la página; del mismo modo, a la hora de reducirla, el valor mínimo dependerá del contenido de cada una de sus celdas.

Word por defecto, al escribir texto en una tabla, ajusta automáticamente sus dimensiones al contenido de cada celda, ampliando el tamaño de la tabla si fuera necesario. Si quiere modificar este comportamiento realice estos pasos:

1. Haga clic en cualquier celda de la tabla.

2. En la ficha Presentación, seleccione el comando Autoajustar situado dentro del grupo Tamaño de celda. En la figura 7.5 puede comprobar la situación del icono y las opciones asociadas.

3. Seleccione la opción denominada Ancho de columna fijo.

Una vez desactivada esta opción, Word no modificará el tamaño de la tabla cuando el contenido de alguna celda exceda de su longitud pero provocará que el texto ocupe más de una línea.

Autoajustar al contenido es la opción por defecto y hace que el ancho de la columna se amplíe para adaptarse al texto o cualquier otro elemento incluido en la celda. Por otra parte, Autoajustar a la ventana hace que la tabla adapte su ancho al espacio disponible en la página. En cualquiera de estas dos opciones y a diferencia de la opción Ancho de columna fijo, el tamaño de cada columna cambiará en función de su contenido.

Truco:

Para mover la tabla de posición, utilice el símbolo que aparece en la esquina superior izquierda. Haga clic sobre él, mantenga pulsado el botón izquierdo del ratón y sin soltar, arrastre para colocar la tabla donde desee.

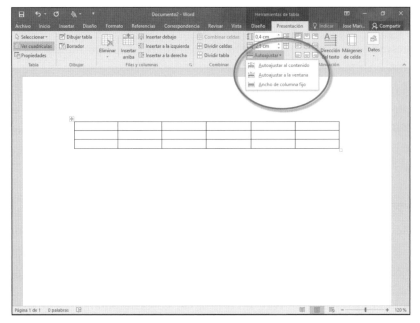

Figura 7.5. Comando Autoajustar.

Desplazamiento entre filas y columnas

Para movernos entre las distintas celdas de una tabla lo mejor es utilizar las teclas del cursor: arriba, abajo, derecha e izquierda.

Si lo desea, también puede utilizar la tecla **Tab** para desplazarse a la siguiente celda, con la ventaja de seleccionar su contenido al mismo tiempo, si es lo que necesita. Para hacer esta misma operación pero hacia atrás, use la combinación de teclas **Mayús-Tab**.

Selección de elementos de una tabla

Las funciones de selección también son fundamentales cuando trabajamos con tablas. A continuación describimos el modo de seleccionar sus distintos componentes:

- **Contenido de una celda**: Para seleccionar el texto o los elementos contenidos dentro de una celda no es necesario hacer nada especial, simplemente debe utilizar los métodos de selección habituales para texto y párrafo.

- **Celda**: Para seleccionar una celda completa haga triple clic. Este es el mismo método que conocemos para seleccionar un párrafo completo.

- **Fila**: Sitúe el cursor en el extremo izquierdo de la fila que quiere seleccionar hasta que se transforme en una flecha inclinada hacia la derecha y haga clic. Si quiere seleccionar más de una fila consecutiva, utilice este mismo método y arrastre para incluir en la selección todas las filas que desee.

- **Columna**: Coloque el cursor en el extremo superior de la columna hasta que se transforme en una pequeña flecha de color negro, y en ese momento haga clic. Si lo necesita, puedes arrastrar para seleccionar más de una columna.

- **Tabla completa**: Para seleccionar la tabla completa haga clic en el símbolo que aparece en la esquina superior izquierda y que ya hemos utilizado para moverla.

Nota:

Además de los métodos descritos en los puntos anteriores, en la ficha Presentación *de la cinta de opciones, dentro del grupo* Tabla *se encuentra el comando* Seleccionar *y dentro de éste, las opciones* Tabla, Fila, Columna *y* Celda.

Eliminar filas y columnas

Es habitual que en ciertas ocasiones necesite eliminar alguna fila, columna o incluso la tabla completa. Para llevar a cabo estas operaciones los pasos que debe realizar son los siguientes:

1. Coloque el punto de inserción en alguna de las celdas de la fila o de la columna que quiere eliminar.
2. En la cinta de opciones, seleccione el comando Eliminar situado en el grupo Filas y columnas de la ficha Presentación.
3. A continuación elija el elemento que quieras eliminar.

Advertencia:

Si en lugar de utilizar el comando Eliminar *utiliza la tecla* **Supr**, *eliminará el contenido de las filas o columnas seleccionadas pero no se modificará la estructura de la tabla.*

Truco:

Después de seleccionar la fila o la columna que quiere eliminar, haga clic con el botón derecho sobre ella y aparecerá un menú contextual con las opciones Eliminar filas *o* Eliminar columnas *según el elemento seleccionado. También aparecerá la mini barra de herramientas de Word donde se encuentra el comando* Eliminar *tal y como puede comprobar en la figura 7.6.*

Siempre que seleccione la opción Celdas del comando Eliminar, Word mostrará el cuadro de diálogo Eliminar celdas. Dentro de este cuadro de diálogo dispone de

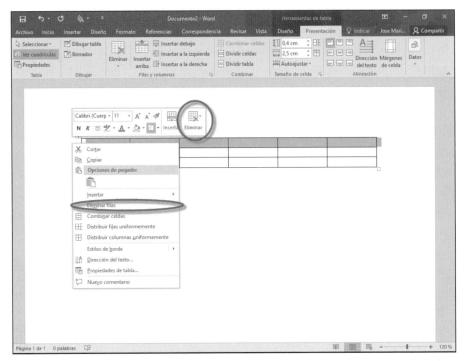

Figura 7.6. Comando Eliminar tanto en el menú contextual como en la mini barra de herramientas de Word.

opciones para desplazar las celdas contiguas a la actual después de eliminarla o de borrar la línea o la fila completa.

Insertar filas y columnas

La manera más rápida de insertar una fila al final de una tabla es situar el punto de inserción en su última celda y pulsar la tecla **Tab**. Para insertar una fila en otra posición de la tabla siga estos pasos:

1.   Sitúe el punto de inserción en la fila delante o detrás de la que necesita insertar.

2.   En la cinta de opciones, seleccione el comando Insertar debajo o Insertar arriba, situados en el grupo Filas y columnas de la ficha Presentación.

Para insertar una columna en lugar de una fila deberá seguir la misma secuencia de pasos anterior pero, en este caso, debe seleccionar el comando Insertar a la derecha o Insertar a la izquierda.

Truco:

También puede insertar una fila o una columna utilizando el menú contextual que aparece después de seleccionar la fila o columna y hacer clic con el botón derecho. El comando Insertar *incluye todas las opciones posibles.*

Además de todos los comandos descritos hasta ahora para añadir columnas existe otro método mucho rápido y visual:

1. Coloque el cursor en la parte superior de la tabla y aprox ímelo a la intersección de dos columnas hasta que aparezca el símbolo que muestra la figura 7.7.

2. Haga clic en el signo más situado en el interior del símbolo para añadir una nueva columna a la tabla.

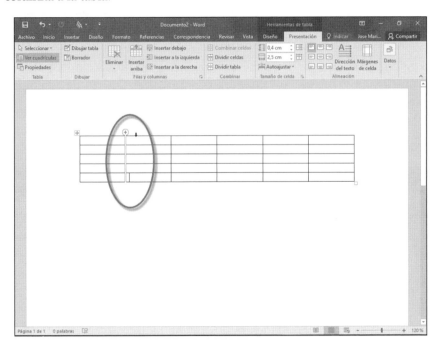

Figura 7.7. Añadir nuevas columnas con un solo clic.

Dividir una tabla

Dividir tabla se encuentra entre los comandos del grupo **Combinar** de la ficha **Presentación**. Su propósito es seccionar o dividir una tabla por la posición que indiquemos. Sólo es necesario situar el punto de inserción sobre alguna de las celdas que servirá como referencia para la división, es decir, la que se convertirá en la primera celda de la segunda tabla, y ejecutar el comando.

Formato de tablas

Las opciones de formato de tablas son muy extensas, y puede comprobarlo simplemente haciendo clic en la ficha Diseño de la categoría Herramientas de tabla. En este apartado intentaremos describir las más importantes.

En primer lugar, la forma más rápida de dar formato a una tabla es utilizar los estilos predefinidos:

1. Sitúe el punto de inserción en cualquiera de las celdas de la tabla.

2. En la cinta de opciones seleccione la ficha Diseño de la categoría Herramientas de tabla y dentro del grupo Estilos de tabla haga clic sobre el icono que hemos resaltado en la figura 7.8 para mostrar la galería completa de estilos de tabla.

3. La galería se encuentra dividida en varios grupos: Tablas sin formato, Tablas de cuadrícula y Tablas de lista. Para comprobar el aspecto de cualquiera de estos diseños es suficiente con situar el cursor del ratón encima del modelo, nada más.

4. Si finalmente decide aplicar alguno, haga clic sobre él para seleccionarlo.

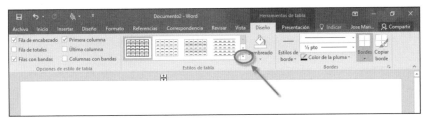

Figura 7.8. Icono que permite mostrar la galería de estilos de tabla.

Una vez aplicado cualquiera de los estilos puede modificar sus características de formato para personalizarlo como desee. Despliegue de nuevo la galería de estilos de tabla y entre los comandos que aparecen en la zona inferior seleccione Modificar estilo de tabla y tendrá acceso al cuadro de diálogo que puede ver en la figura 7.9. En él podrá cambiar el tipo de fuente, el grosor y el tipo de líneas, su color, etcétera. Además, podrá guardar todos estos cambios con un nombre y de esta forma crear sus propios estilos de tabla personalizados.

El comando Borrar, también situado entre las opciones de la galería de estilos de tabla, eliminará por completo todos los atributos de formato aplicados sobre la tabla.

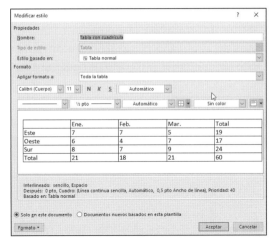

Figura 7.9. Cuadro de diálogo Modificar estilo.

> **Truco:**
>
> *Para modificar el color de fondo de cualquier celda o grupo de celdas utilice comando* **Sombreado.** *Haga clic sobre el pequeño icono situado bajo su nombre para acceder a la paleta de colores.*

Convertir texto en tabla y viceversa

Para convertir texto en una tabla lo único que necesita es algún elemento que permita diferenciar el contenido de cada celda. Por ejemplo, si observa la figura 7.10, comprobará que la serie de elementos que tenemos en la pantalla se encuentran separados por un guión. Este carácter servirá como referencia para convertirlos en una tabla sin problemas siguiendo estos pasos:

1. Seleccione el texto que desea convertir en tabla.

2. En la cinta de opciones, elija la ficha Insertar.

3. Haga clic sobre el comando Tabla, y entre las opciones disponibles en la parte inferior seleccione Convertir texto en tabla. Al instante, aparecerá un cuadro de diálogo con distintas opciones.

4. Rellene la casilla Número de columnas. En nuestro ejemplo utilizaremos 2.

5. En la sección Autoajuste seleccione la opción que desee para establecer el ancho de las columnas.

6. Y ahora la parte más importante, en la sección **Separar texto en**, active la opción **Otro** y escriba un guión en la pequeña casilla de texto situada a la derecha. Utilizamos en este caso el carácter guión para seguir con nuestro ejemplo, pero puede ser cualquier otro valor como, puntos, tabuladores, comas, etcétera.

7. Haga clic en el botón **Aceptar** y observe el resultado en la figura 7.11.

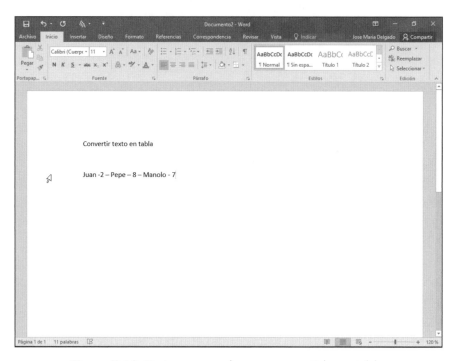

Figura 7.10. Texto preparado para convertirlo en tabla.

La operación inversa, es decir, convertir el contenido de una tabla en texto tampoco resulta demasiado complicada. Puede comprobar lo sencillo que es con estos pasos:

1. Seleccione toda la tabla. Puede utilizar el comando **Seleccionar** situado en la ficha **Presentación** de la categoría **Herramientas de tabla**.

2. En el extremo opuesto de la cinta de opciones, haga clic sobre la opción denominada **Convertir texto a** y aparecerá el cuadro de diálogo **Convertir tabla en texto**.

3. Finalmente, elija el carácter que quiere utilizar para separar el contenido de cada celda y haga clic en el botón **Aceptar**.

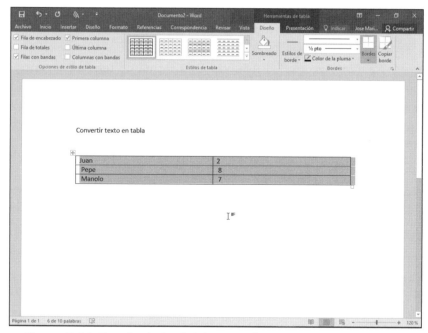

Figura 7.11. Resultado final del comando Convertir texto en tabla.

Realizar cálculos en una tabla

No piense en Word como una herramienta para realizar complejos cálculos, ya que para este tipo de tareas ya existe una aplicación mucho más potente como Microsoft Excel. En cualquier caso, el comando **Fórmula** ofrece la posibilidad de realizar algunas operaciones sencillas.

Para entender mejor el funcionamiento de este comando veamos un ejemplo. Imagine que tiene la tabla de la figura 7.12 y necesita calcular la media de las cantidades que han aportado los socios durante el mes de febrero. El resultado lo colocaremos justo en la celda que se encuentra debajo:

1. Sitúe el cursor en la celda vacía que se encuentra justo debajo de la columna con los datos del mes de febrero.

2. En la cinta de opciones, compruebe que se encuentra activa la ficha **Presentación** de la categoría **Herramientas de tabla**.

3. A continuación, observe el grupo **Datos** y seleccione el comando **Fórmula**. Word muestra el cuadro de diálogo del mismo nombre como puede ver en la figura 7.13, donde ya supone que queremos sumar los valores situados en la columna en la que se encuentra la fórmula e incluye por defecto: =SUM(ABOVE).

4. Borre la función incluida por defecto (cuidado, no borre el signo igual que se encuentra justo delante de la función) y en el cuadro de lista **Pegar función** situado en la parte inferior, seleccione **AVERAGE**.

5. Entre los paréntesis, escriba ABOVE. Otra forma de referenciar la columna sería: C:C.

6. Por último, en la lista desplegable **Formato de número**, seleccione el aspecto que desee aplicar al resultado. Puede comprobar el resultado final en la figura 7.14.

7. Haga clic en **Aceptar** para insertar la fórmula.

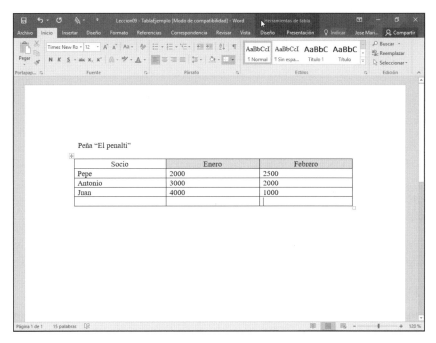

Figura 7.12. Tabla de ejemplo.

Figura 7.13. Cuadro de diálogo Fórmula.

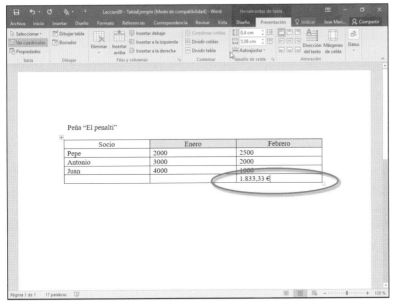

Figura 7.14. Resultado final después de realizar
los cálculos en la tabla.

La forma de referenciar cualquier celda dentro de una tabla y por consecuencia su contenido, sigue el típico esquema cartesiano donde cada fila tiene asignada una letra (A,B,C...) y las columnas, un valor numérico (1,2,3...). Conociendo esto, la forma de acceder a cualquier valor o valores siempre es la misma. Imagine que necesitas calcular el total de la aportación del socio Pepe. La expresión podría ser:

```
= SUM(B2:C2)
```

O la suma de las aportaciones de todos los socios:

```
=SUM(B2:C4)
```

O del mes de enero del socio Pepe y del mes de febrero del socio Antonio:

```
=SUM(B2; C3)
```

Cuidado con este último caso, la ayuda de Word dice que utilicemos la coma para separar referencias no consecutivas, pero de esta forma no funciona, por lo que debe utilizar el punto y coma para separar las referencias.

Advertencia:

Los campos de fórmula no se actualizan automáticamente cuando modificamos los valores de referencia, es necesario hacerlo manualmente. También debe actualizarlos *cuando realice algún cambio en la propia fórmula. Recuerde que el método más sencillo es utilizar la tecla **F9** individualmente o **Alt-F9** para actualizar todos los campos del documento.*

Insertar gráficos e imágenes

Los gráficos, utilizados con moderación y elegancia, pueden convertir un documento triste y aburrido en todo un ejercicio de estilo. En muchas ocasiones una buena imagen logrará transmitir más ideas y sensaciones que muchas páginas redactadas de modo impecable.

Incluir gráficos en nuestros documentos implica, en la mayoría de los casos, importar elementos de otras aplicaciones especialmente diseñadas para estos cometidos, utilizar Internet y por su puesto, Office con su propia colección de imágenes prediseñadas y formas.

Nota:

Si quiere adentrarse en el apasionante mundo del diseño gráfico, no lo dude, Photoshop es una de las mejores herramientas del mercado. Y para aprender todo lo necesario, le recomendamos el Manual Imprescindible de Photoshop.

Si utiliza material procedente de Internet asegúrese de no infligir los derechos de autor. Existen multitud de plataformas con todo tipo de gráficos que podrá utilizar sin problemas.

Word permite insertar prácticamente cualquier tipo de objeto en sus documentos. Aunque lo más común es incluir gráficos o imágenes. Veamos los pasos necesarios para insertar una imagen ya creada o que hemos obtenido mediante cualquier otro medio:

1. Sitúe el cursor en la posición exacta del documento donde desea incluir la imagen.

2. En la cinta de opciones, seleccione la ficha Insertar.

3. Dentro del grupo Ilustraciones, haga clic en el comando Imágenes para acceder al cuadro de diálogo que muestra la figura 7.15.

4. A continuación, navegue por la estructura de directorios y una vez localizado el archivo, haga clic sobre él para seleccionarlo.

5. Haga clic en el botón **Insertar**.

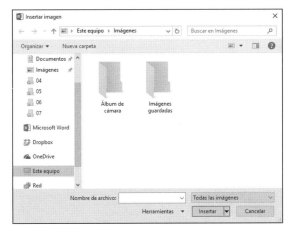

Figura 7.15. Cuadro de diálogo Insertar imagen.

Después de seguir los pasos anteriores compruebe como, alrededor de la imagen, aparecen ocho pequeños cuadrados que permiten modificar sus proporciones con sólo colocar el ratón encima, hacer clic y arrastrar.

Pero si lo que necesita es cambiar la imagen de posición también lo tiene fácil, sitúe el ratón encima y compruebe como el cursor se transforma en una cruz con cuatro flechas. En ese momento haga clic y arrástrela hasta su nueva localización.

Para girar la imagen, vuelva a colocar el cursor sobre ella y observe en la figura 7.16 el símbolo que aparece justo encima. Haga clic sobre él y sin soltar, mueva la imagen para rotarla a izquierda o derecha.

Puede eliminar cualquier imagen o elemento gráfico del documento con tan sólo hacer clic sobre él para seleccionarlo y pulsar la tecla **Supr**.

Por último, Word incluye una sencilla pero potente función de recorte de imágenes y objetos gráficos:

1. Haga clic con el botón derecho sobre el elemento que desea modificar y a continuación seleccione el comando Recortar disponible en la mini barra de herramientas tal y como muestra la figura 7.17.

2. Observe los marcadores que aparecen alrededor del objeto. Haga clic y sin soltar, arrastre para recortar.

3. Para terminar, haga clic fuera del objeto.

Después de completar la secuencia de pasos anterior, podría pensar que no es posible recuperar la zona eliminada de la imagen. No es así, ejecute de nuevo el comando Recortar sobre el mismo elemento y comprobará que el aspecto original del objeto sigue ahí. Basta arrastrar de nuevo los marcadores para recuperar cualquier zona eliminada previamente.

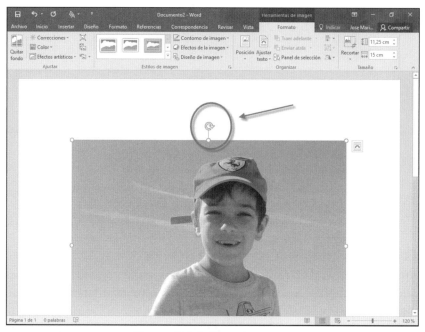

Figura 7.16. Rotar imagen.

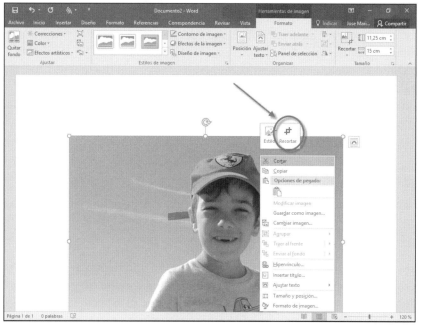

Figura 7.17. Comando Recortar.

Nota:

Word pone a nuestra disposición en la cinta de opciones de una categoría específica para el trabajo con imágenes denominada Herramientas de imagen. *Únicamente contiene la ficha* Formato *y se activará de forma automática al seleccionar cualquier imagen o elemento gráfico.*

Imágenes en línea

El comando Imágenes en línea permite acceder a Internet y utilizar el motor de búsqueda predeterminado para encontrar fácilmente gráficos libres de derecho. El proceso es muy sencillo:

1. Sitúe el cursor en la posición exacta del documento donde desea incluir la imagen.
2. En la cinta de opciones, compruebe que se encuentra seleccionada la ficha Insertar.
3. Dentro del grupo Ilustraciones, haga clic en el comando Imágenes en línea para mostrar el cuadro de diálogo que aparece en la figura 7.18.
4. En el cuadro de texto asociado a la opción Buscar en la Web, escriba la palabra o frase relacionada con las imágenes que necesita y pulse Intro.
5. Word mostrará las coincidencias. Haga doble clic sobre la imagen que desee añadir al documento o elija el botón **Insertar**.

Si desea incluir más de una imagen, mantenga pulsada la tecla **Control** o **Mayús** mientras selecciona todos los elementos que necesite.

Figura 7.18. Insertar imágenes en línea.

Nota:

Word muestra un mensaje donde indica que las imágenes mostradas como resultado de la búsqueda cumplen con la licencia Creative Commons. Es decir, tiene derechos de copyright pero se pueden utilizar bajo determinadas condiciones. Compruebe estos requisitos antes de utilizar cualquier imagen o gráfico.

Situación de la imagen con respecto al texto

Al incluir una imagen en un documento de Word, por omisión queda asociada al lugar en el que se encuentre el punto de inserción. En realidad es como si fuera una palabra o un carácter más del párrafo. En este tipo de casos decimos que el gráfico está "en línea con el texto" o "integrado en el texto".

Si lo desea puede modificar este comportamiento y distribuir el texto alrededor de la imagen de diferentes formas. Existen varios métodos, pero el más sencillo sería hacer clic sobre la imagen y seleccionar el icono Opciones de diseño que hemos señalado en la figura 7.19. Como puede comprobar, existen dos categorías: la primera denominada En línea con el texto hace referencia al método por defecto que hemos descrito en el párrafo anterior. La segunda, Con ajuste de texto, ofrece seis modos de colocar el texto alrededor de la imagen:

- Cuadrado: Hace que el texto se distribuya alrededor, pero dejando un margen mínimo entre los límites de la imagen y el propio texto.

- Estrecho: El texto queda totalmente pegado a los límites reales de la imagen, sin ningún tipo de espacio intermedio.

- Transparente: El texto se adaptará al contorno de la imagen. Es necesario que se pueda identificar como transparentes determinadas áreas del gráfico utilizando algún formato que admita este tipo de característica o mediante el comando Quitar fondo de la ficha Formato, asociada a la categoría Herramientas de imagen.

- Arriba y abajo: Situará líneas de texto tanto en la parte superior como inferior de la imagen, dejando los laterales en blanco.

- Delante del texto: Coloca la imagen encima del párrafo, cubriéndolo y, por lo tanto, ocultando el texto situado detrás de la imagen.

- Detrás del texto: Ocurre justo lo contrario que en el caso anterior, es decir, ahora el texto queda encima de la imagen, dejándola parcialmente visible. Este método se usa normalmente para incluir marcas de agua con el logotipo de la empresa como fondo del documento.

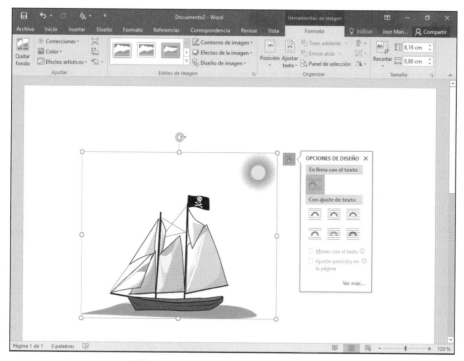

Figura 7.19. Opciones de diseño.

Además de los modelos de distribución del texto alrededor de una imagen, la ventana Opciones de diseño incluye dos comandos que también determinan el comportamiento de los objetos con respecto al texto y que se activan, siempre y cuando seleccione alguna de las opciones de la categoría Con ajuste de texto.

- Mover con el texto: Sería la opción por defecto. En este caso la imagen está ligada al párrafo y se desplazará con él.

- Ajustar posición en la página: El objeto se comporta como un elemento independiente del texto. Si elige esta opción, podrá desplazarlo donde quiera y no le afectará los desplazamientos del texto que le rodea.

Truco:

La ventana Opciones de diseño *muestra un comando más al final de la ventana denominado* Ver más. *Haga clic sobre él para acceder al cuadro de diálogo* Diseño *donde podrá establecer con detalle cualquier parámetro de configuración relacionado con la posición de la imagen, el ajuste del texto y su tamaño.*

Ajustes irregulares

Para diseñar un ajuste de texto tan irregular como necesite y adaptarlo a la forma de cualquier objeto siga estos pasos:

1. Haga clic con el botón derecho sobre la imagen y seleccione Ajustar texto en el menú contextual.

2. Entre las opciones del comando debe elegir Modificar puntos de ajuste. Alrededor de la imagen aparecerá un recuadro rojo y cuatro marcadores en sus esquinas.

3. Haga clic sobre cualquiera de estos marcadores para modificar los límites del recuadro de ajuste, aunque lo realmente interesante viene ahora.

4. Para definir un nuevo marcador, haga clic y mantenga pulsado el botón izquierdo del ratón sobre el lugar del recuadro de ajuste que desee mover. De este modo, los límites del texto alrededor de la imagen pueden ser tan irregulares como muestra la figura 7.20.

Para que los ajustes de texto irregulares sean efectivos, es necesario que la imagen se encuentre en algún formato que admita transparencias. También puede utilizar el comando Quitar fondo situado en el extremo izquierdo de la ficha Formato de la categoría Herramientas de imagen.

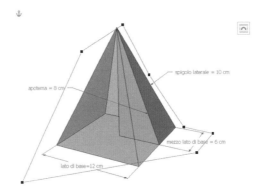

Figura 7.20. Establecer límites de texto irregulares sobre una imagen.

Nota:

El comportamiento elegido es En línea con el texto, *el comando* Modificar puntos de ajuste *no estará disponible.*

Estilos de imagen

A estas alturas, ya estamos familiarizados con los estilos, ya sean de párrafo, carácter o tablas. Para los gráficos e imágenes, Word también dispone de vistosos efectos como puede observar en la figura 7.21. La forma de acceder a ellos sería seleccionar la ficha Formato de la categoría Herramientas de imagen que como hemos comentado, aparecerá automáticamente al seleccionar cualquier objeto gráfico.

La manera de conocer el aspecto que tendrá una imagen con alguno de los estilos disponibles es sencilla, basta con seleccionar el gráfico y a continuación, situar el ratón unos segundos sobre los distintos modelos. Una vez tenga decidido el estilo simplemente haga clic para aplicarlo.

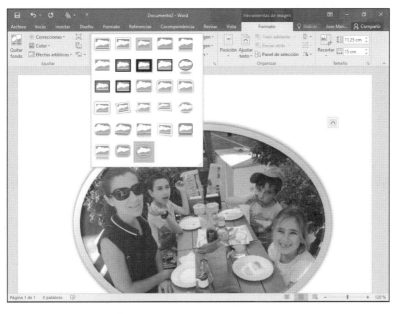

Figura 7.21. Estilos de imagen.

Truco:

A la derecha de la lista de estilos se encuentran dos comandos que también permiten mejorar el aspecto de cualquier imagen o gráfico. En primer lugar, la opción Contorno de imagen *añade un borde del color y grosor que necesitemos al objeto. También podrá conseguir elegantes resultados con el comando* Efectos de la imagen*, aplicando sombreados, reflejos y biseles.*

Formas

Las formas son una amplia colección de dibujos sencillos que abarcan desde líneas y flechas hasta elementos para crear diagramas de flujo. Una de las ventajas de las formas es su posibilidad de configuración ya que permiten cambiar su color, su tamaño, escribir dentro, etc.

En la cinta de opciones, después de seleccionar el comando Forma dentro del grupo Ilustraciones de la ficha Insertar, aparecerá un completo catálogo de figuras clasificadas por categorías: Líneas, Rectángulos, Formas básicas, Flechas de bloque, etcétera. Si desea incluir alguno de estos objetos en un documento siga los pasos que describimos a continuación:

1. Seleccione la forma que desea dibujar entre las opciones del comando **Forma**.
2. Haga clic y sin soltar, arrastre el ratón por la pantalla hasta que la forma tenga el tamaño deseado.

Después de insertar una forma en el documento y cada vez que seleccione alguno de estos elementos, Word activará una nueva categoría en la cinta de opciones denominada Herramientas de dibujo donde encontrará la ficha Formato con diferentes comandos. En la figura 7.22 puede comprobar el aspecto de esta ficha y varias formas dibujadas sobre un documento en blanco.

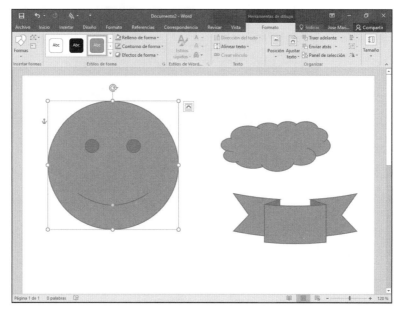

Figura 7.22. Ficha Formato de la categoría Herramientas de dibujo.

Truco:

Haga clic con el botón derecho sobre una forma y seleccione el comando Agregar texto. *Aparecerá un punto de inserción dentro de la forma para que pueda escribir lo que desee.*

Al crear una forma, ésta permanece seleccionada por si desea cambiar algún parámetro. Sin embargo, puede modificar una forma en cualquier momento simplemente haciendo clic sobre ella y aplicando los mismos métodos que hemos descrito en el apartado anterior para las imágenes.

Truco:

Utilice tanto los estilos incluidos en la ficha Formato *de la categoría* Herramientas de dibujo *como el resto de comandos del grupo* Estilos de forma *para mejorar el aspecto de estos objetos.*

Agrupar y alinear

En muchas ocasiones tendrá más de una forma en el documento o creará dibujos complejos a partir de varias formas simples. En estos casos, puede ser conveniente unir varios objetos para tratarlos como uno solo.

Para agrupar formas o cualquier otro elemento, el primer paso siempre sería seleccionar los objetos que necesite unir:

1. Seleccione la primera forma, mantenga pulsada la tecla **Mayús** y haga clic en tantas formas como desee incluir en la selección.

2. A continuación, haga clic con el botón derecho sobre alguna de las formas seleccionadas y elija el comando **Agrupar**. Si lo prefiere, puede utilizar el mismo comando situado en el grupo **Organizar** de la ficha **Formato** de la categoría **Herramientas de dibujo**.

Nota:

Tanto las opciones de agrupar como de ordenar son aplicables no sólo al trabajo con formas sino en general a cualquier elemento gráfico incluido en un documento de Word.

El comando **Alinear** que muestra la figura 7.23 ofrece multitud de posibilidades para encontrar la mejor forma de distribuir dos o más formas en cualquier espacio del documento.

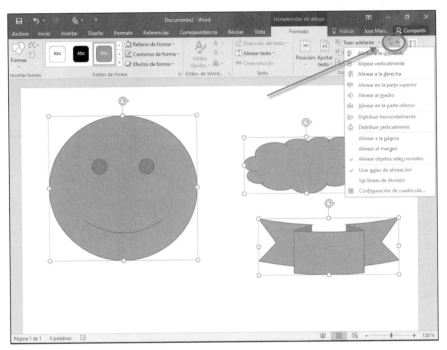

Figura 7.23. Comando Alinear.

Truco:

Utilice la selección múltiple de objetos para aplicar cambios a todos a la vez como el color de relleno, estilos o el modelo de contorno.

Capturas de pantalla

Entre las opciones relacionadas con imágenes y gráficos disponibles en Word queremos comentar una que nos parece especialmente interesante. Se trata de la posibilidad de realizar capturas de pantalla para incluirlas en el documento actual. Veamos cómo hacerlo:

1. En la cinta de opciones, compruebe que se encuentra seleccionada la ficha Insertar.

2. En el grupo Ilustraciones haga clic sobre el icono **Captura,** y compruebe en la figura 7.24, como la sección Ventanas disponibles muestra una instantánea de las aplicaciones abiertas en ese momento. Word muestra una miniatura de todos los programas en ejecución que no estén minimizados en la barra de tareas.

3. Para añadir cualquiera de ellas al documento actual, bastará con hacer clic sobre su imagen.

Figura 7.24. Comando Captura con las instantáneas disponibles.

Hasta aquí si quiere incluir el contenido completo de una ventana, pero si únicamente desea utilizar una parte debe seleccionar la opción Recorte de pantalla y hacer lo siguiente:

1. En primer lugar minimice todas las ventanas en la barra de tareas menos aquella de la que quiera obtener la captura de pantalla.

2. Seleccione el comando Captura y a continuación elija Recorte de pantalla.

3. A partir de ese momento, la pantalla toma un aspecto diferente y el cursor se transforma en una cruz.

4. Haga clic y sin soltar, arrastre para delimitar el área que desea capturar. Una vez completada la acción, Word se abrirá de nuevo y mostrará la imagen en el documento.

Nota:

Si quisiera obtener una captura del escritorio de Windows es necesario minimizar todas las ventanas.

SmartArt

Los gráficos SmartArt son elementos similares a las formas que hemos tratado en apartados anteriores pero su composición es más compleja. Permiten añadir diagramas, listas gráficas, organigramas, etcétera.

Son la solución perfecta para estructurar información gráficamente y transmitir ideas o conceptos. Para incluir este tipo de objetos debe seleccionar el comando SmartArt en el grupo Ilustraciones de la ficha Insertar. La figura 7.25 muestra el cuadro de diálogo asociado con las diferentes categorías y modelos disponibles.

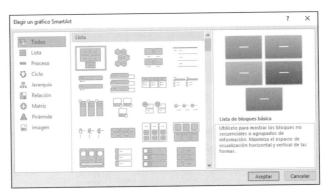

Figura 7.25. SmartArt.

De nuevo, Word muestra una categoría específica en la cinta de opciones para el tratamiento de objetos SmartArt. En ella podrá elegir entre diferentes diseños predefinidos, estilos y posibilidades relacionadas con este tipo de elementos.

WordArt

WordArt es otro recurso gráfico incluido en Word que permite crear textos artísticos realmente atractivos:

1. Coloque el cursor en la posición donde desea añadir el título y seleccione la ficha Insertar en la cinta de opciones.

2. A continuación, en el grupo Texto haga clic sobre el icono WordArt. En la figura 7.26 puede comprobar su situación exacta.

3. El siguiente paso será elegir el estilo que desee aplicar al título. Haga clic sobre alguno de ellos para continuar.

4. Escriba el texto y cuando termine haga clic fuera del rectángulo delimitador.

Un objeto WordArt se comporta exactamente igual que cualquiera de las formas que hemos visto anteriormente. De modo que podrá agruparlo con otras formas, usar los selectores para cambiar su tamaño, su aspecto o girarlo.

Figura 7.26. Comando WordArt.

Marcas de agua

¿Qué es una marca de agua? Pues bien, mejor ponemos un ejemplo, seguro que ha visto documentos con logotipos o frases como "Confidencial" o "Borrador" en el fondo de la página, siempre en tonos suaves para no perjudicar la lectura del texto. Estos es lo que se denomina marca de agua.

Para añadir una marca de aguan en Word, seleccione la ficha **Diseño** en la cinta de opciones y en su extremo derecho, haga clic sobre el comando **Marca de agua**. A partir de aquí, puede elegir alguno de los modelos predefinidos o seleccionar la opción **Marcas de agua personalizadas** para crear su propio diseño.

Resumen

Las tablas son una de las mejores formas de estructurar información dentro de un documento. Existen varias formas de crear una tabla en Word incluidas entre las opciones del comando **Tablas** situado en la ficha **Insertar**.

Una vez creada la tabla podrá insertar nuevas filas y columnas, eliminarlas, unir o dividir celdas y, por supuesto, aplicar diferentes opciones de formato a la tabla mediante la galería de estilos de tabla. Otra característica interesente de las tablas es la posibilidad de realizar cálculos sencillos utilizando campos y funciones.

Word, como el resto de aplicaciones de Office, permite insertar imágenes externas, gráficos procedentes de Internet, formas e incluso capturas de pantalla.

Las formas son elementos de diseño simples con los que puede añadir flechas, líneas, conectores, llamadas, etcétera. Estas formas tienen grandes posibilidades de personalización pudiendo cambiar su tamaño, su aspecto, el color de fondo, añadir texto, incluso aplicar efectos 3D.

8

Herramientas de escritura

En este capítulo aprenderá a:

- Utilizar el corrector ortográfico y gramatical.
- Reemplazar texto mientras escribe.
- Buscar sinónimos.
- Añadir comentarios.
- Trabajar con las herramientas de búsqueda.

Introducción

Existen principalmente dos tipos de herramientas de escritura; por un lado se encuentran aquéllas que permiten mejorar la calidad de nuestro trabajo y por otra parte tenemos las que ayudan a ganar tiempo mediante la automatización de ciertas tareas. En el primer grupo se encuentran el corrector ortográfico y gramatical que, sin duda, son una pieza fundamental en cualquier procesador de textos. En este capítulo veremos cómo funciona y cómo aprovechar las posibilidades de esta herramienta.

Nota:

Las utilidades de corrección ortográfica y gramatical funcionan del mismo modo en todas las aplicaciones de Microsoft Office.

Corrector ortográfico y gramatical

El corrector ortográfico de Office compara cada una de las palabras del documento con las que tiene almacenada en su base de datos, y si no encuentra ninguna coincidencia la señala como posible error. Además, buscará en la base de datos todas las palabras similares para que, en el caso de que se trate de un error ortográfico, pueda elegir el término correcto sin necesidad de escribirlo.

El modo de funcionamiento del corrector se puede resumir en los siguientes pasos:

1. Si el corrector detecta un posible error, marca la palabra subrayándola con una línea ondulada de color rojo si se trata de un error ortográfico y del color azul si se trata de un error gramatical. Word considera que hemos terminado de escribir una palabra si detrás de ella insertamos un espacio, signo de puntuación o pasamos al párrafo siguiente.

2. Una vez que Word ha detectado el error, puede solucionar el problema de dos formas: utilizando los métodos tradicionales (tecla **Retroceso** y volver a escribir) o situar el puntero del ratón sobre la palabra marcada y pulsar el botón derecho.

3. Si utiliza este último método, aparecerá un menú emergente como el que muestra la figura 8.1:

   • La primera sección muestra una serie de palabras que Word considera posibles candidatas para sustituir a la palabra errónea. Si alguna de ellas es la palabra correcta, simplemente haga clic sobre ella.

   • En la segunda sección puede ver dos opciones. La primera Omitir todo hace que Word no considere la palabra como error ortográfico ni en ese caso ni en todas las ocasiones en que aparezca el término dentro del documento; esto es válido hasta que cerremos el archivo. Y en segundo lugar, se encuentra la opción Agregar al diccionario que incluirá la palabra en el diccionario de Office y por lo tanto, ya no volverá a considerarla como un error ortográfico.

- A continuación se encuentra el comando Búsqueda inteligente que abrirá el panel del mismo nombre en el margen izquierdo de la ventana con posibles soluciones al error.

- El comando Hipervínculo añade una referencia a la palabra, de modo que abra cualquier elemento al hacer clic sobre ella.

- Por último, Nuevo comentario, incluye una viñeta con el texto que deseemos asociar a la palabra y será visible en cualquier momento con tan sólo colocar el cursor sobre la palabra.

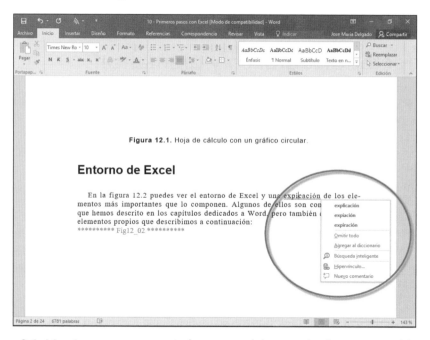

Figura 8.1. Menú emergente asociado a una palabra resaltada como posible error.

Advertencia:

Antes de incluir una palabra en el diccionario de Word mediante el comando Agregar al diccionario, *debe estar completamente seguro de que se trata de un término correcto, ya que de lo contrario Office no detectará el error la próxima vez que se produzca en ninguna de sus aplicaciones.*

En algunas ocasiones, el corrector ortográfico se tomará la libertad de cambiar alguna palabra que considera errónea por la que entiende debe ser la correcta. Si ocurre esto y no está de acuerdo con el cambio, puede utilizar la combinación de teclas **Control–Z** para recuperar el término original.

Revisar ortografía y gramática

Tanto en Word como en el resto de aplicaciones, la corrección ortográfica y gramatical en tiempo real se encuentra activada por defecto, pero si lo desea, puede ejecutar el comando Ortografía y gramática situado en la ficha Revisar para ejecutar esta herramienta en cualquier momento. En este caso, aparecerá en el margen derecho un panel donde se detallarán los diferentes errores, mostrará sugerencias, la posibilidad de omitir el error o incluso añadirlo al diccionario.

Observe en la figura 8.2 la lista desplegable situada en la parte inferior del panel Ortografía. Imagine que la palabra que está revisando se encuentra en cualquier otro idioma, en esta lista puede seleccionarlo para que la revisión busque el término en el diccionario correcto.

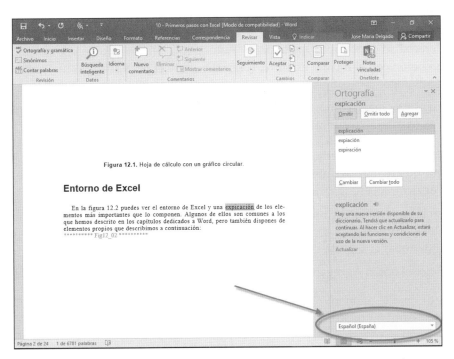

Figura 8.2. Lista desplegable para seleccionar el idioma correcto para la revisión.

> **Truco:**
>
> *Un método rápido para ejecutar el corrector ortográfico y gramatical sería pulsar la tecla* **F7***.*

Reemplazar texto mientras escribe

Imaginemos la siguiente situación: estamos escribiendo un extenso informe sobre riesgos laborales y debemos escribir continuamente "riesgos laborales". Pues bien, ¿qué le parecería si cada vez que necesitara utilizar este término sólo fuera necesario teclear algunas letras como "rl" y que Word escribiera el resto? Esto es ni más ni menos para lo que sirve la opción Reemplazar texto mientras escribe asociada a las herramientas de autocorrección de Office:

1. En la cinta de opciones, haga clic en Archivo y seleccione el comando Opciones situado en el margen izquierdo.

2. Elija Revisión entre las posibilidades que muestra a la izquierda el cuadro de diálogo.

3. A continuación, observe como la primera de las secciones que aparece a la derecha se denomina Opciones de Autocorrección. Dentro de ella encontrará un botón con el mismo nombre. Haga clic sobre él para abrir un nuevo cuadro de diálogo.

4. En primer lugar, compruebe que la casilla de verificación Reemplazar texto mientras escribe se encuentra activada.

5. El siguiente paso sería escribir en la casilla de texto Reemplazar la abreviatura que quiere utilizar. Intente que no sea ningún artículo, pronombre, nombre, etc. Por ejemplo, escriba: **rl**.

6. En el cuadro Con introduzca el texto que quiere que aparezca cuando escriba la abreviatura elegida. Por ejemplo: **riesgos laborales**. Observe la figura 8.3 para comprobar el aspecto del cuadro de diálogo.

7. Pulse el botón **Agregar** y haga clic en **Aceptar** para cerrar el cuadro de diálogo.

A partir de este momento cada vez que escriba la abreviatura y pase a la siguiente palabra, Word la sustituirá por el término elegido.

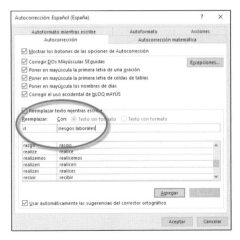

Figura 8.3. Elemento añadido a la lista Reemplazar texto mientras escribe.

Sinónimos

No todos disponemos de la riqueza de vocabulario suficiente para no repetirnos demasiado en los términos que empleamos. Pero Word proporciona un excelente diccionario de sinónimos. Para acceder a esta herramienta, siga estos pasos:

1. Haga clic con el botón derecho del ratón sobre la palabra que quiere sustituir.

2. Seleccione el comando Sinónimos y observe la lista de sugerencias que muestra el programa.

3. Si quiere tener acceso a más posibilidades, haga clic sobre el comando Sinónimos para mostrar el panel del mismo nombre con diferentes opciones para el término elegido.

Truco:

Coloque el cursor encima de una palabra y utilice la combinación de teclas **Mayús-F7** *para mostrar el panel* Sinónimos.

Comentarios

Los comentarios permiten asociar una pequeña explicación a cualquier palabra del documento, de manera que cuando coloquemos sobre ella el cursor aparezca el comentario. Esta herramienta resulta útil cuando trabajan varias personas con un mismo documento o para realizar aclaraciones a pie de texto.

La forma de incluir comentarios sería la siguiente:

1. Haga clic con el botón derecho sobre la palabra a la que desea añadir el comentario.

2. En el menú emergente, seleccione el comando **Nuevo comentario**. Aparece la viñeta de introducción de texto y Word muestra la ficha **Revisar** como puede observar en la figura 8.4.

3. Para terminar, haga clic en cualquier parte del documento.

Observe como en el margen derecho del documento una pequeña viñeta sirve como referencia para indicar que hemos añadido un comentario. Sitúe el ratón sobre la viñeta y Word resaltará la palabra que tiene ligado el comentario. Si hace clic sobre ella, mostrará el texto asociado.

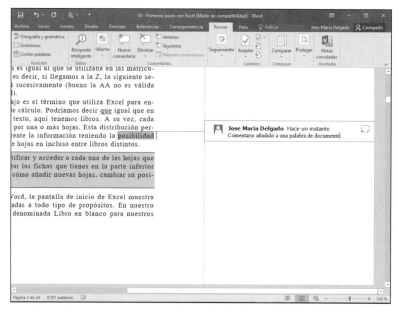

Figura 8.4. Viñeta de introducción de texto y ficha Revisar.

El comando **Mostrar comentarios** situado en la ficha **Revisar** permite mostrar u ocultar al mismo tiempo todos los comentarios del documento.

Nota:

Para borrar un comentario, haga clic con el botón derecho sobre la palabra que tiene asociado el comentario y selecciona el comando **Eliminar comentario***. Del mismo modo,* *para modificar un comentario haga clic sobre la viñeta situado a la derecha para hacerlo visible y cambie lo que necesite en el cuadro de texto.*

Búsquedas

Word dispone de un potente sistema de búsqueda por múltiples criterios que no sólo permite localizar texto dentro del documento, sino también formatos, comentarios, estilos, imágenes y un largo etcétera de elementos. Los comandos incluidos en el grupo Edición de la ficha Inicio permiten acceder a estas herramientas.

Para comprobar cómo funcionan las opciones de búsqueda en Word, siga estos pasos:

1. En la cinta de opciones compruebe que la ficha Inicio se encuentra seleccionada.

2. Haga clic en el comando Buscar situado entre las opciones del grupo Edición o, si lo prefiere, utilice la combinación de teclas **Control-B**. Aparecerá el panel Navegación en el margen izquierdo de la ventana.

3. En el primer recuadro, introduzca el texto que necesita localizar dentro del documento actual. Al mismo tiempo que escribe, irán apareciendo en la parte inferior del panel los fragmentos de textos que contengan el termino buscado.

4. Haga clic sobre cualquiera de ellos para ir directamente a esa posición del documento.

Hasta aquí una búsqueda sencilla de un término, pero si desea afinar un poco más haga clic sobre el icono que hemos señalado en la figura 8.5 y tendrá acceso a muchas más posibilidades. Seleccione el primer comando, denominado Opciones, para mostrar un nuevo cuadro de diálogo con algunas características interesantes:

- Coincidir mayúsculas y minúsculas: Al activar esta casilla, Word buscará palabras en el documento con el mismo formato de mayúsculas y minúsculas. En caso de no estar marcada, obviará este aspecto y por ejemplo, si busca "Padre", Word marcaría padre o PADRE o incluso pADre.

- Sólo palabras completas: Las palabras encontradas no pueden formar parte de otra, por ejemplo, si busca "ver" y activa esta casilla, palabras como "verdad" no serían marcadas.

- Usar caracteres comodín: Permite utilizar caracteres como * o ?. Por ejemplo, si introduce caza* en el cuadro de búsqueda, Word daría por buenos los términos como cazador, cazadora, etc. O si utiliza ca?a, mostraría casa, capa, cara, etc.

- Omitir puntuación: Activa esta casilla si quiere que el motor de búsqueda no tenga en cuenta si la palabra está o no correctamente acentuada.

- Omitir espacios en blanco: Si se encuentra activa, no se tendrán en cuenta los caracteres en blanco entre cadenas de texto.

Advertencia:

Si la casilla Usar caracteres comodín *no está activada, Word interpretará los caracteres comodines como un elemento más y los buscará en el documento.*

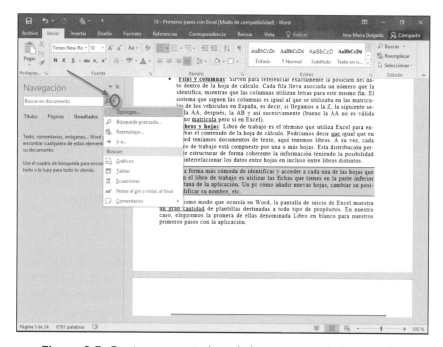

Figura 8.5. Opciones asociadas a la herramienta de búsqueda.

Reemplazar

Una vez descrito el funcionamiento de la herramienta de búsqueda, podemos ir más lejos y aprovechar esta potente característica para además de buscar, reemplazar.

La forma de utilizar la herramienta para buscar y reemplazar es similar a la que acabamos de describir en el apartado anterior pero, en esta ocasión debe seleccionar el comando Reemplazar dentro de grupo Edición de la ficha Inicio. También puede utilizar la combinación de tecla Control – L.

En el cuadro de diálogo Buscar y reemplazar deberá escribir en el cuadro de texto Reemplazar con el texto que sustituirá al escrito en el cuadro Buscar. El botón

Reemplazar busca la siguiente coincidencia en el documento y la sustituye, desplazándose a la siguiente. Es conveniente utilizar esta opción cuando no estemos seguros de querer cambiar todas las posibles ocurrencias. Si no existe posibilidad de confusión, puede hacer clic sobre el botón **Reemplazar todos** para dejar que Word haga todas las sustituciones de modo automático.

> **Nota:**
>
> *Haga clic en el botón* Más *del cuadro de diálogo* Buscar y reemplazar *para acceder a los parámetros de la sección* Opciones de búsqueda. *En este caso, el significado es el mismo que hemos el descrito para el comando* Buscar.

Si necesitas buscar caracteres especiales en el documento como retornos de carro, saltos de columnas, guiones largos, etc. Utilice el botón **Especial** del cuadro de diálogo Buscar y reemplazar para seleccionar el carácter que necesitas localizar. Después de elegir el carácter, compruebe como en el cuadro de texto Buscar aparece un pequeño símbolo y una letra. Estos dos elementos representan al carácter que intentamos encontrar.

Resumen

Las herramientas de escritura permiten mejorar la calidad de nuestros documentos. El corrector ortográfico y gramatical es una magnífica ayuda para evitar los errores que todos cometemos al escribir.

La base de datos de sinónimos nos puede sacar de algún que otro apuro para evitar que nuestros textos sean redundantes y monótonos.

Mediante los comandos de búsqueda y sustitución podrá buscar y reemplazar cualquier texto incluido en el documento. Además mediante las posibilidades avanzadas también es posible realizar esta operación sobre estilos, marcadores, caracteres especiales...

9

Compartir

En este capítulo aprenderá a:

- Compartir con otras personas.
- Enviar por correo electrónico.
- Presentar trabajos en línea.
- Publicar en blogs.
- Convertir en PDF.

Introducción

La posibilidad de editar documentos entre varios usuarios al mismo tiempo no es algo nuevo pero sí es una característica que Office no había incluido entre sus características hasta ahora. En Office 2016, combinando diferentes servicios como OneDrive y Office online es posible trabajar de manera conjunta en la creación de un documento con varias personas al mismo tiempo.

El contenido de este apartado debería estar incluido en los capítulos iniciales donde se tratan los elementos comunes a todas las aplicaciones de Office 2016. Pero al ser conceptos algo complejos hemos preferido dejarlos para cuando estuviéramos algo más familiarizados con el manejo del programa. Con todo esto simplemente recordar que puede utilizar las funcionalidades descritas a continuación tanto en Word, Excel, OneNote o PowerPoint.

> **Nota:**
>
> *Access sería la única aplicación donde aún no están implementadas las opciones del comando* Compartir.

Compartir con otras personas

La primera de las características disponibles contempla la posibilidad de trabajar de forma colaborativa con otros usuarios en el desarrollo de documentos, hojas de cálculo, presentaciones, notas…

Para aprovechar las posibilidades de la herramienta Compartir con otras personas es necesario cumplir algunos requisitos:

* Es necesario estar conectado a Internet, algo obvio que no debemos olvidar.

* Es necesario disponer de una cuenta de usuario Microsoft.

* Debe tener una cuenta en OneDrive y es necesario almacenar el documento en ella previamente para poder compartirlo.

Si utiliza Office 365 todos estos puntos están implícitos en el modelo de licencia. Una vez descritos los requisitos veamos cómo compartir el documento actual para que puedan acceder a él las personas que decidamos invitar:

1. Abra el documento que quiere compartir o cree uno nuevo.

2. En el extremo derecho de la cinta de opciones haga clic sobre el botón **Compartir** para mostrar el panel del mismo nombre. En la figura 9.1 puede comprobar la situación del botón y el aspecto del panel después de ejecutarlo.

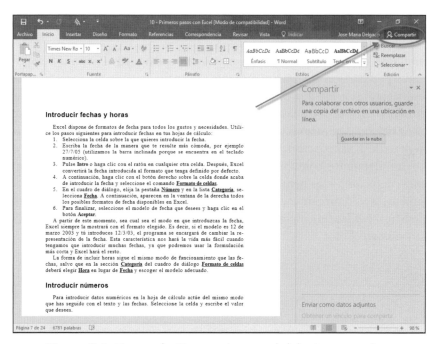

Figura 9.1. Comando Compartir y panel del mismo nombre
que aparece tras seleccionarlo.

3. Como puede ver en la información inicial del panel Compartir, lo primero que debemos hacer es guardar el documento en una ubicación en línea. Más concretamente, haga clic sobre el botón **Guardar en la nube**.

4. Al instante, aparece la ventana asociada al comando Guardar como. Entre las posibilidades de almacenamiento estará seleccionada por defecto OneDrive. Nuestra tarea aquí será elegir la carpeta donde se almacenará el documento y elegir un nombre. Cuando termine, haga clic en el botón Guardar para volver de nuevo al entorno del programa.

5. Es posible que tras el paso anterior sea necesario esperar hasta que el documento termine de cargarse en la ubicación elegida. Haga clic en el botón Compartir dos veces, una para cerrar el panel y otra para volver a abrirlo. Repita esta operación hasta que muestre el aspecto que puede ver en la figura 9.2.

6. El siguiente paso sería invitar a las personas que desea que colaboren en la edición del documento. En el cuadro de texto Invitar a personas, escriba en primer lugar el correo electrónico. Si es alguien que forma parte de la lista de contactos puede utilizar el botón situado a la derecha para seleccionarlo directamente.

7. A continuación, debe decidir si la persona podrá editar el documento o sólo tendrá la posibilidad de visualizarlo.

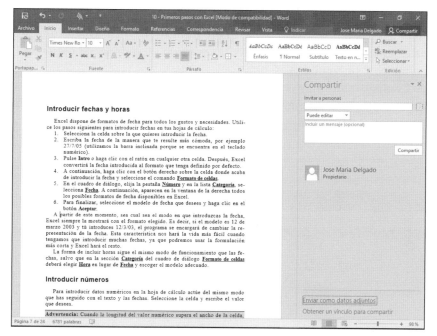

Figura 9.2. Aspecto del panel después de guardar el archivo
en una ubicación en línea.

8. En el siguiente cuadro de texto, escriba algún mensaje destinado a la persona que va a recibir la invitación.

9. Por último haga clic en el botón Compartir.

Una vez completados los pasos anteriores, el destinatario de nuestra invitación recibirá un correo electrónico con el nombre del archivo en el asunto del mensaje. En su interior encontrará el texto que indicamos en la convocatoria y un enlace para acceder al documento.

Cuando la persona invitada haga clic sobre el enlace se abrirá el documento en su navegador en modo de solo lectura. Si quisiera editar el documento, es necesario seleccionar la opción Editar en el explorador situada en la barra superior. En ese momento, el documento se abrirá en la versión online de Office y tendrá a su disposición muchas de las herramientas que hemos descrito hasta ahora. En la figura 9.3 puede comprobar el aspecto de un documento compartido en la versión online de Office.

Nota:

No es necesario que el usuario que recibe la invitación tenga credenciales asociadas a una cuenta Microsoft.

Los cambios realizados se propagarán de inmediato a todas las personas que tengan en ese momento abierto el documento. El programa indicará mediante una pequeña etiqueta de color, la posición del punto de inserción de cada usuario que esté realizando cambios y su nombre.

El botón **Compartir** mostrará en tiempo real el número de usuarios que están compartiendo el documento. Del mismo modo, las personas invitadas tendrán conocimiento de los nombres de los usuarios que comparten el documento en ese instante.

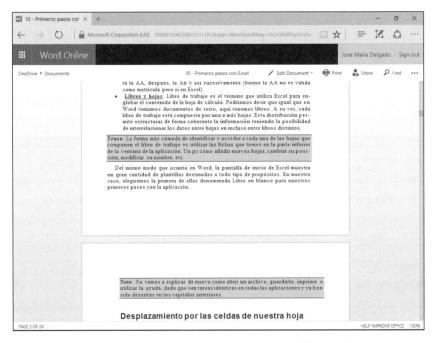

Figura 9.3. Aspecto del documento en Office Online.

Nota:

Si el destinatario de la invitación tiene problemas para recibir el correo con el enlace, adviértale que busque en su carpeta de spam o elementos eliminados.

Si lo desea, puede ponerse en contacto con cualquiera de los usuarios que comparten un documento. Basta con situar el cursor sobre su nombre y aparecerá una pequeña ventana, tal y como puede comprobar en la figura 9.4. En ella puede elegir entre enviarle un mensaje de texto, un correo electrónico o iniciar una llamada con Skype.

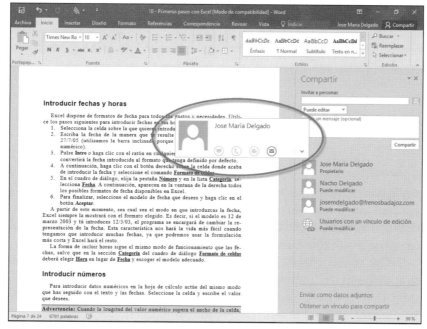

Figura 9.4. Ventana de comunicación con los usuarios que comparten un documento.

Nota:

Compartir con otras personas también se encuentra disponible entre las opciones del comando Compartir *del menú* Archivo.

En la parte inferior del panel Compartir encontrará dos opciones que también le pueden resultar de utilidad a la hora de colaborar con otros usuarios:

- Enviar como datos adjuntos: Realmente es un acceso directo a la opción que trataremos en el siguiente apartado y que permite enviar el documento actual por correo electrónico a través de Outlook.

- Obtener un vínculo para compartir: Crea un enlace al archivo para poder enviarlo utilizando cualquier medio, incluso puede pegarlo como texto en algún documento. Estos vínculos abrirán el archivo en modo lectura o modo edición según elija en el panel Compartir. Haga clic en el tipo de vínculo para que el programa lo genere y a continuación seleccione el botón **Copiar** para incluirlo en el portapapeles. A partir de aquí puede utilizar el comando Pegar para añadirlo donde necesite.

> **Nota:**
>
> *Durante el proceso de edición colaborativa, la aplicación solicitará que guardemos el documento. Complete este paso para poder continuar.*

Enviar por correo electrónico

Es posible que ya conozca la forma de enviar archivos adjuntos a través del correo electrónico. En este caso, Office intenta facilitarnos un poco el trabajo y pone a nuestra disposición una herramienta para enviar directamente desde el entorno de la aplicación cualquier documento en diferentes formatos según cada necesidad.

Haga clic sobre el menú Archivo en la cinta de opciones y a continuación en el margen derecho seleccione el comando Compartir. Entre las diferentes posibilidades disponibles elija Correo electrónico. Como puede comprobar en la figura 9.5 en el margen derecho aparecerán todas las opciones disponibles para enviar el archivo a través de este medio. Con el propósito de facilitarnos la elección de alguna de ellas, a la derecha de cada icono se detallan las ventajas de cada formato.

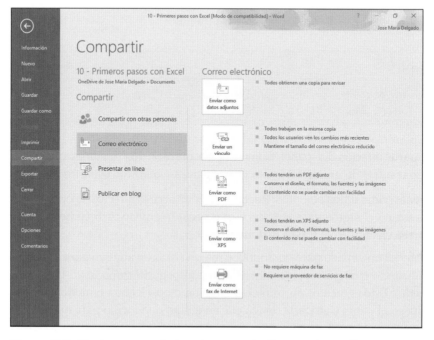

Figura 9.5. Opciones asociadas al comando Compartir mediante correo electrónico.

Después de elegir alguna de las opciones, Office abrirá Outlook o en su defecto, el cliente de correo instalado en el sistema y mostrará una ventana de edición de mensajes. Si no dispone de ningún programa de correo electrónico, Office no podrá completar la operación. En este caso le recomendamos que utilice la opción descrita en el apartado anterior para obtener un vínculo al archivo que pueda pegar en su cliente de correo online o convertir el archivo en PDF como veremos a continuación y enviarlo de este modo.

Nota:

Entre los clientes de correo disponibles actualmente, Microsoft Outlook es la opción idónea al formar parte del paquete Office en cualquiera de sus versiones. Su integración con el resto de aplicaciones de la suite es perfecta.

Presentar en línea

Office 2016 también ofrece la posibilidad de presentar en línea nuestros trabajos. Es decir, podría estar sentado delante de su equipo y sus oyentes en cualquier parte del mundo. Esta funcionalidad sólo está disponible por ahora en Word y PowerPoint. ¿Los requisitos para llevar a cabo esta nueva forma de presentar ideas? Bueno, pues tampoco son demasiados:

- Necesita utilizar una cuenta de usuario Microsoft para acceder al servicio gratuito de presentaciones en línea.
- Como es evidente, tanto nosotros como los destinatarios de la presentación deben tener conexión a Internet.
- Para los usuarios que tendrán acceso a la presentación el único requisito, además de la conexión, es disponer de un explorador compatible. Habitualmente, Internet Explorer o el nuevo Microsoft Edge serían buenas opciones teniendo en cuenta que se trata de aplicaciones de la misma compañía, pero no tendrá problemas con otros navegadores como Firefox o Safari.

Una vez enumerados los requisitos, el procedimiento para llevar a cabo la presentación es sencillo. El programa generará un vínculo que debe enviar a los asistentes por correo electrónico o cualquier otro medio. Ellos sólo harán clic sobre el enlace y al instante tendrán acceso a la presentación.

Advertencia:

Si uno de los destinatarios de la presentación reenvía el enlace a otra persona, ésta también podrá visualizarla. Debe tenerlo en cuenta si el archivo contiene información confidencial.

Durante la presentación en línea podrá detenerla, realizar cambios y volver a enviar el enlace a los asistentes. Tampoco existe ningún problema en trabajar con otras aplicaciones mientras realiza la presentación ya que los asistentes en ningún momento tienen acceso a su escritorio, únicamente podrán ver la presentación cuyo enlace les ha enviado previamente.

Nota:

Es recomendable controlar el tamaño de la presentación para mejorar la fluidez durante su ejecución a través de Internet.

Una vez conocidos los detalles más importantes veamos cómo llevar a cabo el proceso que, insistimos, es realmente sencillo:

1. Compruebe que está conectado y que su cuenta de usuario Microsoft se encuentra activa. Recuerde que deben aparecer sus credenciales en la esquina superior derecha de la cinta de opciones.

2. Abra el documento que quiere presentar en línea o cree uno nuevo.

3. En la cinta de opciones, seleccione el menú Archivo.

4. A continuación, en el margen izquierdo elija Compartir.

5. Entre las opciones disponibles, haga clic sobre Presentar en línea para mostrar en el margen derecho las características más importantes del servicio y un breve recordatorio sobre los requisitos mínimos.

6. Active la única casilla de verificación disponible si desea permitir a los destinatarios descargar una copia del archivo.

7. Seleccione el comando Presentar en línea y tras unos segundos, aparecerá la ventana que puede ver en la figura 9.6 con el vínculo que debe enviar a los asistentes. Como puede comprobar, existen dos posibilidades: copiarlo al portapapeles o enviarlo directamente por correo electrónico.

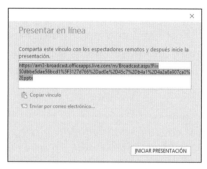

Figura 9.6. Ventana final del proceso de presentación en línea.

8. Puede comenzar inmediatamente la presentación seleccionando el botón **Iniciar presentación**.

Si está ejecutando el comando desde Word, al instante aparecerá el entorno de la aplicación en modo presentación con la ficha Presentar en línea en primer plano. En PowerPoint, en cambio, arrancará directamente la primera diapositiva y será necesario pulsar la tecla **Esc** para acceder a la ventana del programa puede comprobar en la figura 9.7.

Puede detener la presentación en línea para realizar algún cambio o simplemente para hacer un pequeño descanso, utilizando el botón **Editar**. Para continuar con la presentación seleccione los comandos Desde el principio o Desde la diapositiva actual. El comando Finalizar la presentación en línea cierra la ventana y desconecta a los usuarios vinculados.

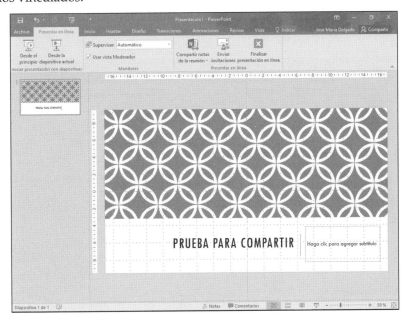

Figura 9.7. Aspecto de PowerPoint mientras realizamos una presentación en línea.

Desde la misma ventana de presentación utilice el comando Enviar invitaciones para compartir el vínculo con otras personas a las que desee mostrar su trabajo. Recuerde que puede enviarlo por correo electrónico.

Advertencia:

Es recomendable desactivar el protector de pantalla durante la ejecución de la presentación. Este tipo de elementos puede interferir en su desarrollo.

Publicar en blog

La últimas de las opciones para compartir información a través de Microsoft Office 2016 es la publicación de nuestros documentos o presentaciones en algunos de los servicios de blogs más utilizados en la actualidad como WordPress, Blogger o TypePad. Es requisito indispensable estar registrado en alguno de estos servicios para poder publicar documentos en ellos.

En la cinta de opciones, abra el menú Archivo y seleccione el comando Compartir. A continuación elija Publicar en blog y haga clic sobre el icono del mismo nombre situado a la derecha. A partir de aquí, Office muestra una ventana independiente de edición, con comandos y herramientas específicas para trabajar con blogs. Pero antes, debe registrar una cuenta de blog como muestra la figura 9.8, indicando las credenciales de alguno de los servicios compatibles con Office.

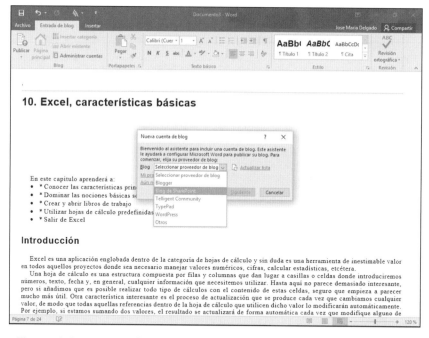

Figura 9.8. Ventana de edición de documentos para publicar en blog y cuadro de diálogo de registro de cuenta.

Nota:

Si el servicio de blog que utiliza no se encuentra en la lista, seleccione la opción Otros *e introduzca en la ventana* Nueva cuenta *los datos solicitados*

Convertir en PDF

No hacemos ningún descubrimiento diciendo que PDF (Portable Documents Format) es uno de los formatos más universales y utilizados actualmente. Se trata de una opción con varias ventajas interesantes:

- Se ha popularizado tanto que podemos decir que se trata de un estándar.
- El visor predeterminado para este formato es gratuito y lo puede descargar desde la Web de Adobe.
- Permite numerosas configuraciones de seguridad, siendo posible decidir si deseamos que el documento pueda ser modificado, impreso o incluso el uso de los comandos Cortar y Pegar.
- Son cada vez más las aplicaciones que permiten convertir cualquier documento o archivo en PDF.

Con todos estos datos, sólo quedaría describir la forma de transformar archivos de Office en documentos PDF. La tarea es bien sencilla:

1. Haga clic en el menú Archivo y seleccione Exportar entre las opciones que aparecen en el margen izquierdo de la ventana.
2. Seleccione el comando Crear documento PDF/XPS y a continuación, haga clic en el botón del mismo nombre situado a la derecha tal y como muestra la figura 9.9.

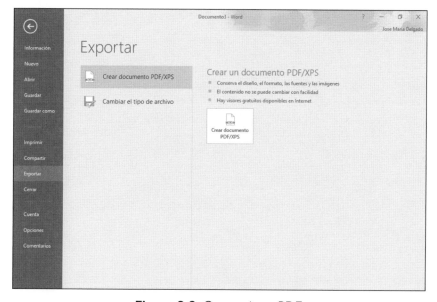

Figura 9.9. Convertir en PDF.

3. A partir de aquí, más de lo mismo, un nombre y una ubicación de destino para el archivo resultante en formato PDF.

El botón Opciones del cuadro de diálogo Publicar como PDF o XPS permite determinar ciertos aspectos de la conversión como el número de diapositivas, la información que deseamos incluir en el documento o las características específicas del formato PDF.

Resumen

La posibilidad de trabajar de forma conjunta con otros usuarios es una de las novedades más importantes y útiles incluidas en Office 2016. Como ha podido comprobar en este capítulo resulta extremadamente sencillo realizar cambios, añadir datos y en definitiva desarrollar de forma colaborativa cualquier proyecto con usuarios situados en cualquier parte del mundo.

El resto de opciones para compartir como la publicación en línea, blogs o el envío mediante correo electrónico son herramientas que pueden ayudarnos a ser mucho más productivos y le recomendamos que las aproveche.

10

Excel, tareas básicas

En este capítulo aprenderá a:

- Dominar las nociones básicas sobre el entorno de Excel.
- Seleccionar celdas y añadir datos a la hoja de cálculo.
- Dar formato a las celdas.
- Utilizar el relleno automático.
- Añadir comentarios.
- Editar hojas.
- Ordenar el contenido de las celdas.
- Inmovilizar y movilizar paneles.
- Proteger la hoja de cálculo y el libro.

Introducción

Excel es una aplicación englobada dentro de la categoría de hojas de cálculo y sin duda es una herramienta de inestimable valor en todos aquellos proyectos donde sea necesario manejar valores numéricos, cifras, calcular estadísticas, realizar análisis de datos, etcétera.

Una hoja de cálculo es una estructura compuesta por filas y columnas que dan lugar a casillas o celdas donde introduciremos números, texto, fecha y, en general, cualquier información que necesitemos utilizar. Hasta aquí no parece demasiado interesante, pero si añadimos que es posible realizar todo tipo de cálculos con el contenido de estas celdas, seguro que empieza a parecer mucho más útil. Otra característica interesante es el proceso de actualización automática que se produce cada vez que cambiamos cualquier valor. De este modo, todas aquellas referencias dentro de la hoja de cálculo que utilicen dicho valor se modificarán sin que sea necesario hacer nada más.

Pero las posibilidades de Excel van mucho más allá de una simple estructura para realizar cálculos y mostrar datos de una forma más o menos ordenada. Las innumerables herramientas que proporciona nos serán de gran ayuda a la hora de llevar a cabo estudios financieros, análisis, evoluciones...

> **Nota:**
>
> *No piense en Excel como un programa difícil de utilizar y solo accesible para personas con ciertos conocimientos matemáticos. Siguiendo en la línea de las aplicaciones de Office, Excel incorpora multitud de asistentes y ayudas que facilitarán desde las tareas más sencillas hasta las más complejas.*

Excel también dispone de herramientas para representar nuestros datos mediante gráficos y diagramas, obteniendo así una perspectiva visual de la evolución de cualquier parámetro. En la figura 10.1 puede ver un ejemplo.

Entorno de Excel

La figura 10.2 muestra el entorno de Excel y una explicación de las partes más importantes que lo componen. Alguna de ellas son comunes a las descritas en Word, pero también dispone de elementos propios que enumeramos a continuación:

- Celdas: Son cada una de las casillas que divide la hoja de cálculo y se identifican por el número de fila y la letra de la columna donde se encuentra. Las celdas son

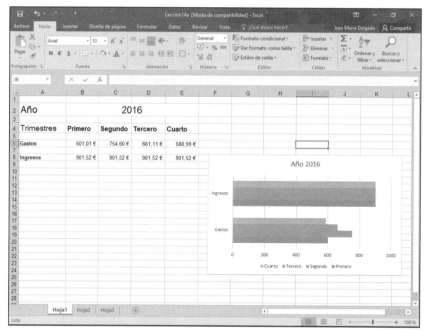

Figura 10.1. Hoja de cálculo con un gráfico de datos.

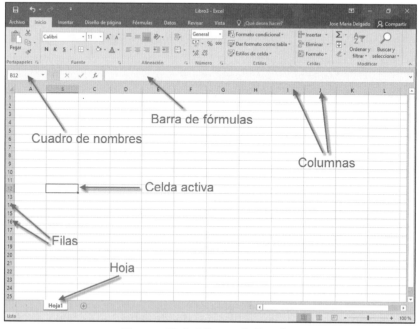

Figura 10.2. Microsoft Excel.

la base del funcionamiento de cualquier hoja de cálculo, dado que en ellas se introducirán los textos, números, fechas y cualquier otro dato que nos servirá posteriormente para realizar operaciones y obtener resultados.

- **Cuadro de nombres:** Se encuentra en la esquina superior izquierda y muestra el nombre de la celda activa, así como los nombres asignados por nosotros a celdas o rangos que permitirán referenciar a grupos de celdas o a celdas independientes. Pero de esto hablaremos un poco más adelante.

- **Barra de fórmulas:** Permite añadir, ver y editar cualquier función, sentencia o expresión incluida en las celdas de la hoja de cálculo. Cuando la celda activa contiene un valor constante, la barra de fórmulas muestra este dato pero, si se trata de una fórmula, podrá ver la expresión completa y una serie de opciones para modificarla y validarla. Esto último es fundamental, ya que en las celdas que contienen alguna fórmula o función, Excel sólo muestra el resultado pero no la expresión que se está aplicando en cada momento.

- **Filas y columnas:** Sirven para referenciar exactamente la posición del dato dentro de la hoja de cálculo. Cada fila lleva asociado un número que la identifica, mientras que las columnas utilizan letras para este mismo fin. El sistema que siguen las columnas es igual al que se utilizaba en las matrículas de los vehículos en España, es decir, si llegamos a la Z, la siguiente será la AA, después, la AB y así sucesivamente (bueno la AA no era válida como matrícula pero sí en Excel).

- **Libros y hojas:** Libro de trabajo es el término que utiliza Excel para englobar el contenido de la hoja de cálculo. Podríamos decir que igual que en Word teníamos documentos de texto, aquí tenemos libros. A su vez, cada libro de trabajo está compuesto por una o más hojas. Esta distribución permite estructurar de forma coherente la información teniendo la posibilidad de interrelacionar los datos entre hojas e incluso entre libros distintos.

Truco:

La forma más cómoda de identificar y acceder a cada una de las hojas que componen el libro de trabajo es utilizar las pestañas disponibles en la parte inferior de la ventana de la aplicación.

Del mismo modo que ocurría en Word, la pantalla de inicio de Excel muestra una gran cantidad de plantillas destinadas a todo tipo de propósitos. En nuestro caso, elegiremos la primera de ellas denominada Libro en blanco para nuestros primeros pasos con la aplicación.

Nota:

No vamos a explicar de nuevo cómo abrir un archivo, guardarlo, imprimir o utilizar la ayuda, dado que son tareas idénticas en todas las aplicaciones y ya han sido descritas en los capítulos anteriores.

Desplazamiento por las celdas de la hoja de cálculo

Quizás lo que vamos a explicar ahora sea algo obvio, pero como este libro quiere partir de unos conocimientos mínimos de Microsoft Office dedicaremos unas líneas a mostrar cómo podemos movernos por la hoja de cálculo.

Para desplazarnos entre las distintas celdas de la hoja, utilizaremos tanto el ratón como las teclas del cursor. El primero servirá para situarnos en cualquier celda de la hoja rápidamente. En cambio, las teclas del cursor serán útiles en aquellos casos en los que tengamos que movernos entre celdas adyacentes o cercanas a la celda activa.

Nota:

Cuando las celdas o el espacio de la hoja hasta donde deseamos llegar no se encuentren visibles, puede utilizar las barras de desplazamiento vertical y horizontal que ya aprendimos a manejar con Word. Además, disponemos de las teclas **RePág** *y* **AvPág** *para movernos hacia arriba y hacia abajo una pantalla completa dentro de la hoja actual.*

Ir a una celda concreta

La forma más rápida de llegar a una celda determinada de la hoja de cálculo es utilizar el comando Ir a. Su funcionamiento es el siguiente:

1. En la cinta de opciones seleccione la ficha Inicio.
2. Haga clic en el icono **Buscar y seleccionar** situado en el grupo Modificar.
3. Entre las diferentes opciones que aparecen, seleccione el comando Ir a para mostrar el cuadro de diálogo que aparece en la figura 10.3.
4. En el cuadro de texto Referencia introduzca la celda a la que quiere llegar, por ejemplo B50. Si lo desea también puede buscar un grupo de celdas o rango, por ejemplo A10:B10. De los rangos hablaremos un poco más adelante.
5. Haga clic en **Aceptar** y Excel se desplazará hasta la celda o celdas seleccionadas.

Figura 10.3. Cuadro de diálogo Ir a.

En el cuadro de diálogo **Ir a** también encontrará las últimas referencias utilizadas y el botón **Especial** que puede utilizar para llegar y seleccionar aquellas celdas con unas características determinadas.

> **Truco:**
>
> *Las combinaciones de teclas **Control-I** o **F5** permiten acceder directamente el cuadro de diálogo **Ir a**.*

Seleccionar celdas

Antes de entrar de lleno en los procesos de introducción y edición de datos veamos los métodos básicos de selección dentro de una hoja de cálculo de Excel.

En primer lugar, para seleccionar una celda sólo tiene que hacer clic sobre ella. En ese momento, un recuadro negro la rodeará indicando que es la celda activa. Los pasos para seleccionar un grupo de celdas tampoco son demasiado complicados:

1. Haga clic en la primera celda que quiere que componga la selección.
2. A continuación, mantenga pulsada la tecla **Mayús** y haga clic en la última celda que quiere incluir en la selección. Una vez hecho, todas las celdas situadas entre las dos seleccionadas aparecen resaltadas.

> **Truco:**
>
> *Utilizando las teclas del cursor también puede seleccionar celdas consecutivas. Seleccione la primera, mantenga pulsada la tecla **Mayús** y utilice las teclas del cursor para seleccionar tantas celdas consecutivas como desee.*

Para seleccionar grupos de celdas no contiguos, mantenga pulsada la tecla **Control** y haga clic en la siguiente celda o grupo de celdas que quiere seleccionar. Repita estos mismos pasos para seleccionar tantas celdas no adyacentes como desee.

Si quiere seleccionar celdas con el ratón, sólo tiene que hacer clic en la primera y arrastrar el cursor al mismo tiempo que mantiene pulsado el botón izquierdo del ratón. También puede utilizar este método en combinación con la tecla **Control** para seleccionar grupos de celdas no consecutivos.

Filas y columnas completas

La forma de seleccionar filas y columnas completas es sencilla: haga clic en el nombre de la fila o de la columna para que todas las celdas que la componen queden seleccionadas.

> **Truco:**
>
> *La combinación de teclas* **Control-Barra espaciadora** *selecciona toda la columna y* **Mayús-Barra espaciadora**, *toda la fila donde se encuentre la celda activa.*

Seleccionar toda la hoja

Para seleccionar toda la hoja activa, haga clic en el cuadro vacío que se encuentra en la esquina superior izquierda de la hoja en la intersección del encabezado de filas y columnas, junto a la barra de fórmulas. También puede utilizar la combinación de teclas **Control-E**.

> **Nota:**
>
> *Aunque existen otras combinaciones para seleccionar celdas, éstas son sin duda las que utilizará con más frecuencia.*

Añadir datos a la hoja de cálculo

Como ya hemos comentado, las celdas de nuestras hojas pueden contener textos, números y fechas. Además, algunas de ellas contendrán las fórmulas y funciones que permitirán realizar los cálculos necesarios, aunque este tema lo veremos un poco más adelante.

Introducir texto

Los textos ayudarán a identificar el origen de los datos y, en definitiva, a crear una hoja de cálculo más legible. La forma de incluir texto en una celda es muy sencilla:

1. Haga clic en la celda donde quiere colocar el texto.

2. Escriba el texto que desee y en principio, no se preocupe si sobrepasa los límites de la celda.

3. Pulse la tecla **Intro** o haga clic con el ratón en cualquier otra celda para validar la entrada.

Si quiere que el texto no ocupe las celdas contiguas, cuando su tamaño sea superior al de la celda, haga lo siguiente:

1. Seleccione la celda que contiene el texto.

2. Haga clic con el botón derecho del ratón y seleccione el comando Formato de celdas para mostrar el cuadro de diálogo del mismo nombre.

3. Seleccione la pestaña Alineación y dentro de ésta, haga clic sobre la casilla de verificación denominada Ajustar texto.

4. Finalmente, utilice el botón **Aceptar** para confirmar el cambio.

> **Nota:**
>
> *A lo largo de este capítulo trataremos otros métodos para ajustar el texto a un determinado espacio como, por ejemplo, modificar el ancho de la columna o agrupar varias celdas.*

Introducir fechas y horas

Excel dispone de formatos de fecha para todos los gustos y necesidades. Utilice los pasos siguientes para introducir fechas en sus hojas de cálculo:

1. Seleccione la celda donde quiere introducir la fecha.

2. Escriba la fecha de la manera que le resulte más cómoda, por ejemplo 27/7/17.

3. Pulse **Intro** o haga clic con el ratón en cualquier otra celda. Después de esto, Excel convertirá la fecha introducida al formato que tenga definido por defecto.

4. A continuación, haga clic con el botón derecho sobre la celda donde acaba de introducir la fecha y seleccione el comando Formato de celdas.

5. En el cuadro de diálogo, elija la pestaña Número y en la lista Categoría, seleccione Fecha. Compruebe a la derecha todos los posibles formatos de fecha disponibles en Excel.

6. Para finalizar, seleccione el modelo de fecha que desee y haga clic en el botón **Aceptar**.

A partir de este momento, sea cual sea el modo en que introduzca la fecha, Excel siempre la mostrará con el formato elegido. Es decir, si el modelo es 12 de marzo 2017 y escribe 12/3/17, el programa se encargará de cambiar la representación de la fecha. Esta característica le facilitará el trabajo cuando tenga que introducir muchas fechas, ya que puede usar la formulación más corta y Excel hará el resto.

La forma de incluir horas sigue el mismo modo de funcionamiento que las fechas, salvo que en la sección Categoría del cuadro de diálogo Formato de celdas deberá elegir Hora en lugar de Fecha y escoger el modelo adecuado.

Introducir valores numéricos

Para introducir datos numéricos en la hoja de cálculo actúe del mismo modo que ha seguido con el texto y las fechas. Seleccione la celda y escriba el valor que desee.

> **Advertencia:**
>
> *Cuando la longitud del valor numérico supera el ancho de la celda, el programa susti-tuye el contenido por símbolos #########. Para solucionar este contratiempo, coloque el cursor en el borde derecho del nombre de la columna hasta que se transforme en una doble flecha. En ese momento haga doble clic y Excel ajustará automáticamente el ancho de la columna al contenido de la celda.*

Teniendo en cuenta que los datos que más emplearemos dentro de la hoja de cálculo serán principalmente numéricos, Excel despliega toda su potencia cuando se trata de elegir el formato adecuado para ellos. En el grupo Número de la ficha Inicio se encuentra la lista desplegable Formato de número como muestra la figura 10.4, además de los iconos que permiten aplicar de forma rápida los formatos numéricos más comunes. De izquierda a derecha la descripción de cada uno de ellos sería la siguiente:

- **Estilo moneda**: Agrega el símbolo del € al valor numérico y añade únicamente dos decimales, redondeando el valor si fuera necesario.

- **Estilo porcentual**: Convierte el valor en un porcentaje, incluyendo el símbolo de tanto por ciento (%).

- **Estilo millares**: Coloca el punto de los millares al dato numérico seleccionado.

- **Aumentar decimales**: Añade una nueva posición decimal a los datos seleccio-nados.

- **Disminuir decimales**: Elimina una posición decimal, redondeando el resultado.

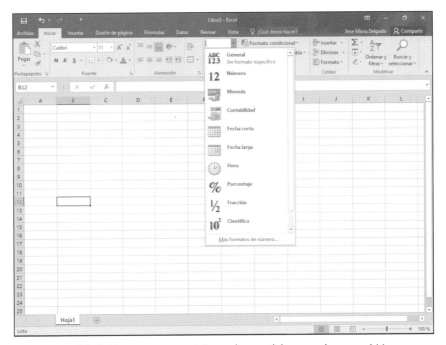

Figura 10.4. Formatos numéricos disponibles en el grupo Número
de la ficha Inicio.

Advertencia:

Para que Excel no tenga problemas a la hora de reconocer un dato como numérico, no incluya ningún tipo de símbolo ni texto delante del valor. Los únicos símbolos que acepta son el tanto por ciento, la coma decimal y el signo de exponenciación (E o e, para notación científica).

Formatos básicos para celdas

Por defecto, Excel aplica determinados formatos automáticos según la información introducida. Para modificar el formato de las celdas, la forma más sencilla es utilizar los comandos situados en los grupos Fuente y Alineación de la ficha Inicio. El significado de estas opciones es el mismo que fue descrito en los capítulos dedicados al procesador de textos.

Excel permite aplicar atributos de formato sobre todo el contenido de la celda o sólo a una parte que habremos seleccionado previamente.

Para formatear todo el contenido de la celda, selecciónela en primer lugar y a continuación elija los comandos que necesite en la ficha Inicio. En cambio, si desea modificar parte del contenido de la celda como, por ejemplo, alguna palabra del texto, siga estos pasos:

1. Haga doble clic sobre la celda en cuestión para situar el cursor dentro de la misma.

2. El siguiente paso sería utilizar métodos habituales de edición de caracteres para seleccionar la parte del contenido de la celda que desee.

3. Finalmente aplique el atributo de formato y pulse **Intro** o haga clic en cualquier otra celda.

Truco:

Si desea aplicar formato a más de una celda al mismo tiempo, sólo es necesario seleccionarlas utilizando alguno de los métodos descritos al principio del capítulo y después aplicar los atributos de formato.

Bordes

Los bordes son líneas que rodean la celda o celdas seleccionadas, diferenciándolas del resto. Se trata de un recurso gráfico sencillo pero muy efectivo para mejorar la presentación de la información dentro de la hoja. La forma de aplicar este recurso sería la siguiente:

1. Seleccione en primer lugar las celdas a las que quiere aplicar el borde.

2. En la cinta de opciones, compruebe que se encuentra activa la ficha Inicio.

3. Preste atención al grupo **Fuente** y haga clic sobre el pequeño símbolo situado a la derecha del icono **Bordes** para desplegar la amplia lista de posibilidades que ofrece y que puede comprobar en la figura 10.5.

4. Finalmente, haga clic en el estilo de línea que quiera utilizar. Puede recurrir a esta misma lista para cambiar el color y el grosor del borde.

Truco:

*Entre las opciones del comando borde se encuentra **Dibujar bordes**. Selecciónela y el cursor se convertirá en un pequeño lápiz con el que podrá añadir bordes fácilmente con tan sólo hacer clic.*

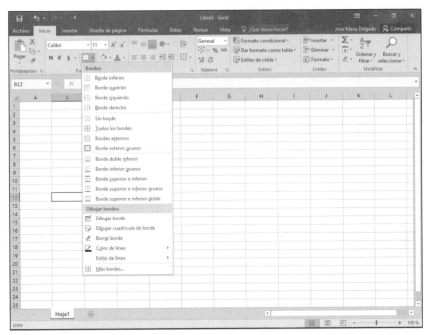

Figura 10.5. Opciones asociado al comando Bordes.

Copiar y pegar formato

Excel también dispone del comando Copiar formato que permitirá aprovechar el formato ya aplicado sobre una celda o grupo de celdas. Este comando es realmente útil dentro de una aplicación con las características de Microsoft Excel.

El funcionamiento del proceso de copiar y pegar formato en Excel sería el siguiente:

1. Seleccione la celda o celdas que tienen el formato que quieres copiar. Cuando hablamos de formato incluimos fuente, colores, color de fondo, formato de fecha o número, etc.

2. Haga clic en el icono **Copiar formato** situado en el grupo Portapapeles de la ficha Inicio. Observe que junto al cursor habitual de Excel aparece una brocha.

3. A continuación, haga clic para aplicar el formato copiado sobre la celda o celdas que desee.

Etiquetas inteligentes para copiar formato

Aunque trataremos con más detalle el funcionamiento de las etiquetas inteligentes, queremos mostrar dos formas sencillas de utilizar el formato de una celda como patrón para aplicarlo a todas aquellas que desee mediante las etiquetas inteligentes. El primero de los métodos sería el siguiente:

1. Haga clic en la celda que contiene el formato que quiere usar.

2. Coloque el ratón encima del pequeño recuadro negro situado en la esquina inferior derecha, denominado controlador de relleno.

3. Haga clic y sin soltar, arrastre hasta incluir en la selección todas aquellas celdas sobre las que desee aplicar el formato original.

4. Al soltar, Excel mostrará una pequeña etiqueta, haga clic sobre ella y seleccione la opción Rellenar formatos solo. Tras este proceso, todas las celdas adquieren las mismas propiedades de formato.

El segundo de los métodos pasa por utilizar en primer lugar el comando Copiar (**Control-C**) sobre la celda que tiene el formato que desea utilizar como origen y a continuación, ejecutar el comando Pegar (**Control-V**), después de hacer clic para seleccionar la celda o celdas de destino. Aquí, igual que ocurría con el método anterior, aparecerá una pequeña etiqueta que debe seleccionar pero, en este caso, el aspecto es distinto y ofrece muchas más posibilidades. Para copiar únicamente el formato de origen haga clic sobre el icono que hemos resaltado en la figura 10.6.

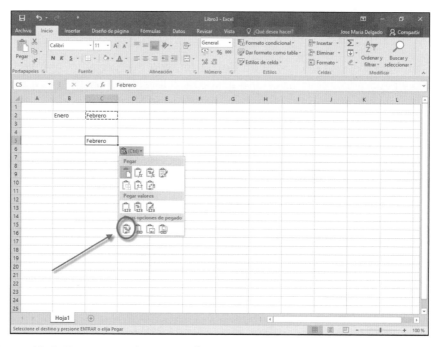

Figura 10.6. Etiqueta inteligente y el icono asociado al comando Pegar formato.

Para entender el significado de los iconos que aparecen en la etiqueta inteligente descrita en el apartado anterior necesitamos conocer un poco mejor Excel, así que dejaremos para los siguientes capítulos su descripción.

> **Nota:**
>
> *El comando* Pegar *situado en el extremo izquierdo de la ficha* Inicio *muestra las mismas funciones que la etiqueta inteligente descrita anteriormente. Pero además, incluye el comando* Pegado especial *que permite acceder al cuando de diálogo del mismo nombre donde podrá configurar con mucho más detalle las opciones de pegado.*

Estilos

Si hacemos un poco de memoria recordaremos que los estilos permitían agrupar bajo un mismo nombre a una serie de características de formato. En Excel también disponemos de estilos para ahorrarnos trabajo a la hora de aplicar formato a los diferentes elementos de la hoja de cálculo.

En la cinta de opciones, entre las opciones de la ficha Inicio se encuentra el grupo Estilos. Para comprobar cómo funciona el comando Estilo de celda, seleccione un grupo de celdas en la hoja de cálculo y haga clic sobre él para acceder a un menú desplegable con todas sus opciones. Como puede comprobar en la figura 10.7, los diferentes estilos se encuentran divididos por categorías para que resulte más sencillo encontrar el formato adecuado. Como es habitual, basta con situar el ratón sobre cualquiera de ellos para que se aplique de forma provisional sobre las celdas seleccionadas.

> **Nota:**
>
> *En los capítulos dedicados a Word describimos ampliamente las distintas posibilidades disponibles para incluir imágenes, trabajar con formas, añadir elementos SmartArt o incluso capturas de pantalla. Pues bien, el significado de las opciones y la forma de trabajar son idénticos en Excel y se encuentran en el grupo* Ilustraciones *de la ficha* Insertar.

Unir celdas

La unión de celdas se utiliza principalmente para colocar títulos que engloben varias columnas. A continuación, describimos cómo haríamos esto mismo en nuestra hoja de cálculo:

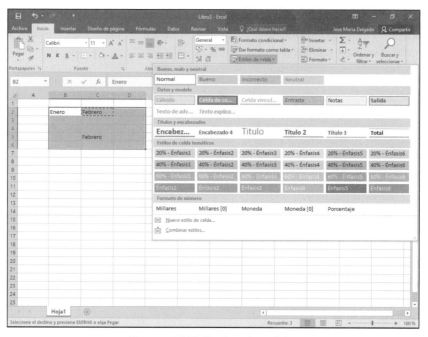

Figura 10.7. Estilos de celda.

1. Abra una hoja en blanco.

2. Haga clic en la celda **A2** y escriba: **Año 2016**.

3. Mantenga pulsada la tecla **Mayús** y haga clic en la celda **G2**. Todas las celdas intermedias entre la A2 y la G2 quedan seleccionadas.

4. En la cinta de opciones, compruebe que se encuentra seleccionada la ficha Inicio.

5. Haga clic en el botón **Combinar y centrar** situado en el grupo Alineación. Después de este último paso, todas las celdas seleccionadas se habrán convertido en una sola y, además, el texto habrá quedado centrado dentro de la nueva celda.

La figura 10.8 indica tanto la posición exacta del botón **Combinar y centrar**, como el resultado de la anterior secuencia de pasos.

Para recuperar el estado inicial de las celdas unidas, seleccione en primer lugar la celda combinada y haga clic en el pequeño símbolo situado a la derecha del icono. Entre las opciones que aparecen, debe seleccionar el comando Separar celdas.

Editar los datos en la barra de fórmulas

Para modificar los datos de cualquier celda de la hoja de cálculo tiene dos posibilidades: editarlos en la propia celda o utilizar la barra de fórmulas.

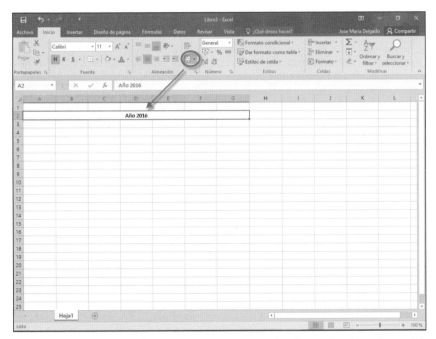

Figura 10.8. Botón Combinar y centrar y ejemplo de unión de varias celdas.

Como ya sabemos, para editar el contenido de una celda basta con hacer doble clic sobre ella. Pero si la celda contiene algún tipo de expresión, función o cálculo, es conveniente recurrir a la barra de fórmulas:

1. Seleccione la celda que quiere modificar.

2. A continuación, haga clic en la barra de fórmulas para activar el cursor de edición. A partir de ese momento, ya puede realizar cualquier cambio.

3. Para terminar, utilice la tecla **Intro** o haga clic en el botón **Introducir** de la barra de fórmulas, representado por un símbolo verde de verificación.

Truco:

Para eliminar la información de una o varias celdas seleccione la celda o celdas que desee y pulse la tecla **Supr***. También puede utilizar el comando* Borrar contenido *del menú emergente que aparece después de hacer clic con el botón derecho sobre la selección.*

Otra forma de editar el contenido de una celda es seleccionarla y después, pulsar la tecla **F2**. Al instante el cursor aparecerá dentro de la celda y podrá realizar cualquier cambio.

Mover datos

Excel permite mover el contenido de una o varias celdas dentro de cualquier lugar de la hoja activa. Para hacerlo siga estos pasos:

1. Seleccione la celda o celdas que quiere mover.

2. Coloque el cursor en el borde de la selección hasta que se transforme en flecha cuádruple.

3. Haga clic y sin soltar, arrastre hasta situar la selección sobre la nueva ubicación. Para facilitar esta tarea, Excel sombrea la celda sobre la que se encuentra situado el cursor en cada momento y muestra su referencia como puede comprobar en la figura 10.9.

4. Cuando se encuentre sobre la celda adecuada, suelte el botón izquierdo del ratón.

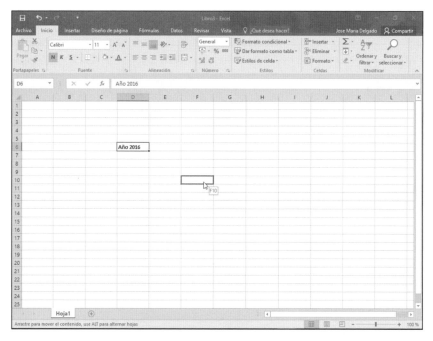

Figura 10.9. Mover datos.

Nota:

Para mover el contenido a otras hojas del libro o incluso de otro libro, deberás utilizar los comandos Copiar (**Control-C**) *y* Pegar (**Control-V**).

Relleno automático de celdas

Excel ofrece varios métodos para facilitarnos la tarea de introducir datos iguales o con alguna relación entre ellos. Por ejemplo, imagine que ha introducido un valor y necesita que las diez celdas que se encuentran debajo contengan también la misma información. Es evidente que una solución puede ser recurrir a los comandos Cortar y Pegar, pero existe otra forma más sencilla de hacerlo:

1. Haga clic sobre la celda que contiene el dato que quiere copiar para convertirla en la celda activa.

2. Sitúe el cursor sobre el pequeño cuadrado negro situado en la esquina inferior derecha de la celda, denominado controlador de relleno. El cursor se transformará en una pequeña cruz de color negro.

3. Haga clic, mantenga pulsado el botón izquierdo del ratón y arrastre para rellenar las celdas contiguas como muestra la figura 10.10.

4. Suelte el botón del ratón para que aparezcan los datos en las celdas seleccionadas. Al mismo tiempo Excel muestra una etiqueta inteligente, haga clic sobre ella y encontrará varias opciones. A continuación describimos el significado de las más importantes:

   - Copiar celdas: Esta opción simplemente se limita a copiar el valor de la celda original en el resto de celdas seleccionadas.

   - Serie de relleno: Si la celda contiene un valor numérico, un día de la semana o una combinación de texto con número, por ejemplo, Capítulo 7, puede elegir esta opción para que Excel incremente de forma automática el valor de la primera celda en el resto y así que aparezca Capítulo 8, Capítulo 9...

   - Rellenar formatos solo: Cuando elegimos esta opción, Excel se olvida de los datos y copia únicamente el formato de la celda de origen.

   - Relleno sin formato: Copia el dato de origen en el resto de celdas pero sin respetar el formato.

   - Rellenar días o meses: Si el dato corresponde con el nombre de un mes o un día de la semana, Excel añadirá automáticamente el resto de celdas con los días o meses siguientes.

   - Relleno rápido: Toma como referencia las celdas situadas a la derecha o izquierda para completar el contenido de las celdas seleccionadas. Muy útil a la hora de separar nombres, apellidos,… A continuación describiremos con un ejemplo el funcionamiento de esta interesante función.

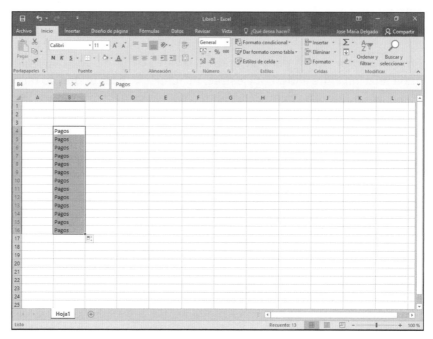

Figura 10.10. Copiar datos.

> **Nota:**
>
> *En función del contenido de la celda de origen, Excel podría mostrar algunas opciones más en la etiqueta inteligente como: días de la semana, meses del año, etcétera.*

Si fuera necesario, puede reducir el número de celdas que contiene el dato que acaba de copiar haciendo clic en el cuadrado de copia y retrocediendo sobre las celdas en las que no quiere que aparezca el valor. Todo esto mientras se mantenga la selección sobre las celdas rellenas.

Relleno rápido

Como hemos comentado, entre las posibilidades que muestra la etiqueta inteligente asociada al relleno de celdas se encuentra la opción denominada Relleno rápido. Veamos un ejemplo para entender mejor cómo funciona:

1. Imagine que tenemos un enorme listado de nombres de personas, con la particularidad de que tanto el nombre como los apellidos se encuentran en la misma celda.

2. Con este escenario, se plantea la necesidad de obtener en una celda independiente el nombre de pila de cada una de las personas de la lista.

3. Para resolver el problema, lo primero que debe hacer es escribir los dos o tres primeros datos para que Excel puede reconocer el patrón que quiere seguir. En la figura 10.11 puede comprobar el aspecto de la hoja después de completar estos pasos.

4. A continuación, seleccione la primera de las celdas, la que contiene el primer valor que hemos indicado. En nuestro ejemplo, contiene el nombre **José**.

5. Haga clic sobre el controlador de relleno (cuadrado de color negro situado en la esquina inferior derecha) y sin soltar, arrastre hasta llegar a la última celda que desea completar. Suelte y compruebe como Excel ha entendido el patrón indicado y ha conseguido rellenar todas las celdas.

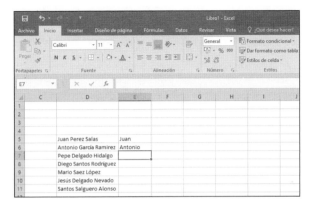

Figura 10.11. Patrón para la opción Relleno rápido.

> **Nota:**
>
> *Las etiquetas inteligentes en Excel disponen de un gran número de funcionalidades, en los próximos capítulos seguiremos descubriéndolas.*

En el ejemplo anterior, si también necesita obtener de manera separada el primer y segundo apellido pruebe a escribir algunos de estos datos en la celdas situadas a la derecha. Excel rellenará las celdas automáticamente.

Series, autorelleno de celdas

Lo que hemos visto en la última secuencia de pasos está muy bien, pero Excel aún ofrece mucho más, y para demostrarlo vamos a plantear una situación bastante común. Imagine que está haciendo una previsión sobre los gastos fijos anuales de su empresa y tiene que rellenar doce celdas con el nombre de cada mes. ¿Qué le parecería si sólo tuviera que escribir Enero y que Excel hiciera el resto? Vamos a ver cómo conseguirlo:

1. Seleccione la celda que contendrá el primer mes y escriba **Enero**.

2. A continuación, coloque el cursor sobre el controlador de relleno hasta que se transforme en una pequeña cruz de color negro.

3. Haga clic y sin soltar, arrastre hacia la derecha para que el programa rellene automáticamente las celdas contiguas con los meses correspondientes tal y como puede ver en la figura 10.12.

4. Deje de pulsar el ratón cuando aparezca el último mes.

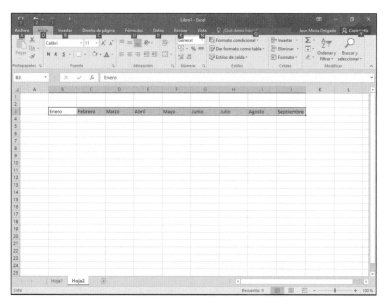

Figura 10.12. Rellenar datos de series.

¿No le parece increíble?, con sólo arrastrar el ratón hemos ahorrado el trabajo de escribir los doce meses del año. Esta misma operación puede repetirla con los días de la semana y no es necesario empezar por el primer mes o primer día, puede hacerlo por cualquiera. Incluso puede utilizarlo con fechas y horas.

Truco:

También puede emplear este método con valores numéricos, con la única diferencia de que es necesario mantener pulsada la tecla **Control** *mientras arrastra. Si no lo hace así, Excel entenderá que quiere copiar el dato y no crear una serie.*

La opción **Rellenar serie** incluida entre las posibilidades de la etiqueta inteligente que aparece después de completar cualquier operación de relleno, también permite completar datos automáticamente incluso después de haber copiado el dato.

Cuadro de diálogo Serie

El cuadro de diálogo **Serie** permite configurar de forma más precisa la funcionalidad asociada al relleno automático de series, así como indicar los valores de incremento, controlar los tramos cronológicos, etcétera.

Para rellenar celdas utilizando este método debe seguir estos pasos:

1.   Haga clic en la celda que contiene el valor inicial de la serie o escríbalo en una nueva celda si fuera necesario.

2.   Seleccione las celdas que necesita rellenar. No olvide que la primera celda debe ser donde ha introducido el valor inicial.

3.   En la cinta de opciones compruebe que se encuentra visible la ficha Inicio.

4.   En el grupo Modificar, seleccione el comando **Rellenar** y después haga clic en Series para mostrar el cuadro de diálogo del mismo nombre.

5.   Elija las opciones que desee, como el incremento o el valor límite si se trata de un dato numérico. Observe que la opción **Cronológica** dispone incluso de la posibilidad de crear series sólo con los días laborales.

6.   Para terminar, haga clic en **Aceptar** y Excel rellenará las celdas seleccionadas con los parámetros de configuración elegidos.

En la figura 10.13 puede comprobar el aspecto del cuadro de diálogo **Series** y la situación del comando **Rellenar** en la cinta de opciones.

> **Nota:**
>
> *Active la casilla de verificación* **Tendencia** *para ignorar los valores de incremento y dejar que Excel se encargue de aplicar el mejor ajuste para la serie; utilizará como referencia la información situada en la parte superior o izquierda de la celda seleccionada como inicio de la serie.*

Relleno simultáneo de celdas

Siguiendo con los métodos disponibles en Excel para facilitar la tarea de introducción de información en la hoja de cálculo, explicaremos a continuación la forma de añadir un mismo valor en más de una celda al mismo tiempo:

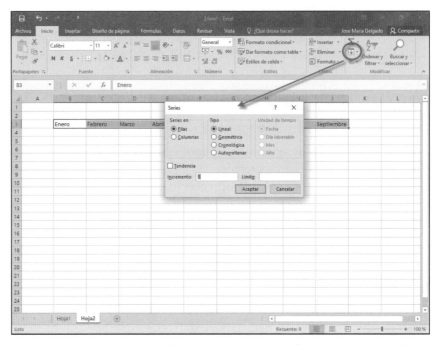

Figura 10.13. Cuadro de diálogo Series y situación del comando Rellenar.

1. Seleccione el grupo de celdas en las que quiere incluir el mismo valor y a continuación teclee el dato que desee añadir.

2. Pulse la combinación de teclas **Control-Intro** y todas las celdas elegidas tendrán la misma información.

Redimensionar filas y columnas

En apartados anteriores hemos visto cómo adaptar el ancho de una columna para que muestre toda la información y evitar los dichosos símbolos #######. Recuerde que es suficiente con situar el cursor sobre el borde de la columna o de la fila, mantener pulsado el botón izquierdo del ratón y arrastrar, o si lo prefiere puede hacer doble clic sobre la intersección de dos filas y columnas para que Excel adapte automáticamente el ancho o alto al contenido de las celdas.

Si quiere hacer esta misma operación, pero necesita especificar un valor exacto, haga clic con el botón derecho sobre la fila o la columna que quiere modificar y elija el comando Ancho de columna o Alto de fila. A continuación, aparecerá un cuadro de diálogo donde debe introducir el valor para la fila o la columna seleccionada.

Truco:

Puede modificar el ancho o el alto de varias columnas o filas a la vez. Selecciónelas y a continuación, haga clic con el botón derecho del ratón sobre ellas para elegir el comando Ancho de columna *o* Alto de fila. *También puede seleccionar las columnas o filas que desea modificar y después, arrastrar desde el borde del encabezado de cualquiera de ellas mientras mantiene pulsada la tecla* **Control**.

Ocultar filas y columnas

En muy posible que en determinadas ocasiones necesite ocultar la información que muestran algunas filas o columnas de la hoja de cálculo. La forma de hacerlo sería la siguiente:

1. Seleccione las filas o columnas que desea ocultar. Puede seleccionar más de una si quiere ocultar varias filas o columnas.
2. Haga clic con el botón derecho sobre la selección y elija el comando Ocultar.

Si quiere volver a mostrar las columnas o filas ocultas, debe seleccionar las filas o columnas adyacentes. Por ejemplo, si ha ocultado la columna B y quiere volver a mostrarla, tendrá que seleccionar las columnas A y C. Una vez hecho esto, haga clic con el botón derecho sobre la selección y utilice el comando Mostrar.

Buscar y reemplazar

Los comandos Buscar y Reemplazar de Microsoft Excel funcionan de forma similar a la descrita en capítulos anteriores dedicados al procesador de textos. Las diferencias se centran principalmente en las listas desplegables disponibles en la parte inferior del cuadro de diálogo, y que aparecen después de seleccionar el botón **Opciones** como puede comprobar en la figura 10.14:

*   Dentro de: Define el ámbito de la búsqueda, pudiendo elegir entre la hoja activa o todas las hojas del libro.
*   Buscar: Determina el sentido de la búsqueda, por columnas y hacia arriba o por filas y hacia la derecha. Normalmente es más rápida la búsqueda por columnas.
*   Buscar en: Selecciona el elemento de la hoja donde se encuentra el término que necesita buscar: fórmulas, valores o comentarios.

Figura 10.14. Cuadro de diálogo Buscar y reemplazar.

Tanto el comando Buscar como el comando Reemplazar se encuentran en la ficha Inicio. Más concretamente, forman parte de las opciones asociadas al icono **Buscar y seleccionar** situado en el grupo Modificar.

> **Truco:**
>
> *Utilice la combinación de teclas **Control-B** para ejecutar el comando Buscar y **Control-L** para el comando Reemplazar.*

El botón **Formato** del cuadro de diálogo Buscar y reemplazar permite restringir la búsqueda a celdas con un formato determinado. Haga clic sobre este botón y seleccione la opción Elegir formato de celda. En ese momento, se cerrará provisionalmente el cuadro de diálogo y junto al cursor aparece el símbolo de un pequeño cuentagotas. Haga clic sobre la celda que desea utilizar como patrón para la búsqueda y Excel restringirá los resultados únicamente a las celdas que coincidan con el modelo elegido.

> **Truco:**
>
> *Para comprobar que su hoja de cálculo se encuentra libre de errores, ejecute el comando Ortografía situado en la ficha Revisar. El funcionamiento es el mismo que ya tratamos en Word. Recuerde que los errores ortográficos pueden deslucir un gran trabajo.*

Añadir comentarios

Para facilitar la comprensión de los datos incluidos en la hoja de cálculo, Excel ofrece la posibilidad de asociar comentarios a cualquier celda. Quizás en Word esta utilidad no parezca tan importante, pero cuando en Excel se convierte en un elemento fundamental para mejorar la comprensión de la información contenida en la hoja de cálculo:

1. Haga clic con el botón derecho del ratón sobre la celda a la que quiere asociar el comentario y seleccione el comando Insertar comentario. Aparecerá un pequeño recuadro como puede comprobar en la figura 10.15.

2. Escriba dentro de la viñeta el texto que desee. Si el tamaño por defecto no es suficiente, haga clic sobre cualquiera de los cuadrados situados alrededor y arrastre para modificar sus proporciones.

3. Seleccione cualquier otra celda para cerrar el comentario.

Observe como en la celda donde hemos añadido el comentario aparece un pequeño triángulo rojo en la esquina superior derecha.

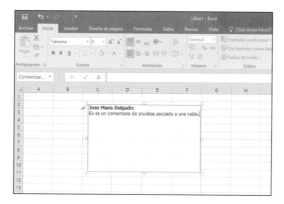

Figura 10.15. Insertar un comentario.

Para visualizar el comentario asociado a una celda, simplemente sitúe el cursor encima. Si lo desea, también puede modificar el comentario. Para hacerlo, pulse con el botón derecho sobre la celda y seleccione el comando Modificar comentario. También puede borrarlo con el comando Eliminar comentario.

> **Truco:**
>
> *En la ficha* **Revisar** *se encuentra el grupo* **Comentarios**. *Puede utilizar los comandos disponibles para visualizar y ocultar todos los comentarios de la hoja o ir navegando por ellos mediante los iconos* **Anterior** *y* **Siguiente**.

Ordenar el contenido de las celdas

Otra de las operaciones más o menos habituales en el trabajo con las hojas de cálculo es la ordenación de datos. La forma más rápida de hacerlo sería la siguiente:

1. Seleccione las celdas que desea ordenar.

2. Según el sentido de ordenación que necesite aplicar, haga clic en los botones **Orden ascendente** u **Orden descendente** situados en el grupo Ordenar y filtrar de la ficha Datos. Observe la situación y el aspecto de estos botones en la figura 10.16.

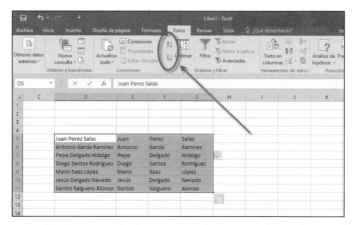

Figura 10.16. Botones Ordenar ascendente y Ordenar descendente.

Para realizar procesos de ordenación más complejos, involucrando más de una columna, debe utilizar el comando **Ordenar** de la ficha **Datos**:

1. Haga clic para seleccionar todas las columnas que intervendrán en la ordenación.

2. Seleccione el comando **Ordenar** situado en la ficha **Datos** para mostrar el cuadro de diálogo que aparece en la figura 10.17.

3. Utilice las distintas listas desplegables para definir el criterio de ordenación que vas a seguir y las columnas que deseas implicar. Excel permite un máximo de tres columnas.

4. Indique si existe o no encabezado en la selección y, si todo es correcto, haga clic en el botón **Aceptar**.

Figura 10.17. Cuadro de diálogo Ordenar.

Editar hojas

Cada vez que creamos un nuevo libro incluye por defecto una única hoja con el nombre predeterminado: **Hoja1**. Ni el número de hojas ni el nombre, incluso su color tienen por qué ser definitivos y a continuación veremos cómo modificarlos según nuestros gustos o necesidades.

Cambiar nombre

La verdad es que los nombres Hoja1, Hoja2… no dicen demasiado, así que vamos a ver cómo modificar esta denominación:

1. En la parte inferior de la ventana, haga clic con el botón derecho del ratón sobre la pestaña que identifica la hoja.
2. Seleccione el comando Cambiar nombre. En ese instante, el nombre de la hoja aparece seleccionado.
3. Escriba el nuevo nombre de la hoja y pulse **Intro**. Debe saber que el nombre de una hoja puede tener como máximo treinta caracteres.

Truco:

También puede cambiar el nombre de una hoja haciendo doble clic sobre el título de la hoja.

Añadir una nueva hoja

Otra operación habitual es añadir nuevas hojas y para hacerlo simplemente haga clic en el pequeño botón circular con un signo más en su interior situado a la derecha de la última hoja.

También puede hacer clic con el botón derecho sobre el nombre de alguna de las hojas del libro de trabajo y seleccionar el comando Insertar. En el cuadro de diálogo que aparece, haga doble clic sobre el icono **Hoja de cálculo**.

Eliminar

Siguiendo con las posibles operaciones relacionadas con las hojas de nuestro libro de trabajo, veamos cómo eliminar una hoja:

1. Haga clic con el botón derecho sobre el nombre de la hoja que quiera quitar del libro actual.
2. Seleccione el comando Eliminar y después, pulse **Aceptar** en el cuadro de diálogo de confirmación que aparece.

Mover

Para cambiar la posición de una hoja, siga los pasos que mostramos a continuación:

1. Haga clic con el botón derecho sobre el nombre de la hoja que quiera mover.

2. Seleccione el comando Mover o copiar para mostrar el cuadro de diálogo que aparece en la figura 10.18.

3. En la lista, elija alguno de los libros abiertos como destino de la hoja o, si lo prefiere, puede enviarla a un nuevo libro de trabajo con la opción Nuevo libro.

4. En el cuadro Antes de la hoja, haga clic sobre la hoja en la que quiere anteponer a la seleccionada.

5. Finalmente, utilice el botón **Aceptar** para completar la operación.

Figura 10.18. Cuadro de diálogo Mover o copiar.

Si lo que quiere es hacer una copia de la hoja seleccionada, sólo tiene que activar la casilla Crear una copia.

Truco:

Otra forma de cambiar la posición de una hoja dentro del libro es hacer clic sobre la etiqueta con el nombre de la hoja y mantener pulsado el botón izquierdo del ratón al mismo tiempo que arrastra hasta su nueva posición.

Dividir la ventana de la hoja de cálculo

Imagine que dentro de una misma hoja ha incluido los datos sobre los gastos de los seis últimos meses y necesita hacer una serie de comparaciones entre enero y junio. Con la vista normal, probablemente tendría que estar continuamente utilizando la barra de desplazamiento y aun así sería bastante incómodo. Para solucionar este tipo de problemas puede crear una división temporal de la hoja para que muestre dos o más secciones al mismo tiempo. La forma de hacerlo sería la siguiente:

1. Seleccione en el libro de trabajo la hoja que quiere dividir.

2. A continuación, seleccione el comando Dividir en el grupo Ventana de la ficha Vista y obtendrá un resultado similar al que puede ver en la figura 10.19.

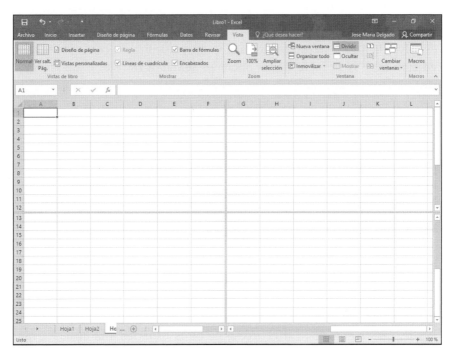

Figura 10.19. Hoja dividida en cuatro partes iguales; observe el detalle de las barras de desplazamiento asociadas a cada sección.

La primera vez que utilice el comando Dividir, la hoja quedará separada en cuatro zonas iguales con sus respectivas barras de desplazamiento. Si sólo necesita utilizar la división vertical arrastre la barra de división horizontal hacia arriba hasta que salga de los límites de la ventana. Para eliminar la división vertical arrastre hacia la derecha o la izquierda igualmente hasta que desaparezca.

Inmovilizar y movilizar paneles

Otros dos comandos que debe conocer son Inmovilizar y Movilizar paneles en el grupo Ventana de la ficha Vista. Con ellos puede hacer que las filas o columnas que desee permanezcan siempre visibles cuando utilice las barras de desplazamiento vertical u horizontal.

1. Haga clic en la columna o la fila después de la que quiere inmovilizar. Es decir, si quiere mantener siempre visible hasta la columna D, selecciona la columna E.

2. En la cinta de opciones compruebe que se encuentra seleccionada la ficha Vista.

3. Seleccione el comando Inmovilizar del grupo Ventana. En la lista desplegable, elija la primera de las opciones denominada Inmovilizar paneles.

Para devolver la hoja a su estado normal, vuelva a utilizar el comando Inmovilizar pero en este caso, la primera de las opciones se habrá transformado en Movilizar paneles.

> **Nota:**
>
> *Además del comando* Inmovilizar paneles *encontrará dos posibilidades más que permiten bloquear la primera fila o la primera columna de la hoja actual.*

Proteger hoja y libro

En la cinta de opciones, seleccione la ficha Revisar y observe el contenido del grupo Cambios. El primero de los comandos, denominado Proteger hoja abre el cuadro de diálogo del mismo nombre que aparece en la figura 10.20. Active la casilla Proteger hoja y contenido de celdas bloqueadas e introduzca la contraseña que desee. Finalmente, puede personalizar el acceso de otros usuarios a la hoja, activando o desactivando las casillas de verificación asociadas a las operaciones permitidas en la hoja de cálculo.

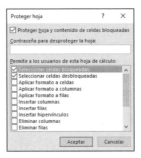

Figura 10.20. Cuadro de diálogo Proteger hoja.

Si necesita proteger la estructura del libro, de modo que ningún otro usuario pueda eliminar, mover o añadir nuevas hojas debe utilizar el comando Proteger libro y añadir una contraseña.

Resumen

Excel es sin lugar a dudas la mejor aplicación del mercado para el tratamiento de datos numéricos. Con ella, podrá aplicar fórmulas, usar herramientas de análisis, crear gráficos de datos y un sinfín más de posibilidades relacionadas con la interpretación de la información contenida en la hoja de cálculo.

Una hoja de cálculo se divide en filas y columnas que a su vez permiten referenciar cualquier dato almacenado en la hoja. Varias hojas componen un libro de trabajo.

La forma de introducir información en la hoja de cálculo es muy sencilla, basta con hacer clic sobre una celda y escribir el contenido. Además, Excel contempla ciertas ayudas a la hora de introducir series de datos del estilo: Enero, Febrero... o 1,2,3... En este tipo de situaciones es suficiente con escribir el primer término o valor y utilizar el controlador de relleno para completar el resto de las celdas adyacentes, al tiempo que elegimos la opción adecuada en la etiqueta inteligente.

Otras opciones interesantes son la posibilidad de añadir comentarios a las celdas y la ordenación de sus contenidos; además puede inmovilizar ciertas zonas de la hoja de cálculo para visualizar mejor los datos.

11

Un nombre para todo

En este capítulo aprenderá a:

- Utilizar las referencias a celdas.
- Trabajar con rangos.
- Usar el Administrador de nombres.
- Definir constantes.
- Utilizar referencias a otras hojas y libros.
- Introducir y editar fórmulas.
- Resolver referencias circulares.
- Aplicar filtros sencillos.

Referencias a celdas

En el primer capítulo ya utilizamos algunas referencias a celdas. Estas no son más que llamadas que hacemos a otras celdas dentro de una expresión. En nuestro ejemplo utilizábamos los nombres de las celdas B6 y B8 para realizar el cálculo, por lo tanto estábamos utilizando referencias a las celdas B6 y B8.

Cuando el libro de trabajo se encuentre repleto de hojas y cada una de ellas, a su vez, saturada de datos, fórmulas, etcétera, la nomenclatura por defecto para hacer referencia a celdas o grupos de celdas se muestra insuficiente e ineficaz. Para solucionar este problema, Excel ofrece distintos métodos que permiten referenciar celdas o rangos de celdas de forma mucho más comprensible mediante la asignación de nombres. En los apartados siguientes describiremos cómo aprovechar esta interesante y útil herramienta.

Referencias con el ratón

Existe un método mucho más cómodo que escribir el nombre de las celdas o rangos que queremos utilizar en una fórmula. Esta forma implica utilizar el ratón y para explicarlo vamos a seguir con el ejemplo de los ingresos y los gastos.

A continuación, calcularemos la diferencia total entre todos los gastos y todos los ingresos del año:

1. Seleccione la celda **C10** y escriba el signo =, para indicarle al programa que a continuación viene una fórmula o una expresión.

2. A continuación, haga clic en la celda **C8**.

3. Escriba el signo menos (-) y haga clic en la celda **C6**.

4. Para finalizar, pulse la tecla **Intro**. En la figura 11.1 puede ver el resultado de nuestras últimas operaciones.

Esta forma de crear fórmulas y de introducir referencias es mucho más sencilla que escribir la columna y fila de la celda, pero aún quedan muchas sorpresas que iremos mostrando a lo largo de este capítulo.

Referencias absolutas y relativas

Siguiendo con la hoja de ejemplo, haga clic en la celda **C10** para seleccionarla, después coloque el ratón sobre el controlador de relleno (esquina inferior derecha) y arrastre hacia la derecha para copiar la fórmula en la celda **D10**. A continuación, haga clic sobre esta última celda y compruebe que no sólo se ha copiado la fórmula sino que se están utilizando las celdas **D6** y **D8** para los cálculos.

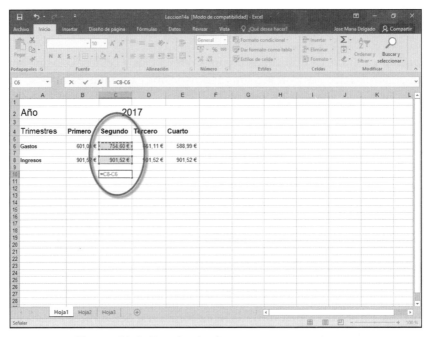

Figura 11.1. Resultado de nuestras operaciones.

El motivo es que las referencias de la fórmula que hemos copiado son *referencias relativas* y, por lo tanto, se actualizan al copiar o mover la fórmula. Esto es perfecto, ya que evita tener que modificar la expresión. Pero en otras ocasiones necesitaremos que se mantengan las referencias a las celdas originales y para estos casos sólo debe incluir el símbolo del dólar ($) delante del nombre de la columna y del número de la fila. Por ejemplo:

1. Haga clic sobre la celda **D10** para seleccionarla.

2. A continuación, utilice la barra de fórmulas para incluir delante de la referencia de cada celda el símbolo del dólar. La expresión debe quedar así: **=$D$8-$D$6**.

3. Pulse la tecla **Intro** o utilice el botón **Introducir** de la barra de fórmulas para validar la expresión.

4. Seleccione de nuevo la celda **D10** y utilice el controlador de relleno para copiarla en la celda **E10**.

Como puede comprobar al hacer clic sobre la celda E10, en esta ocasión no se han actualizado las referencias, sino que se mantienen las que tenía la celda D10. Por lo tanto, en este caso la expresión no es válida ya que no estamos tomando los valores correctos para realizar la operación pero sirve para ilustrar la diferencia entre referencias absolutas y relativas.

Referencias mixtas

Utilizando referencias mixtas, Excel nos permite bloquear sólo la fila o la columna de la expresión. Un ejemplo podría ser: **=D$4:E$4 + D$6:E$6**. En este caso, al copiar la fórmula se actualizarían los valores de las columnas y se mantendrían los de las filas. Otro ejemplo sería: **=$D$4 + D6**, aquí se mantendría fija la primera referencia y se actualizaría la segunda.

Utilice los valores de la hoja de cálculo de ejemplo y realice diversas combinaciones para comprobar el efecto de las distintas posibilidades.

Rangos

Se define un rango como un grupo de celdas no necesariamente consecutivas. Excel permite asignar nombres a rangos y de este modo, utilizar ese nombre dentro de cualquier fórmula o expresión para hacer referencia a todas las celdas que componen el rango. Esta característica, además de hacernos la vida más fácil, permite identificar mucho más rápidamente el origen o la procedencia de los datos. Para asociar un nombre a un rango de celdas siga estos pasos:

1. Utilice los métodos que ya conoce para seleccionar el conjunto de celdas que formarán el rango.

2. Haga clic sobre el comando Asignar nombre situado en el grupo Nombres definidos de la ficha Fórmulas.

3. En el cuadro de diálogo que puede ver en la figura 11.2, escriba el nombre que quiere asignar al rango seleccionado. Observe como el rango elegido aparece en el cuadro de texto Se refiere a:

4. Finalmente, haga clic en **Aceptar**.

Truco:

Una forma más rápida de asignar un nombre a un rango es seleccionar las celdas y después hacer clic en el Cuadro de nombres *de la barra de fórmulas. Una vez aquí, escriba el nombre que desee y pulse la tecla* **Intro***.*

Para ver y seleccionar cualquiera de los rangos creados dentro del libro de trabajo actual, despliegue la lista Cuadro de nombres situada en la barra de fórmulas. Si hace clic sobre alguno de los nombres de rango definido, se seleccionarán todas las celdas que lo componen.

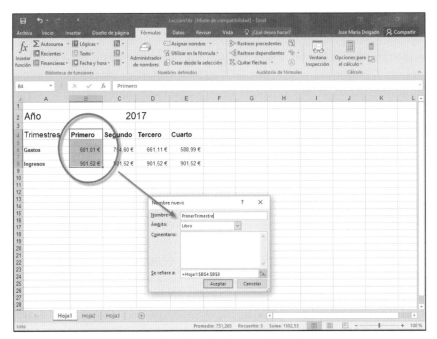

Figura 11.2. Cuadro de diálogo Nombre nuevo.

> **Nota:**
>
> *Elija con cuidado el nombre del rango, intentando siempre que sea lo más descriptivo posible en referencia al contenido de las celdas que representa.*

Una vez definido un nombre de rango, tanto en fórmulas como en funciones podrá sustituir la referencia a las celdas por el nombre de dicho rango. Por ejemplo:

```
= Gastos - Ingresos
```

Nombres para las filas y columnas de un rango de datos

Normalmente las filas y las columnas de los datos utilizados en la hoja de cálculo tienen un rótulo o nombre que los identifica. En nuestro ejemplo, Gastos e Ingresos. Cuando las tablas son pequeñas no surge ningún problema y se puede utilizar el método descrito en el apartado anterior para definir varios rangos de celdas dentro de la tabla. El problema llega cuando el tamaño de la tabla impide buscar fácilmente el nombre adecuado para cada nombre de rango que se necesita definir. Para solucionarlo, puede nombrar filas y columnas fácilmente utilizando sus títulos:

1. Seleccione toda la tabla y lo más importante, incluya los títulos de las columnas y de las filas.

2. A continuación, haga clic sobre el comando **Crear desde la selección** situado en el grupo **Nombres definidos** de la ficha **Fórmulas** para mostrar el cuadro de diálogo que aparece en la figura 11.3.

3. Indique la posición tanto de la fila como de la columna que contiene los nombres y haga clic en el botón **Aceptar**.

Una vez completados los pasos anteriores, despliegue el **Cuadro de nombres** y compruebe cómo se han incluido los títulos de las filas y de las columnas.

Advertencia:

Los nombres de las filas o las columnas no pueden ser valores únicamente numéricos como: "2016", "2017",... porque en estos casos Excel no los puede utilizar como nombres válidos para identificar la fila o la columna del rango. Añada delante algún carácter o un guión para que no tenga ningún problema a la hora de referenciar el rango.

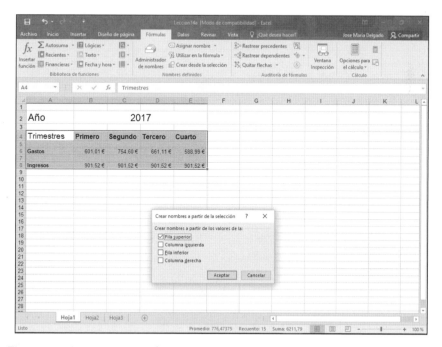

Figura 11.3. Asignar nombres a rangos a partir de las filas y a las columnas de la tabla.

Con este método será mucho más intuitivo utilizar funciones. Por ejemplo:

```
= SUMA (Alquiler)
```

Es más, será el propio programa el que nos muestre el nombre del rótulo cuando tecleemos sus primeras letras en una fórmula o función como puede comprobar en la figura 11.4. De esta forma, ni siquiera será necesario escribirlo completo, basta con hacer clic sobre la pequeña etiqueta.

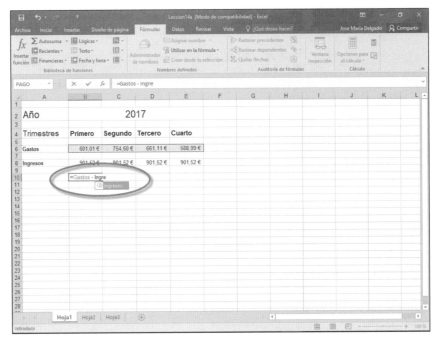

Figura 11.4. Excel muestra el nombre del rótulo al escribir sus primeras letras.

Nota:

Cuando escriba el nombre del rótulo precedido por el signo =, Excel resalta automáticamente las celdas que lo componen como puede comprobar en la figura 11.5. También es lo suficientemente inteligente para que a medida que introduce el nombre del rango muestre una pequeña etiqueta donde aparece. De esta forma ahorramos escribirlo entero y además nos aseguramos de que Excel va a entender la referencia. En general, esta función de autocompletar sirve tanto para nombres de rangos como para funciones o para cualquier otro elemento susceptible de ser referenciado desde la hoja de cálculo.

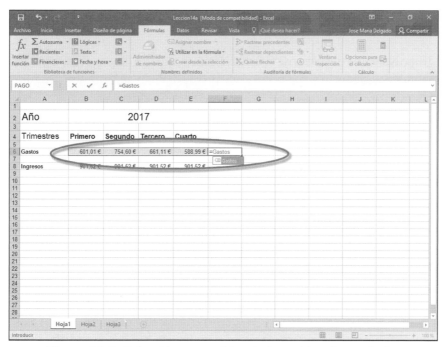

Figura 11.5. Selección automática de las celdas de un rótulo.

Con lo descrito hasta ahora podría conocer cuánto paga de alquiler en el mes de febrero sustituyendo el método tradicional "= C8" por "= Febrero Alquiler". Sin duda, este último método, aunque algo más largo, resulta mucho más intuitivo y natural, sobre todo cuando trabajamos con grandes cantidades de información.

Nota:

En realidad, el espacio que existe en la fórmula "= Febrero Alquiler" corresponde al operador de intersección de Excel, indicando, en este caso, que la celda que se busca es la que se encuentra en la intersección de la fila Febrero y la columna Alquiler. Además, a medida que escribe el nombre de cada rótulo, Excel marca su contenido para que pueda comprobar de inmediato si la selección es correcta.

Resumiendo, la diferencia entre los nombres de rangos y los nombres para filas y columnas es que mientras el primero identifica a un conjunto de celdas por su nombre, el segundo permite utilizar los títulos o rótulos de esas filas y columnas para hacer referencia a su contenido en expresiones, fórmulas y funciones.

Administrador de nombres

En el grupo **Nombres definidos** de la ficha **Fórmulas**, destaca el comando **Administrador de nombres**. Selecciónelo y aparecerá el cuadro de diálogo que muestra la figura 11.6, desde donde puede:

- Comprobar todos los nombres definidos en la hoja de cálculo.
- Añadir nuevos nombres, mediante el botón **Nuevo**.
- Editar algunos de los nombres existentes, seleccionándolos en primer lugar y utilizando después el botón **Modificar**.
- Eliminar cualquiera de los nombres definidos, haciendo clic sobre él y a continuación sobre el botón **Eliminar**.

Truco:

*El botón **Filtro** del cuadro de diálogo **Administrador de nombres** ofrece varios criterios de selección para localizar más fácilmente los nombres definidos en la hoja de cálculo.*

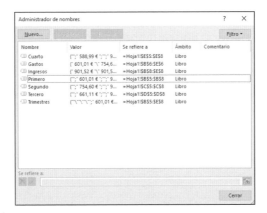

Figura 11.6. Cuadro de diálogo Administrador de nombres.

Nota:

Otra forma de trabajar con grupos de datos dentro de una hoja de datos son las tablas de Excel. Con ellas podremos filtrar datos, darle un formato específico o añadir filas de totales. Trataremos este tema en los próximos capítulos.

Constantes

Las constantes sirven para definir valores fijos dentro de una hoja de cálculo (un ejemplo puede ser el IVA). Esta información suele permanecer invariable, pero si por cualquier motivo necesita cambiarla, será más sencillo hacerlo sólo en el valor de la constante que en todos los lugares de la hoja de cálculo donde se utilice. Para definir una constante:

1. Abra el **Administrador de nombres** desde la ficha Fórmulas y seleccione el botón **Nuevo**.
2. En el cuadro de diálogo que aparece, escriba IVA en el campo Nombre y más abajo, en el cuadro Se refiere a, introduzca "=16%".
3. Haga clic en el botón **Aceptar**.

A partir de este momento, podrá utilizar fórmulas del tipo:

```
= 1.540 * IVA
```

...donde IVA no es más que el nuevo nombre asociado a un valor constante que acabamos de crear.

Referencia a otras hojas y libros

Como sabemos, una referencia identifica a una celda o grupo de celdas dentro de una fórmula o función. También conocemos los modelos básicos de referencias: relativas y absolutas. Con toda esta información ya estamos preparados para dar un paso más.

Sería muy poco útil poder distribuir la información en distintas hojas dentro de un libro y no disponer de los mecanismos necesarios para acceder a estos datos. Incluso puede ir un poco más lejos y pedirle a Excel que permita acceder a hojas de otros libros distintos. Como es lógico, estas cuestiones están resueltas en Excel. La forma de incluir, en fórmulas y funciones, referencias a celdas, a rangos y nombres de rangos de hojas del libro actual y de otros libros se encuentra en la tabla 11.1.

Tabla 11.1. Referencias a celdas de otras hojas y otros libros.

Sintaxis	Significado
= Hoja2!C15+Hoja1!B7	Suma los valores de la celda C15 situada en la hoja2 y B7 situada en la hoja1.
= Hoja2!Gastos	Hace referencia al rango Gastos de la hoja2.

Sintaxis	Significado
= [libro1.xls]!Hoja1!C3	La referencia apunta a la celda C3 de la hoja1 del archivo de hoja de cálculo libro1.xls.
= [libro1.xls]!Hoja1!Ventas	Igual que el caso anterior, pero en esta ocasión, la referencia apunta a un rango dentro de la hoja1.

Para entender mejor el funcionamiento de las referencias entre hojas, a continuación describimos los pasos necesarios para sumar dos valores de hojas distintas:

1. Haga clic sobre la celda donde quiere incluir la fórmula o función y escriba el signo =.

2. A continuación, seleccione la celda dentro de la hoja actual que contiene el primer valor. Después escriba el operador +.

3. Seleccione la ficha de la hoja que contiene el segundo dato a sumar y haga clic en la celda correspondiente. Pulse **Intro** y automáticamente Excel volverá a la hoja que contiene la fórmula, mostrando el resultado de la misma.

Si en lugar de dos valores quisiera sumar tres o más valores colocados en hojas diferentes, tan sólo debe añadir el operador después de seleccionar cada celda y repetir esta operación hasta llegar al último valor, después del cual deberá pulsar la tecla **Intro**.

Del mismo modo, si la referencia es a otro libro utilice las teclas **Alt-Tab** para mostrar el libro que previamente habrá abierto y haga clic en la celda que necesite. Si es el último valor, pulse **Intro** y, si no es así, introduzca el operador y vuelva al libro de origen.

¿Qué es una referencia circular?

Cuando una celda incluye una fórmula o función que hace referencia a sí misma, se dice que existe una referencia circular. Cuando así ocurre, Excel muestra un cuadro de diálogo en el que informa del problema e indica algunas posibles soluciones.

Después de hacer clic en **Aceptar** en el cuadro de diálogo de aviso, Excel mostrará la ayuda del programa para indicarnos diferentes modos de actuar en estos casos. Resumiendo, debemos ir hasta el grupo Auditoria de fórmulas incluido en la ficha Fórmulas. Aquí haremos clic sobre el pequeño botón situado a la derecha del comando Comprobación de errores y seleccionaremos Referencias circulares para finalmente elegir la celda que contiene el error. La figura 11.7 muestra el aspecto de la cinta de opciones después de realizar todos estos pasos.

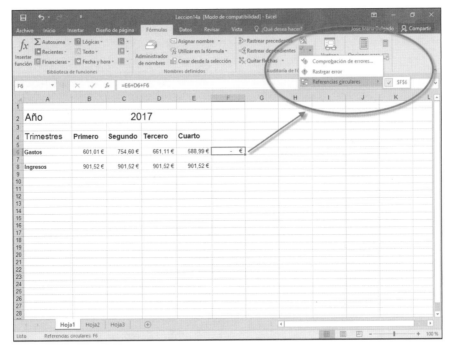

Figura 11.7. Localizar referencias circulares.

Nota:

Si sus hojas de cálculo no contienen demasiada información, quizás no le encuentre la utilidad al rastreo de referencias, pero con grandes volúmenes de datos se hace imprescindible.

Filtros

Cuando la información almacenada en la hoja de cálculo adquiera un volumen importante, la búsqueda de cualquier dato puede convertirse en una tarea complicada. Dentro del menú Edición, dispone del comando Buscar que le ayudará a localizar cualquier término dentro de la hoja de cálculo. Pero no siempre resulta suficiente y por este motivo, Excel dispone de un comando específico para realizar este tipo de tareas. El comando Filtro permite seleccionar sólo aquellos elementos de una lista que cumplan con los criterios que nosotros indiquemos, ocultando el resto. Por ejemplo, en la lista de la figura 11.8 queremos que muestre sólo aquellos elementos que contengan la palabra Badajoz en la columna Provincia:

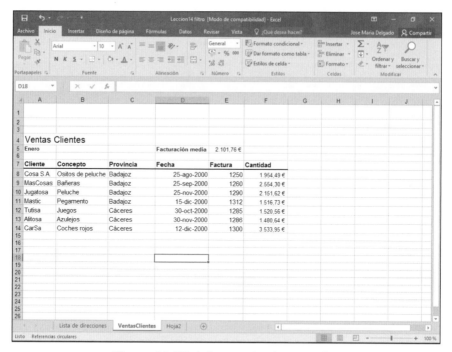

Figura 11.08. Información de ejemplo.

1. Haga clic en la celda que contiene el dato que desea utilizar como criterio de búsqueda; en este caso, Provincia.

2. A continuación, seleccione el comando Filtro situado en el grupo Ordenar y filtrar de la ficha Datos.

3. A partir de ese momento, el primer elemento de cada una de las columnas seleccionadas se convierte en lista desplegable indicando que el modo Filtro está activo tal y como puede comprobar en la figura 11.9.

4. Haga clic en el botón situado a la derecha de la celda Provincia y en la ventana desplegable desactive la casilla de verificación Seleccionar todo. A continuación, marque la casilla correspondiente a la entrada Badajoz para definir este término como criterio de filtrado.

5. Como puede comprobar han desaparecido todos los elementos de la lista salvo aquellos que contienen el elemento Badajoz.

Para volver a mostrar todos los elementos de la lista, seleccione la opción **Borrar filtro** dentro de la lista desplegable asociada a la columna. Del mismo modo, para desactivar el modo Filtro, seleccione de nuevo el comando Filtro en la ficha Datos.

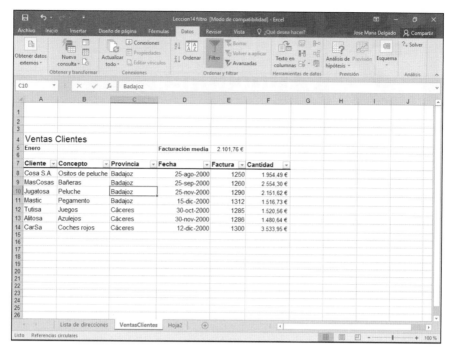

Figura 11.09. Modo filtro activo.

Resumen

Las referencias a celdas por defecto de Excel, es decir, el nombre de la columna junto al nombre de la fila son válidas para casos donde exista poca información en la hoja de cálculo. Pero si el volumen de datos crece, este sistema se convierte en un verdadero problema; para solucionarlo es necesario utilizar nombres que permitan identificar grupos y rangos de celdas.

Las referencias a celdas se pueden complicar tanto como deseemos para cubrir cualquier necesidad. Puede hacer referencia a celdas de otras hojas del mismo libro o incluso a hojas de otros libros.

12

Cálculos y funciones

En esta lección aprenderá a:

- Introducir y editar fórmulas.
- Trabajar con funciones simples.
- Utilizar funciones de fechas y horas.
- Editar funciones.
- Calcular la cuantía de los pagos de un préstamo.
- Detectar errores comunes.
- Validar datos de funciones y fórmulas.

Introducción

Si todavía anda un poco despistado en cuanto a la utilidad y las posibilidades de Excel, estamos seguros de que este capítulo despejará todas sus dudas.

Una vez tenemos la información perfectamente ordenada en nuestra hoja de cálculo, el siguiente paso sería articular los medios necesarios para obtener resultados a partir de esos datos. En los apartados siguientes aprenderemos a trabajar con fórmulas, a realizar expresiones de cálculo sencillas y, en definitiva, a encontrarle el verdadero sentido a Excel.

Fórmulas y funciones

Las fórmulas permiten realizar cálculos sencillos a partir de los datos contenidos en la hoja de cálculo. Las fórmulas pueden estar formadas por: referencias a celdas, operadores aritméticos, funciones, constantes, rangos, nombres de rangos, etc. De todos estos elementos hablaremos en los apartados siguientes.

Los operadores aritméticos permiten realizar cálculos sencillos en la hoja de cálculo. La lista de los operadores aritméticos permitidos en Excel se muestra en la tabla 12.1.

Tabla 12.1. Operadores aritméticos.

Operador	Función
+	Suma
-	Resta
*	Multiplicación
/	División
^	Exponenciación
%	Porcentaje

Además de los operadores aritméticos, existen en Excel los llamados operadores de comparación que permiten determinar si el resultado de la verificación es verdadero o falso como puede observar en la figura 12.1. Además, en la tabla 12.2, tiene todos los operadores de comparación disponibles.

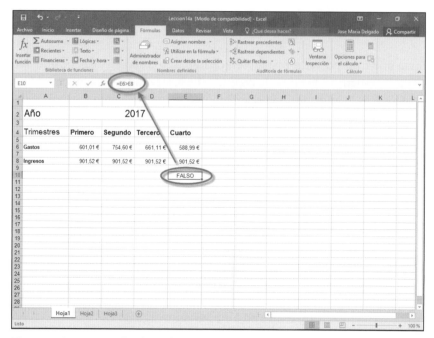

Figura 12.1. Ejemplo de utilización de las operaciones de comparación. Observe la barra de fórmulas.

Tabla 12.2. Operadores de comparación.

Operador	Función
<	Menor que
>	Mayor que
=	Igual a
<>	Distinto que
<=	Menor o igual que
>=	Mayor o igual que

Nueva fórmula

Veamos a continuación los pasos necesarios para crear una fórmula. En este caso, utilizaremos los datos de ejemplo de la hoja que tiene en la figura 12.2.

Utilizando los valores del ejemplo calcularemos la diferencia entre los gastos y los ingresos del primer trimestre:

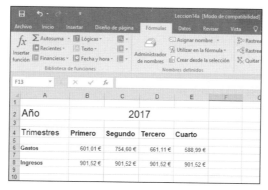

Figura 12.2. Datos de ejemplo.

1. Haga clic en la celda **B10** y escriba el símbolo **igual**. Esta es la forma de indicarle a Excel que lo que viene a continuación no es un dato sino una fórmula o expresión. Observe también que se ha activado la barra de fórmulas.

2. Escriba el nombre de la celda que contiene los ingresos del primer trimestre: **B8**.

3. A continuación, introduzca el símbolo menos (-) y después, el nombre de la celda que contiene los gastos: **B6**.

4. Para finalizar, pulse la tecla **Intro**. Compruebe como la celda B10 contiene ahora la diferencia entre los gastos y los ingresos del primer trimestre.

Nota:

Observe un detalle importante, al seleccionar de nuevo la celda B10 aparecerá en la barra de fórmulas la expresión que acabamos de insertar. Este será el espacio que debe utilizar si necesita cambiar cualquier valor o referencia.

Cuestión de prioridades

Excel no aplica la misma prioridad a todos los operadores dentro de una expresión; el orden de prioridades sería el siguiente:

1. Cualquier operación contenida entre paréntesis ().

2. Valor negativo -.

3. Porcentajes %.

4. Exponenciación ^.

5. La multiplicación (*) y la división (/) de izquierda a derecha.

6. La suma (+) y la diferencia (-) de izquierda a derecha.

7. Operador de texto (&).

8. Operadores de comparación (< = >).

Funciones simples

Una vez tratadas las expresiones sencillas, en el siguiente paso dentro de la escala de complejidad de Excel estarían las funciones. Con ellas puede ampliar de forma notable las posibilidades de cálculo de las expresiones.

Las funciones se componen de dos partes: el nombre de la función SUMA, MIN, MAX…, y los argumentos que, por lo general serán referencias a celdas, rangos o nombres de rangos.

Excel contiene una gran cantidad de funciones, y si tuviéramos que explicar el comportamiento de todas necesitaríamos varios libros como éste. Describiremos las más comunes que serán, en definitiva, las que use en la mayoría de los casos.

Las funciones tienen una sintaxis determinada y como es imposible acordarnos de todas, Excel ofrece varias herramientas para ayudarnos en este aspecto. La primera es la barra de fórmulas, al introducir el símbolo = y activarse la barra de fórmulas encontrará en el extremo izquierdo una lista de las funciones más comunes como puede observar en la figura 12.3; para utilizar cualquiera de ellas sólo tiene que seleccionarla. Si necesita utilizar alguna que no se encuentre disponible en esta lista haga clic sobre la última opción denominada **Más funciones**.

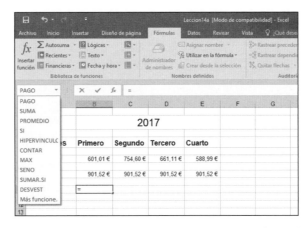

Figura 12.3. Lista de funciones de la barra de fórmulas.

Otra posibilidad es utilizar el comando **Insertar función** situado en el extremo izquierdo de la ficha **Fórmulas**. En esta ocasión, Excel muestra el cuadro de diálogo que aparece en la figura 12.4, donde encontrará todas las funciones disponibles divididas por categorías.

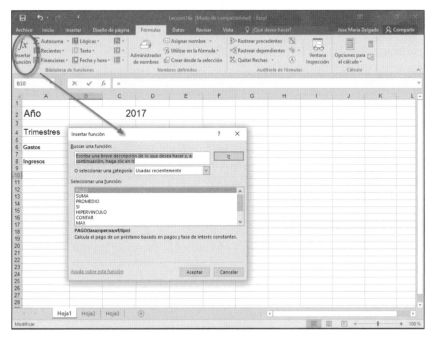

Figura 12.4. Cuadro de diálogo Insertar función.

El cuadro de diálogo Insertar función es una excelente herramienta ya que además de permitirnos encontrar la función que necesitamos en cada caso, ofrece información detallada sobre la sintaxis de la función, operaciones necesarias y resultados que devuelve.

> **Nota:**
>
> *Además del comando* Insertar función, *el grupo* Biblioteca de funciones *de la ficha* Fórmulas *muestra las diferentes categorías de funciones disponibles: Lógicas, Texto, Fecha y hora…*

Autosuma

Una de las funciones que utilizará con más frecuencia será sin lugar a dudas **Autosuma** y como podrá imaginar por su nombre, devuelve el resultado de la suma de las celdas cuyas referencias pasemos como argumento de la función.

Para ver una aplicación práctica de la función Autosuma, utilizaremos de nuevo el ejemplo de los ingresos y los gastos. En este caso, el objetivo es calcular el total de gastos y el total de ingresos de todo el año.

1. Haga clic en la tecla **G4** y escriba: **Totales año**; después pulse la tecla **Intro**.

2. A continuación, haga clic en la celda **G6**.

3. Seleccione el botón **Autosuma** situado en el grupo Biblioteca de funciones de la ficha Fórmulas. Como puede comprobar en la figura 12.5, Excel se ha anticipado a nuestra operación y ha seleccionado el rango de celdas que queremos incluir como argumento en la función Autosuma.

4. De todos modos, como no queremos incluir la celda F6 vamos a definir por nosotros mismos el rango. Haga clic en la celda **B6**, arrastre hasta la **E6** y pulse la tecla **Intro** o haga clic en cualquier otra celda.

5. Para calcular del mismo modo la suma de todos los ingresos, haga clic en la celda **G6** y utilice el comando Copiar (**Control-C**).

6. Por último, seleccione la celda **G8** y ejecute el comando Pegar (**Control-V**).

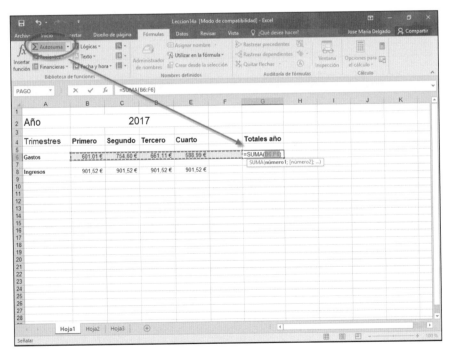

Figura 12.5. Botón Autosuma y celdas seleccionadas automáticamente por Excel.

> **Nota:**
>
> *Para eliminar la selección de la celda **G6** puede utilizar la tecla **Esc** o pulsar **Intro**.*

Si quiere comprobar la sintaxis de la función Autosuma, haga clic en la celda G6 o G8 y observe la barra de fórmulas.

Promedio, Contar, Máx y Mín

Además de la función que acabamos de ver, el botón **Autosuma** contiene otra serie de funciones interesantes. Para acceder a ellas haga clic sobre el pequeño botón que se encuentra a la derecha y al instante se desplegará una lista con todas sus posibilidades como puede observar en la figura 12.6.

Figura 12.6. Otras opciones del botón Autosuma.

El significado las opciones incluidas dentro del botón **Autosuma** sería el siguiente:

- Promedio: Devuelve la media de los valores de las celdas indicadas como parámetro. En definitiva, se trata de sumar todos los valores y dividirlos por el número de ellos.

- Contar números: Calcula el número de celdas que contienen algún valor dentro de la serie que indiquemos como parámetro.

- Máx: Devuelve el valor más alto del rango que pasemos como parámetro.

- Mín: Devuelve el valor más bajo del rango que pasemos como parámetro.

> **Truco:**
>
> *Si la función **Contar números** devuelve el número de celdas que tienen algún valor, la función **Contar.si** proporciona el número de celdas que cumplen un determinado criterio. Ambas son opciones muy útiles.*

Utilizando de nuevo nuestra hoja de ejemplo, calcularemos a continuación el promedio de gastos e ingresos:

1. Haga clic en la celda **H4** y escriba: **Promedio año**.

2. A continuación, seleccione la celda **H6** y haga clic sobre el botón situado a la derecha del comando Autosuma. Entre las funciones disponibles elija Promedio.

3. El siguiente paso sería seleccionar con el ratón el rango de celdas B6:E6 y pulse la tecla **Intro**.

4. Copie la celda **H6** y péguela en la celda **H8** para obtener también el promedio de ingresos del año. En la figura 12.7 puede comprobar el aspecto del ejemplo después de las últimas operaciones.

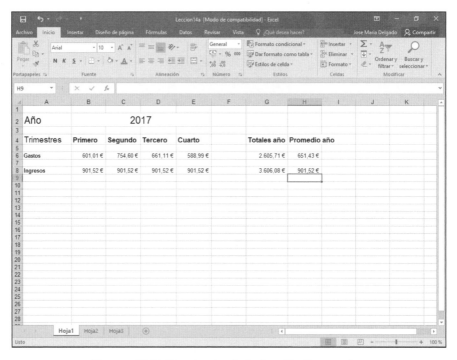

Figura 12.7. Resultado de la función Promedio.

Nota:

Como habrá podido comprobar, al utilizar algunas de las funciones del botón **Autosuma***, o el comando* Insertar función *no es necesario escribir en primer lugar el signo = siendo suficiente con seleccionar la celda.*

Funciones para fechas y horas

En Excel también son de uso bastante común las funciones que aportan información sobre fechas y horas. Por ejemplo, si incluye en una celda la función:

```
= Ahora()
```

…siempre tendrá en ella la fecha y la hora actual.

Advertencia:

Para actualizar los datos de aquellas celdas que contengan funciones de fechas o de horas, deberá utilizar la tecla **F9**.

Otros ejemplos de funciones de este tipo pueden ser:

- HOY(): Esta función devuelve la fecha actual y se utiliza sobre todo en combinación con las funciones Mes, día y año.
- DIA(hoy()): Con esta composición de funciones obtendría el día actual o el día que corresponda con la fecha que pase como parámetro.
- MES(hoy()): Igual que el caso anterior pero, en esta ocasión obtendremos el valor numérico que corresponde al mes en curso.
- DIASEM(); Devuelve el día de la semana (1 a 7) correspondiente a la fecha indicada como parámetro.
- DIAS360(fecha inicial, fecha final, método): Esta es una interesante función que devuelve el número de días transcurridos entre dos fechas. Para el parámetro **Método**, el valor FALSO equivale a utilizar el modelo Americano y el VERDADERO, a utilizar el modelo Europeo.

Truco:

A medida que escribe el nombre de una función, Excel muestra una lista con todas las posibles coincidencias. De este modo es mucho más fácil recordar funciones de las que sólo conocemos una parte y escribirlas correctamente.

Todavía existen algunas funciones más relacionadas con las fechas pero las descritas hasta aquí son las más comunes; si quiere conocerlas todas, sólo tiene que seleccionar la categoría Fecha y hora dentro del grupo Biblioteca de funciones de la ficha Fórmulas.

Editar funciones

Lo mejor para editar cualquier expresión es la barra de fórmulas pero también podría hacerlo en la propia celda. La barra de fórmulas ofrece algunas ventajas. Por ejemplo, cuando haga clic sobre un rango utilizado como parámetro en una fórmula dentro de la barra de fórmulas, éste se activa en la hoja de cálculo como muestra la figura 12.8, y queda delimitado por un rectángulo de color. De este modo y utilizando el cuadro de relleno, podrá modificar el rango fácilmente.

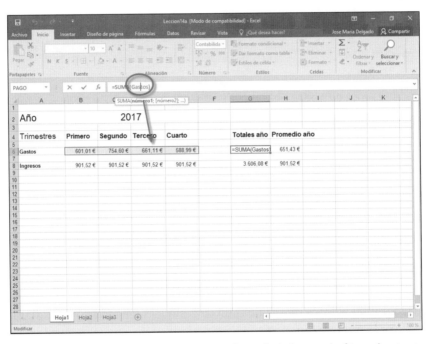

Figura 12.8. Edición de expresiones utilizando la barra de fórmulas junto con el rango resaltado al que hace referencia la función.

Además, la barra de fórmulas contiene tres botones que hemos resaltado en la figura 12.9 y cuyo significado es el siguiente:

- **Insertar función**: Si la celda activa se encuentra vacía mostrará el cuadro de diálogo Insertar función. En cambio, cuando editamos una función, mostrará el cuadro de diálogo Argumentos de función para que pueda modificar los parámetros que intervienen en la misma.

- **Cancelar**: Simplemente abandona el modo edición y deja la función o expresión como estaba.

- **Introducir**: Este botón representado por una pequeña marca de verificación de color verde, tiene como propósito aceptar los cambios realizados en la expresión.

Figura 12.9. Botones de la barra de fórmulas.

Un ejemplo, ¿cómo calcular la cuota a pagar de un préstamo?

Por suerte o por desgracia la mayoría hemos estado o estaremos en la situación de solicitar un crédito bancario. Y como es lógico, acudiremos a más de una entidad de préstamo para comparar las distintas ofertas y elegir la que parezca más ventajosa. Para ayudarnos en estas circunstancias, Excel dispone de una función denominada **Pago** que permite conocer el valor de las cuotas del préstamo. Los bancos suelen utilizar una jerga técnica y abrumarnos con palabrejas extrañas, pero a nosotros lo que realmente nos interesa es cuánto tendremos que pagar al mes, al trimestre… Sin más, veamos el ejemplo:

1. En la celda A1 escriba: **Comparativa préstamos**.
2. En la celda A4 escriba: **Cantidad a pedir**.
3. En la celda A5 escriba: **Interés anual**.
4. En la celda A6 escriba: **Interés por período**.
5. En la celda A7 escriba: **Pagos por período**.
6. En la celda A8 escriba: **Período (años x pagos por período)**.
7. Ahora en la celda **B3** escriba: **Entidad1** y arrastre el controlador de relleno hasta la celda **D3**. Con esto conseguimos que aparezca automáticamente **Entidad2** y **Entidad3**.
8. A continuación en la celda B4 escriba: **120000**, aplíquele formato de moneda y utilice el controlador de relleno para introducir esta misma cantidad en las celdas **C4** y **D4**.
9. En la celda **B6** debe tener la siguiente fórmula: = B5/B7. Esto servirá para calcular el tanto por ciento de interés para cada período. Por ejemplo, si los pagos son mensuales, será el interés principal entre 12.

10. Haga clic con el botón derecho sobre la celda **B6** y elija Formato de celdas. Seleccione Porcentaje e introduzca el valor 2 en la casilla Posiciones decimales. Utilice el botón **Aceptar** para cerrar el cuadro de diálogo y copie la fórmula en las celdas **C6** y **D6**.

11. A continuación en la celda **B5** escriba: **3%**, en la celda **B7** escriba **12** y en **B8** escriba **360**. Este último valor equivale a doce pagos mensuales durante treinta años.

12. Haga clic sobre la celda **B10**.

13. En la ficha Fórmulas de la cinta de opciones, dentro del grupo Biblioteca de funciones, seleccione la categoría Financieras y elija la función Pago. Al instante, aparecerá el cuadro de diálogo Argumentos de la función.

14. Haga clic en el pequeño botón que se encuentra a la derecha del cuadro de texto Tasa y, cuando se oculte el cuadro de diálogo principal, seleccione la celda **B6**. Para volver a mostrar el cuadro, haga clic en el botón que indica la figura 12.10.

15. El siguiente paso será seleccionar el botón asociado al valor Nper (Número de períodos), pero esta vez haga clic sobre la celda **B8**.

16. De nuevo, en el cuadro de diálogo Argumentos de función, haga clic sobre el botón asociado al parámetro Va (valor actual o cantidad a pedir), seleccione la celda **B4** y vuelva al cuadro de diálogo Argumentos de la función.

17. Finalmente, haga clic en **Aceptar** y utilice el botón **Formato de moneda** de la ficha Inicio para que la celda **B10** muestre el aspecto correcto.

El resultado después de todas estas operaciones será el que puede comprobar en la figura 12.11.

Truco:

Las funciones de tipo financiero en Excel devuelven un valor negativo siempre que se trate de un pago y valores positivos cuando la función devuelve dividendos obtenidos. Para arreglar esto puede multiplicar el resultado por –1, de manera que la expresión quedaría: =PAGO(B6;B7;B4)*(-1).

Advertencia:

Los gastos de constitución, seguros y otras costas que conllevan en la mayoría de los casos la solicitud de un préstamo bancario, todos estos gastos, como es lógico, no los contempla la función PAGO.

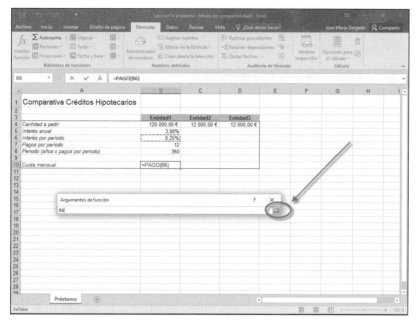

Figura 12.10. Botón para volver al asistente para funciones.

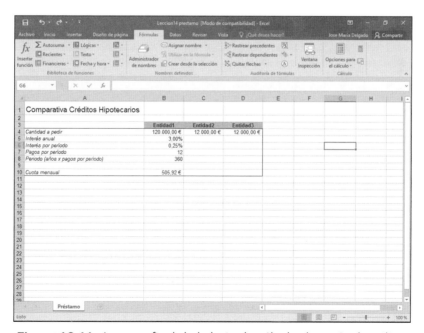

Figura 12.11. Aspecto final de la hoja de cálculo después de utilizar la función PAGO.

En la categoría **Financieras** encontrará otras funciones bastante interesantes, si hace uso frecuente de los productos que ofrecen las entidades bancarias.

Cuadro de amortización

En el apartado anterior hemos comprobado como Excel permite conocer información importante para tomar decisiones. En el ejemplo, podía comprobar qué entidad ofrecía las mejores condiciones para nuestro préstamo.

Una vez tomada la decisión, vendría bien disponer de un listado detallado de todos los pagos que tenemos que realizar. Este documento se denomina Cuadro de amortización y desde Excel es muy sencillo obtenerlo:

1. Abra el menú **Archivo** y seleccione **Nuevo**.

2. En el margen derecho, haga clic en el cuadro de búsqueda de plantillas en línea y escriba **Amortización del préstamo**.

3. Entre los resultados de la búsqueda se encontrará una plantilla que coincidirá exactamente con este nombre. Haga doble clic sobre ella para abrirla.

4. En la figura 12.12 puede comprobar el aspecto de la plantilla después de rellenar los datos necesarios.

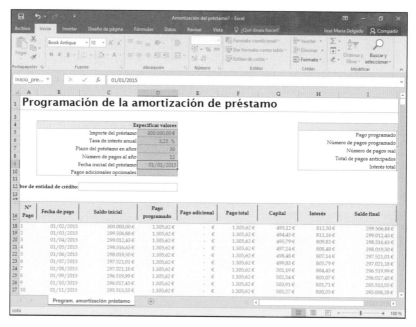

Figura 12.12. Cuadro de amortización.

Errores más comunes en las fórmulas

Cuando existe algún problema en la definición de una fórmula o función, Excel muestra un mensaje que pone sobre la pista del problema. La tabla 12.3 incluye el significado de los más comunes.

Tabla 12.3. Errores más comunes en las fórmulas de Excel.

Error	Descripción
#¿NOMBRE?	Suele ocurrir cuando el nombre de la función está mal escrito o se utilizan nombres que no existen. Por ejemplo, en referencias a rangos que no están definidos.
#¡DIV/0!	Evidentemente se está tratando de dividir por cero y, como ya sabe, se trata de una operación no permitida.
#¡NULO!	La fórmula incluye una intersección de dos rangos que realmente no se intersecan.
#¡NUM!	Existe algún problema con un valor utilizado en la fórmula.
#¡REF!	Alguna de las referencias utilizadas en la fórmula no existen.
#¡VALOR!	Algunos de los argumentos introducidos como parámetros en la función no son válidos.

La localización de alguno de estos errores es evidente en muchos casos, pero en otros resultará más complicado. En la ficha Fórmulas, el comando Comprobación de errores del grupo Auditoría de fórmulas incluye varias opciones que pueden ayudarnos con esta tarea.

En muchas ocasiones, también puede ocurrir que Excel no muestre un mensaje de error tan evidente y que simplemente aparezca una etiqueta inteligente junto a la celda indicando algunas sugerencias.

Para localizar errores menos evidentes o circunstancias que no son del todo correctas en algunas expresiones o contenidos de celdas puede utilizar el comando Comprobación de errores en el grupo Auditoría de fórmulas de la ficha Fórmulas.

Mostrar visualmente el origen de los cálculos de una expresión

En hojas de cálculo con pocos datos no tendrá ningún problema en localizar los datos que intervienen en una determinada expresión, pero si el volumen de información comienza a ser importante puede recurrir a las herramientas de rastreo de la ficha

Fórmulas. Concretamente seleccione la celda que tiene la expresión que desea rastrear y haga clic en los comandos Rastrear dependientes y Rastrear precedentes situados en el grupo Auditoría de fórmulas.

> **Truco:**
>
> *En el menú* Archivo, *seleccione* Opciones *para mostrar el panel de configuración del programa. Dentro de la sección* Fórmulas *y, más concretamente en, el apartado* Reglas de verificación de Excel *puede activar o desactivar aquellas comprobaciones que el programa realiza automáticamente y que no le resulten interesantes.*

Validación de datos

Normalmente introducimos la información en las celdas de nuestra hoja de cálculo sin ningún tipo de control, pero podría interesarnos limitar el tipo de dato que debe introducirse en una celda o rango de celdas.

Para aplicar una regla de validación, siga estos pasos:

1. Seleccione la celda o rango de celdas sobre las que quiere aplicar las restricciones de entrada de datos.

2. El comando Validación de datos situado en el grupo Herramientas de datos de la ficha Datos muestra en su extremo una lista desplegable. Haga clic el icono y entre las opciones disponibles elija Validación de datos.

3. En la lista desplegable Permitir elija el tipo de datos a los que desee limitar la entrada de la celda.

4. Después de seleccionar el modelo de datos, utilice la lista Datos y los cuadros que aparecen debajo para ajustar la entrada todo lo posible como muestra el ejemplo de la figura 12.13. Una gran ventaja es que Mínimo y Máximo pueden ser referencias a celdas. Por lo tanto, puede incluir estos valores en dichas celdas y modificarlos cada vez que sea necesario sin necesidad de volver a definir la regla de validación.

5. A continuación haga clic en la pestaña Mensaje de entrada para escribir la información que aparecerá en una viñeta de color amarillo al seleccionar las celdas con criterio de validación.

6. La última de las fichas permite personalizar un mensaje que aparece cada vez que se introduce un dato que incumpla la regla de validación.

Para modificar la regla de validación, sólo tiene que seleccionar las celdas afectadas y ejecutar de nuevo el comando Validación de datos.

Como habrá podido observar, el comando Validación de datos muestra otras dos opciones además de la descrita en los puntos anteriores:

- **Rodear con un círculo datos no válidos:** Destaca con un círculo las celdas cuya entrada no corresponde con las restricciones impuestas.

- **Borrar círculos de validación:** Elimina las marcas que aparecen en la hoja tras utilizar la opción anterior.

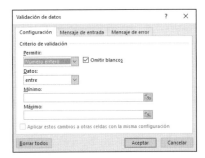

Figura 12.13. Cuadro de diálogo Validación de datos.

> **Truco:**
>
> *Dentro del cuadro de diálogo* Validación de datos *resulta muy interesante la última opción de la lista desplegable* Permitir *denominada* Personalizada. *Con ella podremos utilizar fórmulas o expresiones como herramientas de validación.*

Si decide compartir un libro de Excel no podrá establecer ninguna regla de validación. Por lo tanto, si tiene pensado utilizar esta propiedad hágalo antes de compartirlo.

Opciones de pegado especial

En los capítulos anteriores hemos descrito algunas funcionalidades de las etiquetas inteligentes. En este caso, queremos comentar el significado de los diferentes comandos que aparecen después de utilizar los comandos Copiar y Pegar ya que muchos de ellos se encuentran relacionados con expresiones y funciones. La figura 12.14 muestra el aspecto de la etiqueta inteligente. Recuerde que para conocer el nombre de cada icono basta con situar el cursor sobre él:

- **Pegar**: Equivale a utilizar el comando Pegar que todos conocemos e incluye tanto fórmulas como formato.

- **Fórmulas**: En este caso respetaría todo el texto, números y fórmulas pero no aplicaría ningún atributo de formato.

- **Formato de fórmulas y números**: Mantiene el formato numérico de las celdas seleccionadas, junto con las fórmulas originales.

- **Mantener formato de origen**: El formato de las celdas de origen es utilizado como referencia por Excel y lo pega en las celdas destino junto con el contenido.

- **Sin bordes**: Hablaremos de los bordes en los capítulos siguientes, ahora simplemente diremos que se trata de líneas que puede utilizar para resaltar celdas o rangos. En este caso, el contenido de las celdas seleccionadas se copia en la ubicación de destino, obviando los bordes que tengan las celdas.

- **Mantener ancho de columnas de origen**: Si es necesario, el ancho de las columnas destino se modifica para mantener el mismo ancho disponible en las columnas origen.

- **Transponer**: Alterna la orientación de las celdas copiadas inicialmente. Si las celdas originales están en varias filas de una sola columna, al transponerlas se pegarán como varias columnas de una sola fila.

- **Valores**: En caso de celdas con fórmulas, seleccione esta opción para pegar únicamente el resultado.

- **Formato de valores y números**: Igual que el caso anterior, pero además de los valores respetaría también el formato numérico de las celdas de origen.

- **Formato de valores y origen**: Pega los datos calculados, pero también el formato completo de celda.

- **Formato**: Lo hemos utilizado en capítulos anteriores, si elije esta opción Excel respeta únicamente el formato.

- **Pegar vínculo**: Crea un vínculo hacia las celdas origen. De este modo, cualquier cambio quedará reflejado de inmediato.

- **Imagen**: Toma como referencia únicamente la imagen contenida en la celda de origen.

- **Imagen vinculada**: Actúa del mismo modo que el comando anterior pero, en este caso se utiliza para imágenes vinculadas y no incrustadas.

Nota:

Todas las funciones asociadas a la etiqueta inteligente descritas en este apartado también se encuentran disponibles si hace clic sobre el icono **Pegar** *de la ficha* Inicio.

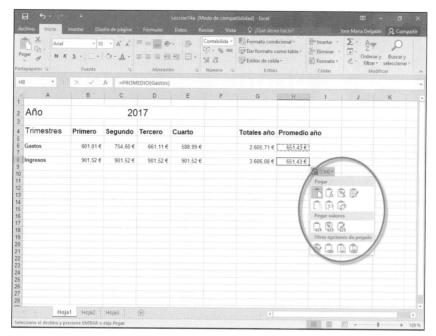

Figura 12.14. Opciones de pegado especial.

Resumen

Las fórmulas y funciones son la columna vertebral de Excel permitiendo tratar los datos contenidos en la hoja de cálculo y obtener resultados a partir de ellos. Siempre que incluyamos una fórmula o función dentro de una celda de nuestra hoja de cálculo, debe escribir en primer lugar el signo =.

Las fórmulas sencillas puede componerlas utilizando los operadores aritméticos (+,-,*...) y de comparación (=, >). Si necesita utilizar cálculos más complejos, deberá recurrir a las funciones y en este caso, puede utilizar la lista que aparece a la izquierda de la barra de fórmulas, después de escribir el símbolo = en una celda o también puede utilizar las opciones del grupo **Biblioteca de funciones** de la ficha **Fórmulas**. Existen funciones de todo tipo: financieras, matemáticas, estadísticas y muchas más de las que seguro necesitaremos en nuestros proyectos habituales con Excel.

13 Representación gráfica de datos

En este capítulo aprenderá a:

- Crear gráficos.
- Conocer los elementos que componen un gráfico.
- Crear hojas de gráficos.
- Editar un gráfico.
- Añadir nuevos datos a un gráfico.
- Crear minigráficos.

Introducción a los gráficos en Excel

Los gráficos de representación de Excel ayudan a comprobar de manera rápida y visual las evoluciones de una serie de valores, desde intenciones de votos hasta datos de crecimiento, pasando por encuestas, comparativas, etcétera.

En un programa como Excel, donde el carácter principal de la información son datos numéricos, resulta imprescindible una herramienta potente para la creación de gráficos. Buscando un sencillo ejemplo, cualquier informe sobre los resultados económicos de nuestra empresa no estaría completo si no incluyera gráficos que mostraran las evoluciones de las ventas o de la facturación con respecto a los últimos meses, años o semanas.

La figura 13.1 muestra el típico gráfico de barras que seguro ha visto más de una vez. Como puede comprobar, es suficiente con un simple vistazo para percibir la evolución de los valores mostrados.

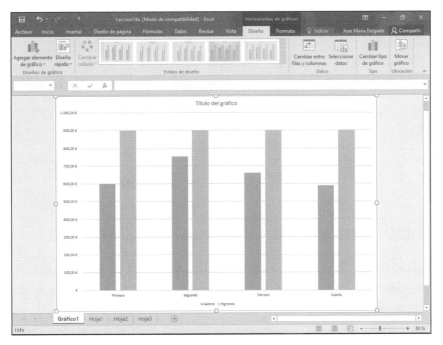

Figura 13.1. Típico ejemplo de un gráfico de barras.

Dado que las características de representación de los datos son muy diversas, Excel dispone de un extenso catálogo de modelos de gráficos diferentes y totalmente personalizables.

Otra de las ventajas de los gráficos en Excel es que no se limitan a representar valores bilineales sino que permiten ampliar la representación al eje Z e incluir más parámetros en la representación como puede comprobar en el ejemplo de la figura 13.2. En este caso, el modelo de gráfico elegido es tridimensional permitiendo comprobar la evolución de los datos basándose en tres parámetros de referencia.

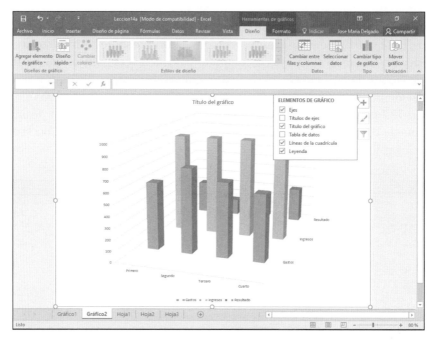

Figura 13.2. Gráfico tridimensional.

Componentes principales de un gráfico

Después de la pequeña introducción anterior, seguro que está deseando crear sus propios gráficos de datos. Pero antes es necesario conocer sus elementos principales como puede observar en la figura 13.3:

- **Gráfico**: Como hemos comentado, corresponde con la representación de un conjunto de datos de la hoja de cálculo.

- **Área de trazado**: La forman los datos fundamentales del gráfico, sin incluir el título del mismo ni la leyenda.

- **Series de datos**: En nuestro ejemplo, corresponderían a las distintas columnas que representan cada conjunto de valores. Las series de datos varían en función

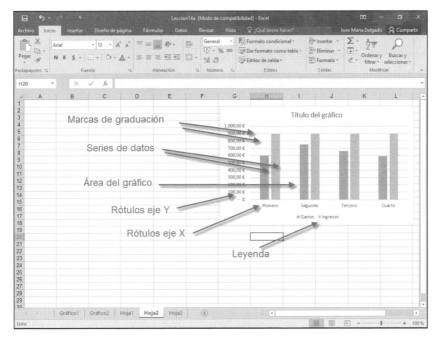

Figura 13.3. Componentes más relevantes de un gráfico de dos dimensiones.

del modelo de gráfico seleccionado pudiendo ser una línea, un segmento de un círculo, un área circular, etcétera.

- **Título**: Es simplemente el nombre del gráfico. Normalmente se utiliza una etiqueta de texto situada en el encabezado del gráfico.

- **Ejes**: Son las líneas que marcan la escala de referencia en todos los modelos de gráficos salvo en los circulares o de tarta. En los gráficos de dos dimensiones tendremos un eje X o de abscisas y un eje Y o de categorías. Además, en los gráficos tridimensionales existe un tercer eje, denominado Z.

- **Marcas de graduación**: Estas marcas están asociadas a cada uno de los ejes del gráfico y determinan la escala de valores utilizada. Son fundamentales para mostrar de forma clara las magnitudes de la representación.

- **Puntos de datos**: Valor que aparece asociado a las diferentes series de datos para tener constancia exacta del alcance de la misma. Por ejemplo, si es un gráfico de facturación por meses, junto a la barra que representa cada mes aparece el total facturado.

- **Nombre de series**: La asignación de nombres a las series de datos es una tarea de la que se encarga habitualmente Excel, tomando como referencia la información de la hoja de cálculo. También podremos asignar y modificar el nombre de las series manualmente.

- **Leyenda**: Este cuadro cumple una misión informativa ofreciéndonos mediante un código de colores el dato que representa cada serie.
- **Rótulos de los ejes**: Nombre que aparece junto a cada uno de los ejes como reseña a la información que representa. Por ejemplo, meses para el eje X y facturación para el eje Y.

Crear gráficos

Quizás pueda pensar que añadir un gráfico de datos a su hoja de cálculos es un proceso complicado. Ni mucho menos, Excel dispone de herramientas que hace de esta tarea algo realmente simple, veamos un ejemplo.

1. Tomaremos como referencia los datos que aparecen en la figura 13.4. El propósito es obtener un gráfico que permita comprobar de forma visual la evolución de los gastos e ingresos por trimestre de todo el año.

2. Seleccione todo el rango de celdas que contiene la información, en nuestro ejemplo desde la celda A:4 hasta la E:8.

3. En la cinta de opciones, seleccione la ficha Insertar y observe las opciones del grupo Gráficos.

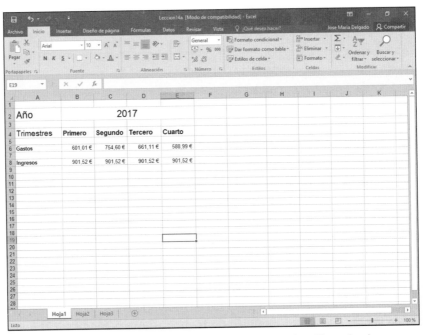

Figura 13.4. Datos de ejemplo para generar el gráfico de datos.

4. Haga clic sobre el comando **Gráficos recomendados** para acceder al cuadro de diálogo que aparece en la figura 13.5.

5. Excel analiza los datos seleccionados y muestra una selección de los gráficos que considera mejor para representarlos. Propone varias opciones en el margen izquierdo que puede ver ampliadas si hace clic sobre cualquiera de ellas. Elija un modelo y utilice el botón **Aceptar** para añadirlo a la hoja.

6. Después del último paso ya tendremos el gráfico en nuestra hoja, haga clic sobre él y arrastre para modificar su posición.

Si desea explorar otros modelos de gráficos además de las opciones recomendadas, haga clic sobre la pestaña Todos los gráficos del cuadro de diálogo Insertar gráfico y tendrá acceso al catálogo completo de modelos disponibles en Excel.

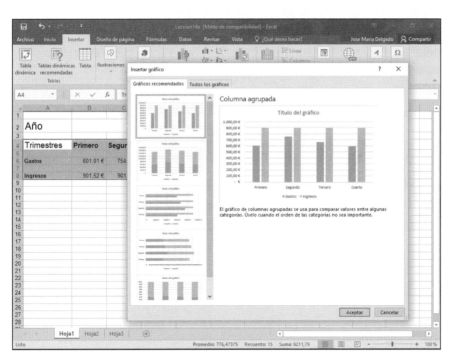

Figura 13.5. Cuadro de diálogo Insertar gráfico.

Cada vez que inserte un gráfico o simplemente seleccione alguno en la hoja de cálculo, Excel mostrará en la cinta de opciones una nueva categoría denominada Herramientas de gráficos. Asociada a esta nueva categoría dispone de dos fichas Diseño y Formato que agrupan todas las funciones disponibles para trabajar con gráficos de datos.

> **Advertencia:**
>
> *La información representada en el gráfico está vinculada a los datos de origen. De modo que, si los datos se modifican, el cambio queda reflejado automáticamente en el gráfico. Sin duda, ésta es una importante característica que permite conocer la evolución de la información al instante.*

Etiquetas inteligentes para crear gráficos

Hemos hablado más de una vez de las numerosas posibilidades que ofrecen las etiquetas inteligentes. Pues bien, otra forma sencilla de crear un gráfico es utilizar esta característica de Excel. El proceso sería el siguiente:

1. Seleccione el rango de celdas que servirá como origen de datos para el gráfico. Debe elegir correctamente las celdas para que Excel pueda interpretar la información como válida para crear un gráfico.

2. Una vez completado el paso anterior, observe en la figura 13.6 la ventana que muestra el programa después de hacer clic en la etiqueta inteligente.

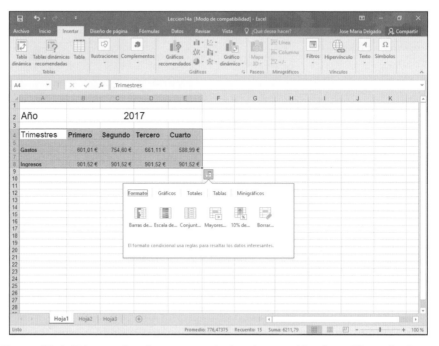

Figura 13.6. Etiqueta inteligente asociada a la creación de gráficos de datos.

3. Entre las diferentes opciones que muestra en la parte superior, haga clic sobre Gráficos.

4. A continuación, coloque el cursor sobre los distintos modelos de gráficos y compruebe como aparece una vista previa que sin duda le ayudará a elegir el más adecuado.

5. Para terminar, haga clic sobre el tipo de gráfico que desee utilizar y al instante aparecerá sobre la hoja de cálculo.

> **Nota:**
>
> *Como habrá observado, Excel modifica el contenido de las opciones asociadas a las etiquetas inteligentes en función de los datos seleccionados. En capítulos anteriores describimos la forma de rellenar celdas automáticamente mediante esta característica pero, en cambio, cuando selecciona un rango completo con encabezados las posibilidades son completamente diferentes.*

Añadir nuevos datos a un gráfico

Los datos seleccionados en el momento de crear un gráfico no tienen por qué ser definitivos. Ya hemos comentado que las modificaciones hechas sobre la hoja de cálculo se reflejan automáticamente en el gráfico pero, ¿qué ocurre si necesitamos añadir nuevos datos? El proceso no es complicado, aunque existen dos posibilidades:

- **Incluir nuevos datos a las series ya existentes**: Tomando como referencia el ejemplo que estamos utilizando en este capítulo, equivaldría a añadir un nuevo trimestre a los ya representados.

- **Añadir una nueva serie de datos**: En nuestro caso sería, por ejemplo, añadir una nueva fila denominada totales que complementaría a la de Ingresos y Gastos existente.

En cualquiera de las situaciones, los pasos necesarios para ampliar la información representada en el gráfico serían los siguientes:

1. Añada la información necesaria al origen de los datos que sirve como referencia al gráfico. En nuestro caso, añadiremos una línea de totales que complemente las de gastos e ingresos existentes.

2. Haga clic en el gráfico y compruebe en la figura 13.7, como las series de datos junto con sus valores quedan rodeados por rectángulos de distinto color.

3. Cada uno de los rectángulos tiene un controlador de relleno en la esquina inferior derecha. Haga clic sobre el que contiene los valores, y sin soltar, arrastre para incluir en la selección los nuevos datos. En nuestro ejemplo, tendremos que arrastrar el rectángulo azul hasta incluir la nueva fila de totales.

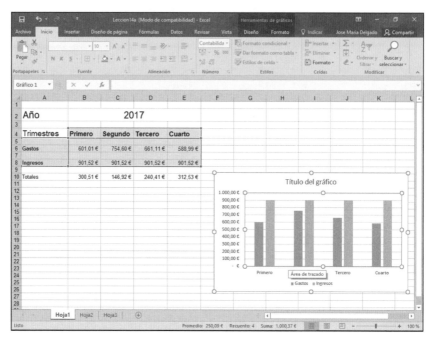

Figura 13.7. Series de datos y valores listos para modificarlos.

Hojas de gráficos

Existen dos modos de incluir un gráfico en un libro de Excel: incrustado dentro de alguna de las hojas del libro como hemos visto hasta ahora o de forma independiente en una hoja de gráficos.

Los gráficos incrustados tienen como principal ventaja la proximidad de los datos de origen a la hora de comprobar y modificar cualquier valor. En su contra tiene que ocupan espacio y esto puede llegar a ser un inconveniente si la hoja contiene mucha información.

Las hojas de gráficos independientes hacen que sea más fácil organizar la información del libro de trabajo. Además, mejora la compresión de los datos en aquellos casos donde exista un gran volumen de datos representados. Para convertir un gráfico incrustado en una hoja de gráfico siga estos pasos:

1. Seleccione el gráfico que desea trasladar a una hoja independiente. Es conveniente hacer clic sobre algún espacio vacío para no seleccionar ningún elemento concreto del gráfico.

2. Observe como Excel muestra en la cinta de opciones la categoría **Herramientas de gráficos**. Seleccione la ficha **Diseño** asociada a esta nueva categoría.

3. En el extremo derecho de la ficha **Diseño** se encuentra el comando **Mover gráfico**; haga clic sobre él.

4. Seleccione la opción **Hoja nueva** y escriba un nombre en el cuadro de texto situado a la derecha.

5. Haga clic en el botón **Aceptar** para completar el proceso.

En la figura 13.8 puede comprobar la situación del comando **Mover gráfico** y la hoja de gráfico creada como resultado de la anterior secuencia de pasos.

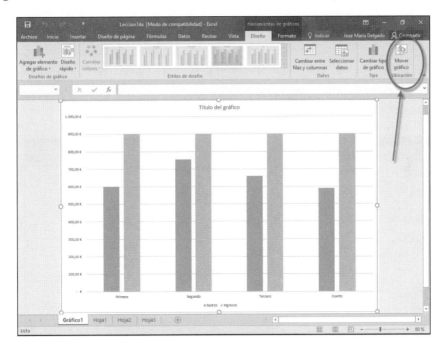

Figura 13.8. Comando Mover gráfico.

Nota:

El comando **Mover gráfico** *también permite trasladar un gráfico a cualquiera de las hojas de libro de trabajo. En este caso, debería seleccionar la opción* **Objeto en** *y elegir la hoja de destino.*

Modificar datos de origen en hojas de gráficos

Cuando el gráfico se encuentre en una hoja de gráfico, el procedimiento para modificar los datos de origen o añadir nuevos valores es algo diferente:

1. Haga clic con el botón derecho sobre el gráfico y seleccione el comando **Seleccionar datos**. Este comando también se encuentra disponible en la cinta de opciones, justo dentro del grupo **Datos** de la ficha **Diseño**.

2. Al instante, aparece el cuadro de diálogo que puede ver en la figura 13.9 y al mismo tiempo se abre la hoja que contiene los datos de origen con el rango actual.

3. Utilice el botón situado a la derecha del cuadro de texto **Rango de datos del gráfico** para elegir un nuevo grupo de celdas que sirva como origen de datos para el gráfico.

4. Si prefiere editar alguna de las series del gráfico de modo independiente, utilice las pestañas **Agregar, Modificar** o **Quitar** situadas a la izquierda si se trata de filas o el espacio disponible a la derecha para las columnas.

5. Para terminar, haga clic en el botón **Aceptar**.

Este mismo método puede utilizarlo para los gráficos incrustados si desea modificar los datos de origen.

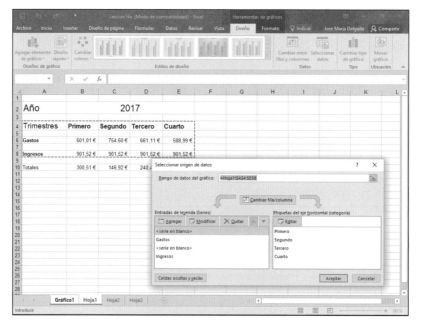

Figura 13.9. Cuadro de diálogo Seleccionar origen de datos.

Truco:

El botón **Cambiar fila/columna** *del cuadro de diálogo* Seleccionar origen de datos *permite intercambiar la distribución de los ejes del gráfico. Es decir, la información del eje X pasará al eje Y y viceversa.*

Editar el gráfico

Es habitual encontrarnos con la necesidad de cambiar alguna de las propiedades o características del gráfico. Para ayudar en esta tarea, Excel pone a nuestra disposición la categoría Herramientas de Gráfico en la cinta de opciones, que como ya sabe se activa de forma automática cada vez que seleccione un gráfico o abra una hoja de gráfico.

La mayoría de las opciones disponibles en las fichas Diseño y Formato son muy evidentes de modo que no vamos a detenernos demasiado en ellas. Únicamente queremos destacar el grupo Estilo de diseño como herramienta imprescindible para transformar el aspecto del gráfico y las opciones del grupo Insertar formas de la ficha Formato. Con esta última, podrá incluir todo tipo de flechas, líneas y llamadas como puede observar en la figura 13.10.

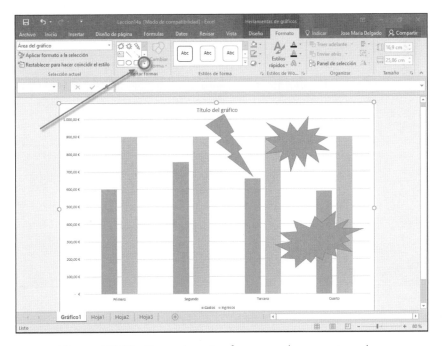

Figura 13.10. Grupo Insertar formas y algunos ejemplos.

Si bien es cierto que la mayoría de comandos se encuentran en las fichas **Diseño** y **Formato**, existe una manera rápida y sencilla de configurar tanto el tipo de gráfico como los elementos que lo componen. Después de seleccionar un gráfico compruebe como aparecen tres pequeños iconos en la esquina superior izquierda:

- El primero de los iconos, representado por un signo más, permite seleccionar los elementos del gráfico que desea mostrar. Haga clic sobre la casilla de verificación situada a la derecha para ocultar o hacer visible el elemento que desee.

- El siguiente de los iconos representado por un pequeño pincel muestra diferentes estilos y combinaciones de colores para personalizar el gráfico.

- Por último, el tercer icono tiene como propósito configurar tanto las series de datos como las categorías del gráfico. Puede ocultar o mostrar cualquiera de ellas con tan sólo hacer clic sobre la casilla de verificación situada a la izquierda tal y como muestra la figura 13.11. Después de realizar cualquier cambio en este panel es necesario utilizar el botón **Aplicar**.

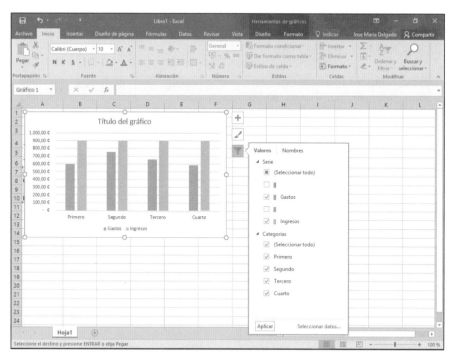

Figura 13.11. Ocultar o mostrar series y categorías.

Minigráficos

Los Minigráficos son pequeños gráficos que caben dentro de una celda y permiten representar el comportamiento o la tendencia de una serie de datos.

Sin más, veamos como añadir esta curiosa característica a nuestra hoja de cálculo. Como suele ser habitual en Excel existen varias formas de hacerlo. En este caso vamos a utilizar las etiquetas inteligentes:

1. Seleccione el rango de celdas que servirá como origen de datos para los minigráficos. Puede seleccionar todas las filas que necesite o hacerlo de forma individual para cada serie.

2. El siguiente paso será hacer clic en el icono de la etiqueta inteligente para mostrar las opciones disponibles.

3. Seleccione en la parte superior **Minigráficos** y coloque el cursor sobre los modelos disponibles para comprobar su aspecto en la propia hoja tal y como puede observar en la figura 13.12.

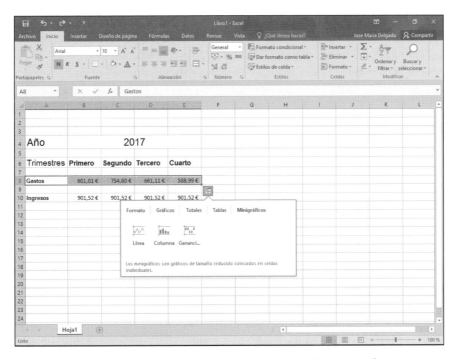

Figura 13.12. Etiqueta inteligente para añadir minigráficos.

4. Cuando haya decidido el tipo de minigráfico que desea utilizar haga clic sobre él.

Debido al tamaño de los minigráficos el número de modelos disponibles no es muy amplio, concretamente tenemos tres posibilidades: Línea, Columna y Ganancia o pérdida. Los dos primeros ya los conocemos y con respecto al tercero, representa cambios negativos o positivos mediante diferentes colores, por defecto azul para ganancias y rojo para pérdidas.

Nota:

Para eliminar un minigráfico haga clic con el botón derecho sobre él y seleccione el comando Minigráficos. *A continuación, elija* Borrar minigráficos seleccionados *o* Borrar grupo de minigráficos seleccionados. *También puede utilizar el comando* **Borrar** *de la ficha* Diseño *de la categoría* Herramientas para minigráfico.

En la cinta de opciones, la ficha Insertar incluye en el grupo Minigráficos los tres modelos disponibles. Haga clic sobre cualquiera de ellos y en el cuadro de diálogo que aparece seleccione tanto el rango de datos como la situación en la hoja de cálculo.

Si le preocupa el tamaño del minigráfico debe sabe que puede modificarlo simplemente cambiando las proporciones de la celda que lo contiene. Incluso podría combinar varias celdas para que el minigráfico ocupe el espacio de varias celdas.

Seleccione alguna celda que contenga un minigráfico y observe como la cinta de opciones muestra una nueva categoría denominada Herramientas para minigráfico con una sola ficha: Diseño. De todos los comandos disponibles destacamos las posibilidades del grupo Mostrar que describimos a continuación:

- Punto alto: Destaca con un color diferente el dato de mayor valor.
- Punto bajo: Destaca con un color diferente el dato de menor valor.
- Puntos negativos: Los valores negativos quedarán resaltados con un color distinto, por defecto rojo.
- Primer punto: Cambia el color del primer punto de la serie.
- Último punto: Cambia el color del último punto de la serie.
- Marcadores: Esta opción sólo estaría disponible para los minigráficos de línea y añade puntos de referencia para cada una de las series.

Por último, también en la ficha Diseño de la categoría Herramientas para minigráfico haga clic sobre comando Eje situado en el extremo derecho. Entre sus opciones, destacamos las dos que hemos resaltado en la figura 13.13 con las que podrá configurar los valores mínimo y máximo para el eje vertical del minigráfico.

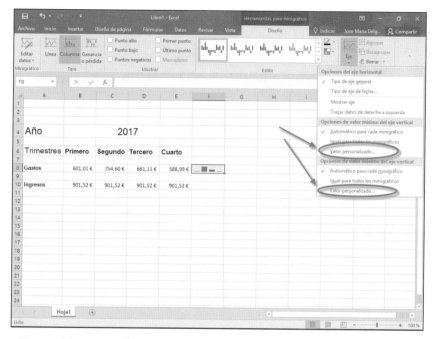

Figura 13.13. Configurar valores mínimo y máximo para el eje vertical de los minigráficos.

Resumen

Los gráficos representan visualmente la información contenida en la hoja de cálculo, y sin duda, son uno de los argumentos principales para usar una herramienta como ésta. La forma más rápida de crear un gráfico de datos en Excel es seleccionar la información que desea representar y hacer clic en la etiqueta inteligente. A partir de este momento, la creación del gráfico es cuestión de un par de clics de ratón.

La información representada por cualquier gráfico puede ampliarse o modificarse, es decir, podemos añadir nuevas series de datos o cambiar cualquier valor de referencia.

Por último, los minigráficos son una versión reducida de los gráficos que ocupan una sola celda y sirven para mostrar la evolución de los datos de una serie.

14 Herramientas de análisis

En este capítulo aprenderá a:

- Utilizar las tablas de datos.
- Aprovechar las posibilidades del formato condicional.
- Usar la herramienta Buscar objetivo.
- Realizar análisis con múltiples escenarios.
- Crear hojas de resumen.
- Usar la herramienta Solver.

Introducción

En mi pequeña economía doméstica, Excel me sirve como herramienta para tener perfectamente controlados todos mis gastos e ingresos. Mediante funciones sencillas puedo resolver ciertas dudas del tipo: ¿me puedo comprar un coche nuevo? ¿Cuánto podría pagar todos los meses? Para hacerlo bastaría con incluir la cantidad en el apartado de gastos y comprobar si llego o no llego a fin de mes.

Es evidente que dentro de un ámbito como éste puede ser suficiente con cambiar algunas cantidades para conocer el alcance de ciertas modificaciones. Pero si es necesario realizar análisis más serios y eficaces será esencial recurrir a herramientas específicas. Concretamente en este capítulo hablaremos de Buscar objetivo, el Administrador de escenarios y Solver. Con ellas, podrá desde averiguar los valores necesarios para llegar a un cierto resultado hasta resolver complicados problemas con múltiples variables y parámetros.

También trataremos dos herramientas sencillas pero muy útiles a la hora de realizar observaciones sobre la información contenida en la hoja de cálculo. Se trata de las tablas de datos y del formato condicional.

Tablas de datos

Las tablas de datos en Excel son una poderosa herramienta para el tratamiento y análisis de grandes volúmenes de información en hojas de cálculo. Entre sus muchas ventajas, destacamos la capacidad de automatizar diferentes tareas y aplicar formatos específicos destinados a mejorar su comprensión.

Desde un punto de vista práctico, las tablas de datos son rangos de celdas que tienen información relacionada y que Excel permite manejar de modo independiente. Para crear una tabla de datos sólo es necesario hacer lo siguiente:

1. Seleccione el rango que contiene la información, es importante incluir los encabezados para que Excel trate de manera adecuada los datos.

2. En la cinta de opciones, seleccione la ficha Inicio.

3. En el grupo Estilos haga clic sobre el icono **Dar formato como tabla** para mostrar las diferentes posibilidades de formato disponibles para las tablas.

4. Elija uno de ellos y al instante aparecerá un cuadro de diálogo donde deberá confirmar el rango e indicar si están definidos o no los encabezados. Como ya seleccionamos las celdas en el primer paso, aquí no será necesario hacer nada.

5. Haga clic en **Aceptar** para terminar.

Como puede comprobar en la figura 14.1, Excel añade un pequeño botón de filtro a cada uno de los encabezados. Haga clic sobre cualquiera de ellos y tendrá acceso a una ventana donde podrá:

- Ordenar la tabla por el campo seleccionado según diferentes criterios.
- Mostrar únicamente las filas que cumplan una determinada condición mediante los comandos de filtrado.
- Utilizar el cuadro de búsqueda para localizar información.
- En la parte final, se encuentran todos los valores distintos junto a una casilla de verificación que permitirá mostrar sólo aquellos que seleccione.

Nota:

Puede cambiar en cualquier momento el estilo de la tabla de datos con tan sólo seleccionar alguna de las celdas y a hacer clic sobre el icono **Dar formato como tabla***.*

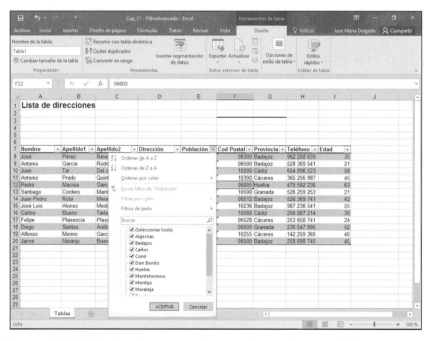

Figura 14.1. Tabla de datos y menú asociado a cada una de las columnas.

Después de hacer clic sobre algunas de las celdas que componen la tabla de datos, Excel muestra en la cinta de opciones la categoría específica Herramientas de tabla con una única ficha denominada Diseño como puede observar en la figura 14.2. Entre todas las posibilidades que ofrece queremos destacar las siguientes:

- **Nombre de la tabla:** Situado en el grupo **Propiedades** permite cambiar la denominación por defecto que utiliza Excel para la tabla de datos.

- **Cambiar tamaño de la tabla:** Permite ampliar o modificar el rango de las celdas que forman la tabla de datos. Puede tanto añadir nuevas filas como eliminar las que no necesite. En el cuadro de diálogo que aparece debe seleccionar el nuevo rango pero siempre manteniendo los encabezados y la posición del rango original.

- **Convertir en rango:** Este comando elimina la tabla de datos pero manteniendo toda la información. Simplemente la convierte en un rango de datos más de la hoja de cálculo.

- **Opciones de estilo de tabla:** Las diferentes casillas de verificación que muestra este grupo permiten ocultar, mostrar o destacar diferentes elementos de la tabla como el encabezado, los totales, la primera columna o el botón de filtro.

- **Estilos de tabla:** Elija alguno de los formatos disponibles para cambiar el aspecto de la tabla de datos.

Figura 14.2. Ficha Diseño de la categoría Herramientas de tabla.

> **Nota:**
>
> *Las tablas de Excel también aparecen en la lista de nombres de la barra de fórmulas o en el* Administrador de nombres *que tratamos en el capítulo anterior.*

Añadir una fila de totales a una tabla de datos sería tan sencillo como marcar la casilla de verificación **Fila de totales** en el grupo **Opciones de estilo de tabla** de la ficha **Diseño**. Del mismo modo, si necesita añadir una nueva columna haga lo siguiente:

1. Seleccione la celda de la tabla que contiene el último encabezado de la derecha.

2. Haga clic sobre el controlador de relleno y sin soltar arrastre hacia la derecha tantas columnas como desee añadir a la tabla.

> **Nota:**
>
> *Excel permite aislar la tabla de datos del resto de información de la hoja de cálculo a la hora de imprimir. Haga clic en la primera lista desplegable de la sección* Configuración

y elija la opción Imprimir la tabla seleccionada *como muestra la figura 14.3 para obtener una copia únicamente de los datos de la tabla.*

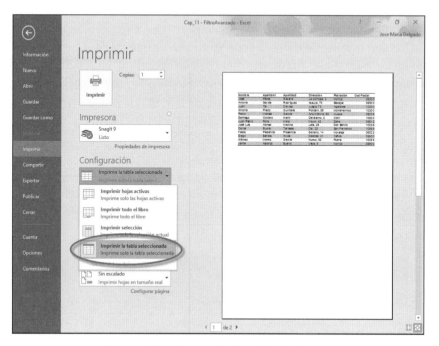

Figura 14.3. Imprimir la tabla de datos.

Formato condicional

El formato condicional es un método visual de análisis que resulta realmente efectivo. Mediante símbolos y diferentes recursos gráficos como color de la celda o iconos, es posible conocer la evolución de una serie de datos. Un ejemplo, podríamos cambiar automáticamente el color de todas aquellas celdas que contengan un valor negativo en un balance de pérdidas y ganancias. Esta información en informes sobre ventas o datos contables es de gran utilidad.

Para entender mejor las posibilidades del formato condicional utilizaremos como ejemplo un informe de ventas en el que junto al nombre de cada cliente aparece el total facturado durante el año. Llegado el período navideño, hemos pensado en tener un detalle con aquellos clientes que hayan superado los 2000€ de volumen de compras. La siguiente secuencia de pasos describe cómo resaltar en la hoja de cálculo automáticamente los clientes que cumplan esta condición:

1. Seleccione el rango que contiene los importes de facturación de cada cliente.

2. En la cinta de opciones, seleccione la ficha Inicio y dentro del grupo Estilos haga clic sobre el comando Formato condicional.

3. Elija la primera de las opciones denominada Resaltar reglas de celdas y a continuación seleccione Es mayor que. La figura 14.4 muestra la situación de estos elementos y el informe de ejemplo.

4. En el cuadro de diálogo que aparece, debe introducir el valor a partir del cual el formato condicional cambiará el aspecto de la celda y en nuestro caso sería 2000. Una buena idea sería tener el valor de la condición en una celda de la hoja de cálculo, de este modo solo necesitaría cambiar esa celda para modificar la condición. En estos casos, debe utilizar el pequeño botón situado a la derecha del cuadro de texto para indicar la celda o directamente introducir su referencia.

5. En la lista desplegable situada a la derecha, puede elegir el aspecto que tendrá la celda si cumple la condición indicada.

6. Para terminar, haga clic en el botón **Aceptar**.

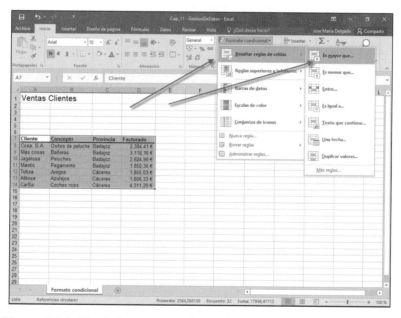

Figura 14.4. Elegir formato condicional junto al informe de ejemplo.

Hemos elegido la primera de las condiciones, pero como habrá podido comprobar existen otras posibilidades como comprobar si el dato se encuentra entre dos valores determinados, si contiene un texto concreto o si coincide con alguna fecha que indiquemos.

Truco:

Si con las opciones por defecto no fuera suficiente dispone del comando Más reglas *situado al final la lista de condiciones con el que tendrá acceso al cuadro de diálogo* Nueva regla de formato. *En él podrá personalizar el formato de las diferentes reglas disponibles.*

El formato condicional se basa en reglas que podemos configurar en función de datos fijos, referencias a celdas o fórmulas.

Otro ejemplo útil podría ser destacar aquellas celdas que se encuentren por encima de la media del rango seleccionado. En este caso, no es necesario realizar ningún tipo de cálculo previo ya que sería el propio Excel el que determinaría el valor medio. Los pasos serían los siguientes:

1. Seleccione el rango de celdas sobre el que desea aplicar el formato condicional.
2. En la cinta de opciones, compruebe que se encuentra visible la ficha Inicio.
3. Haga clic sobre el icono Formato condicional.
4. A continuación elija Reglas superiores e inferiores y seguidamente haga clic sobre la opción Por encima del promedio.
5. Para terminar, seleccione en el cuadro de diálogo el aspecto de las celdas resaltadas y haga clic en el botón **Aceptar**.

Nota:

Para eliminar el formato condicional de un rango de celdas, haga clic sobre el icono Formato condicional *y seleccione el comando* Borrar reglas. *A partir de aquí, decida si quiere hacerlo en toda la hoja o sólo en las celdas seleccionadas.*

Las opciones Barras de datos, Escalas de color y Conjuntos de iconos ofrecen una manera mucho más vistosa de aplicar el formato condicional. Para entender mejor estas opciones veamos cómo podríamos configurar una regla utilizando los conjuntos de iconos para representar las variaciones de datos. El objetivo es conocer si nuestros clientes han comprado más o menos con respecto al año anterior y para ello hemos añadido a la hoja de ejemplo los datos de facturación del año anterior como puede comprobar en la figura 14.5.

1. Seleccionaremos en primer lugar el rango correspondiente los datos de facturación del año 2016.
2. En la ficha Inicio, haga clic sobre el icono **Formato condicional**.

3. Entre las opciones disponibles elija Conjuntos de iconos y en la ventana asociada, el comando situado al final denominado Más reglas. Después, Excel mostrará el cuadro diálogo Nueva regla de formato.

4. Dejamos las primeras opciones por defecto y vamos hasta la lista Estilo del icono. Aquí puede elegir el que más le guste pero, para este ejemplo, escogeremos las tres flechas de color rojo, amarillo y verde.

5. En el primer cuadro de texto denominado Valor seleccionamos el icono situado a la derecha para añadir una referencia a la celda **D8**. Pulse **Intro** para volver al cuadro de diálogo.

6. En la lista desplegable Tipo, seleccione Número.

7. En el segundo cuadro de texto, repita el paso anterior y vuelva a seleccionar la celda **D8**. También debe elegir Número en la lista desplegable Tipo. Una vez completados estos pasos, el aspecto del cuadro de diálogo Nueva regla de formato debe ser el mismo que aparece en la figura 14.6.

8. Haga clic en **Aceptar** para terminar la configuración de la regla.

Como puede comprobar en la figura 14.7, el resultado de aplicar las reglas de formato condicional utilizando iconos es realmente atractiva. En este caso el ejemplo era muy simple y con pocos datos, pero en hojas con gran alto volumen de información este tipo de características son de gran ayuda.

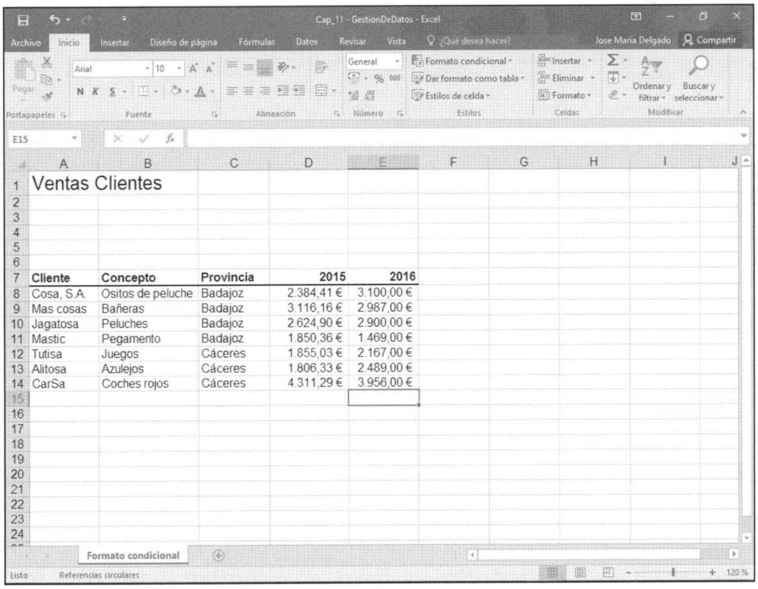

Figura 14.5. Ejemplo al que hemos añadido los datos de facturación del año anterior.

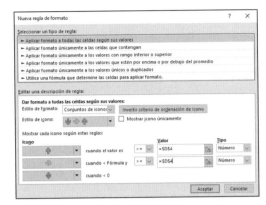

Figura 14.6. Configuración del cuadro de diálogo Nueva regla de formato.

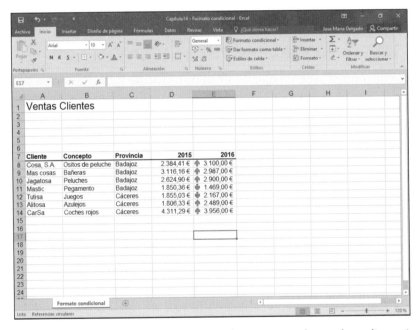

Figura 14.7. Resultado de aplicar reglas de formato condicional mediante iconos.

Buscar objetivo

Buscar objetivo es una herramienta de análisis "Y si…" que demuestra su eficacia cuando necesite evaluar situaciones en las que sólo interviene una variable como valor cambiante. Es decir, conoce el valor final del resultado y necesita averiguar las cantidades intermedias para llegar a este valor.

Nota:

Todos los sistemas de análisis usados en Excel se basan en modelos matemáticos más o menos complejos y en ellos fundamentan la fiabilidad de sus cálculos y previsiones. Más concretamente, Buscar objetivo es la representación gráfica de la función nx = y, donde n es una valor constante, x es la variable independiente e y es la variable dependiente.

Para ilustrar el funcionamiento de Buscar objetivo utilizaremos una situación típica que se ajusta perfectamente al ámbito de acción de la herramienta. El enunciado sería el siguiente:

Una joven pareja pretende comprarse un piso pero, como la mayoría de los jóvenes de hoy, se encuentran con serías limitaciones económicas. En cualquier caso, han sido lo suficientemente tenaces como para ahorrar doce mil euros, aunque tienen claro que no pueden pagar más de 360 € al mes de hipoteca. El banco les concede un préstamo hipotecario al 4 % anual, durante 15 años, pagadero mensualmente. Con toda esta información, a ellos les gustaría conocer cuál es el mejor piso que se pueden comprar.

Pues bien, ésta sería la situación de nuestra pareja y, en primer lugar, lo que debemos hacer es componer la situación según los datos que tenemos; para ello, debemos utilizar la función Pago y desarrollar la información como puede ver en la figura 14.8. Cree esta estructura y realice los pasos siguientes para definir los cálculos:

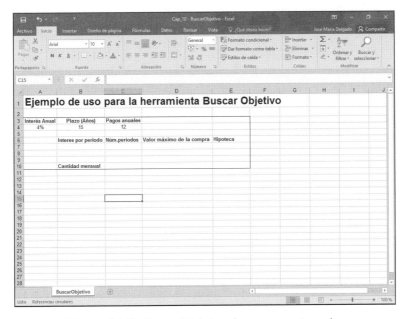

Figura 14.8. Datos iniciales de nuestro ejemplo.

1. En la celda **B7** introduzca la fórmula: **=A4/C4**. De esta forma, se puede conocer el interés mensual. Utilice el comando Disminuir decimales situado en el grupo Número de la ficha Inicio, hasta dejarlos en cuatro.

2. Para calcular el número total de períodos, sólo tiene que multiplicar el número de pagos anuales por el número de años, en resumen: **=B4*C4**.

3. En la celda **E7** se muestra la fórmula: **=D7-12000** correspondiente al montante de la hipoteca. Aquí ya restamos los doce mil euros que tienen ahorrados nuestros amigos.

4. En la cantidad mensual se utilizará la función **Pago** con la siguiente sintaxis: **PAGO(B7;C7;-E7)**. Si ha seguido el asistente para crear esta fórmula no ha debido tener ningún problema.

Advertencia:

No olvide el signo menos delante de la celda E7 para que la cuantía de los pagos aparezca en positivo, aunque desde un punto de vista contable está claro que son negativos.

De esta manera, quedaría resuelta la parte de estructuración de la información disponible; ahora llega el momento de recurrir a la herramienta Buscar objetivo para conocer el valor máximo de la celda **D7**.

1. Haga clic en la celda **C10** y, a continuación, seleccione el comando Análisis de hipótesis, que encontrará en el grupo Previsión de la ficha Datos. Elija el comando Buscar objetivo para mostrar el cuadro de diálogo del mismo nombre.

2. Complete el cuadro de diálogo Buscar objetivo de la forma que puede ver en la figura 14.9. En cualquier caso, el significado de cada uno de sus campos sería el siguiente: Definir la celda debe ser una referencia a la celda que contiene la fórmula que genera el dato que estamos buscando. En nuestro caso, se trata de la operación Pago. En Con el valor introduzca el valor objetivo, es decir, la cantidad que planteamos como límite. Finalmente, Cambiando la celda, hace referencia a la celda que refleja los cambios que generará la herramienta. Nosotros pretendemos conocer cuánto se puede gastar en el piso nuestra pareja, por lo tanto, la celda es la **D7**.

Figura 14.9. Cuadro de diálogo Buscar objetivo.

3. Una vez introducidos los cambios, haga clic en **Aceptar** y, tras unos segundos, Excel mostrará un cuadro de diálogo donde informa del valor que estamos buscando y de la cantidad a la que ha conseguido llegar. Si todo es correcto, haga clic en **Aceptar** pero, si no está del todo conforme, puede cambiar los datos necesarios y ejecutar de nuevo el comando Buscar objetivo.

Nota:

Si lee sin detenerse las tres opciones del cuadro de diálogo Buscar objetivo *entenderá mejor su significado. Sería: Definir la celda XX con el valor XX para cambiar la celda XX.*

Después de todo, el resultado de nuestros cálculos ha salido ciertamente poco alentador para nuestra pareja como puede observar en la figura 14.10.

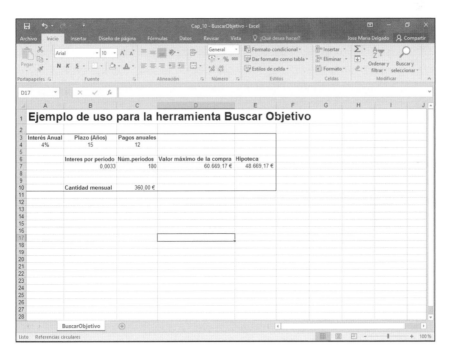

Figura 14.10. Resultado de Buscar objetivo.

Si por algún motivo la herramienta Buscar objetivo no pudiera resolver el análisis, el cuadro de diálogo de resultado mostraría la frase "puede no haber encontrado una solución". En este tipo de situaciones, lo normal es que algún parámetro no esté correctamente definido en la celda que contiene la fórmula.

> **Nota:**
>
> *Los datos calculados con la herramienta Buscar objetivo no se actualizan automática-mente; si realiza algún cambio tendremos que utilizarla de nuevo para ver el resultado correcto.*

Análisis con múltiples escenarios

El desarrollo con múltiples escenarios recrea un modelo de análisis donde los resultados se proporcionan a partir de distintos valores de entrada. De esta forma, se crea un escenario para cada una de las situaciones, a partir de las cuales se dispondría de la información necesaria para elegir y tomar una decisión en función del análisis resultante.

> **Nota:**
>
> *En Excel, un escenario se podría definir como un conjunto de datos de entrada (celdas cambiantes) englobados bajo un nombre determinado.*

Para ver cómo funciona esta herramienta, retomamos el ejemplo anterior pero con algunos meses de antelación. Nuestra pareja todavía se encontraba en un mar de dudas y pensaron que lo primero que debían hacer era peregrinar por varias entidades bancarias para informarse de las distintas ofertas hipotecarias que ofrecían. Después de muchos dolores de cabeza tenían frente a ellos cuatro posibles propuestas: 45.000 € ó 60.000 € a 15 ó 20 años. En ambos casos, se aplica un interés del 5 % y los pagos serían mensuales, además se deben incluir 1.800 € de gastos de apertura y gestión.

> **Nota:**
>
> *A nuestra pareja también le gustaría saber cuál sería la cantidad total a pagar en cada caso. Es decir, el valor hipotecado más los intereses generados por ese préstamo.*

Una vez planteado el problema puede distribuir la información disponible como aparece en la figura 14.11. Para completar los campos calculados siga estos pasos:

1. La celda **F5** deberá contener: =B5-1800. Es decir, el valor real menos los gastos, por lo tanto la cantidad final a hipotecar.

2. En la celda **G5** introduzca la fórmula: =C9*D5*E5, correspondiente al montante de las cuotas por el número de años y por el número de pagos anuales.

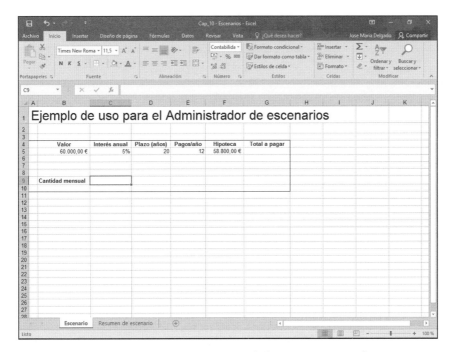

Figura 14.11. Estructura inicial de nuestro ejemplo.

3. Para el cálculo de la cuota mensual, se utilizará de nuevo la función Pago del siguiente modo: =PAGO(C5/12;D5*12;-F5). Ya sabe que se multiplicará por doce el número de años para conocer el número total de períodos necesarios para completar la fórmula.

Después de introducir el primer supuesto de nuestro ejemplo, estamos preparados para utilizar el Administrador de escenarios:

1. Seleccione el comando Administrador de escenarios situado entre las posibilidades del comando Análisis de hipótesis del grupo Previsión de la ficha Datos.

2. En el cuadro de diálogo Administrador de escenarios, haga clic en el botón **Agregar** para introducir los datos del primero de los escenarios.

3. En primer lugar, escriba el nombre del escenario, por ejemplo: *Caso1 (45000€, 15 años)*. A continuación, en el cuadro Celdas cambiantes deberá seleccionar el rango B5:D5, ya que éstos serán los valores variables en cada escenario.

4. Haga clic en **Aceptar** y aparecerá un nuevo cuadro de diálogo, donde deberemos introducir los valores para cada uno de los escenarios que deseemos crear. En nuestro ejemplo y para este primer caso, los valores puede verlos en la figura 14.12.

5. Haga clic en **Aceptar** para incluir el escenario creado en el administrador.

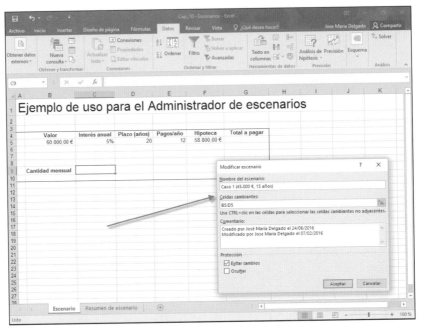

Figura 14.12. Valores para nuestro primer escenario.

6. A partir de aquí, haga clic en **Agregar** para incluir los datos de los tres escenarios restantes.

Nota:

Recuerde, los datos del ejemplo son 45.000 € a 20 años, 60.000 € a 15 años y 60.000 € a 20 años. El aspecto final del administrador debería ser similar al que muestra la figura 14.13.

Figura 14.13. Administrador de escenarios, una vez agregados los cuatro supuestos.

Ahora, si desea ver el resultado de cualquiera de los escenarios, sólo tiene que seleccionarlo y hacer clic en el botón **Mostrar**, o simplemente hacer doble clic sobre él. En ese instante, las celdas definidas como cambiantes tomarán los valores asignados y podremos ver el resultado del supuesto en la hoja de cálculo. Como puede comprobar, una forma fácil de calcular cada variación y una buena ayuda para tomar decisiones.

Advertencia:

Los escenarios creados quedan guardados junto con la hoja de cálculo, por lo tanto, si lo desea puede cerrar el cuadro de diálogo Administrador de escenarios *y volverlo a utilizar cuando sea necesario.*

Modificar los escenarios

Para modificar cualquiera de los escenarios creados sólo tiene que seleccionarlo en la lista de escenarios y hacer clic en el botón **Modificar**. A partir de ese momento, Excel muestra el cuadro de diálogo Modificar escenario, donde puede cambiar el nombre y las celdas cambiantes en un primer término y el resto de datos una vez haga clic en el botón **Aceptar**.

Hojas de resumen

Hacer doble clic en cada uno de los escenarios para conocer el resultado de cada supuesto está bien si no tenemos demasiada información. En cualquier caso, el Administrador de escenarios dispone de la herramienta **Resumen**, la cual distribuye todos los casos planteados dentro del Administrador en una hoja independiente de nuestro libro, de modo que su estudio y análisis sean mucho más sencillos.

Haga clic en el botón **Resumen** del cuadro de diálogo Administrador de escenarios y aparecerá un cuadro de diálogo denominado Resumen del escenario. En él, debe indicar la celda que contiene la fórmula que proporciona el valor clave del escenario, que en nuestro caso sería **C9**. Haga clic en **Aceptar** y compruebe como aparece una nueva hoja en el libro con el nombre Resumen del escenario tal y como muestra la figura 14.14.

Si fuera necesario, Excel permite crear más de un resumen de escenarios. En nuestro caso, podría tener otro donde utilice como dato clave la celda **G5**, es decir, el total a pagar.

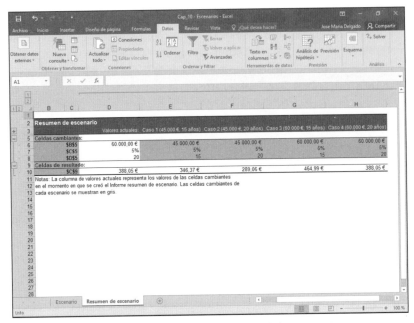

Figura 14.14. Hoja de resumen del escenario.

Nota:

Al generar un resumen, Excel asigna por defecto a cada fila el nombre de la celda de referencia $B$5, $C$5... Para que la hoja fuera más legible, es recomendable sustituir éstas por el nombre del concepto, en nuestro ejemplo: Valor, Interés anual...

Truco:

En el menú Archivo, seleccione la categoría Información y a continuación haga clic en el botón Proteger libro. Entre todas las posibilidades que ofrece, seleccione Proteger hoja actual. En el cuadro de diálogo que aparece puede configurar en detalle los elementos que desea proteger. Al final de esta lista encontrará Modificar escenarios.

Herramienta Solver

La herramienta Solver se utiliza principalmente para dar solución a problemas en los que intervienen más de un parámetro y existen múltiples condiciones. Dadas las circunstancias restrictivas de esta herramienta, los problemas que puede resolver deben cumplir ciertas condiciones:

- El objetivo del problema debe ser único: cómo llegar hasta un valor concreto y determinar máximos o mínimos.
- Los parámetros cambiantes deben afectar directamente a la celda que contiene el objetivo. Lógicamente, ésta debe ser una fórmula o función.
- Los valores constantes también deben estar presentes para determinar los márgenes de la solución.

Modelos de problemas

Los problemas que puede solucionar Solver están englobados en tres categorías:

- **Lineales**: Son aquellos en los que los datos del problema se encuentran relacionados mediante fórmulas lineales del tipo: $y = ax + b$, típica ecuación básica donde a y b son valores fijos, mientras que tanto x como y son las variables de la ecuación.
- **No lineales**: Las funciones que determinan la relación entre variables no son todas lineales, interviniendo polinomios, exponenciales, etc.
- **Con enteros**: El último modelo de problemas comprende todos aquellos donde las variables están limitadas a valores enteros.

Instalar Solver

Es posible que durante la instalación del programa no haya seleccionado el complemento Solver. Si es así, antes de continuar, es necesario que instale esta herramienta:

1. Haga clic en el menú Archivo y a continuación seleccione Opciones. Elija el apartado denominado Complementos.
2. A continuación, en la parte inferior haga clic sobre el botón Ir. Antes, compruebe que la lista desplegable situada a la derecha muestra la opción Complementos de Excel.
3. El último paso, marque la casilla de verificación situada junto al complemento Solver y acepte los cambios.
4. Después de seguir estos pasos compruebe como Microsoft Excel muestra un nuevo grupo en la ficha Datos, denominado Análisis.

Ejemplo práctico

Del mismo modo que hemos hecho con las anteriores herramientas de análisis, vamos a utilizar un ejemplo para comprender mejor el funcionamiento de Solver. El problema planteado entraría dentro de la categoría de lineales, ya que son los más comunes y para los que utilizará esta herramienta con más frecuencia.

Imagine que tiene una tienda de deportes y decide abrir una sucursal en el otro extremo de la ciudad. Para dar a conocer la nueva tienda quiere hacer un mailing incluyendo bonos de regalo; los regalos son de diferentes categorías que permitirían estudiar mejor la respuesta de la promoción. En un principio, los datos iniciales del problema los tiene en la figura 14.15. Por el conocimiento del mercado que nos proporciona el tener ya una tienda de deportes, sabemos que la cantidad media que una persona se gasta en la tienda es de 20 €.

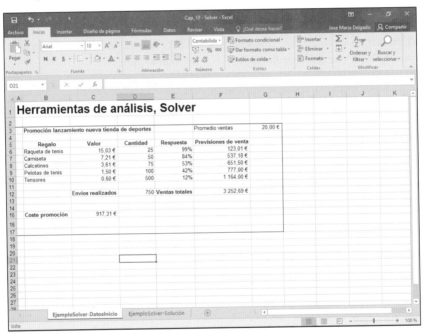

Figura 14.15. Distribución de los datos del problema en la hoja de cálculo.

Para calcular las previsiones de ventas se utiliza la siguiente fórmula:

```
=(cantidad*respuesta*PromVentas)-(valor*cantidad*respuesta)
```

…donde el primer paréntesis calcula las ventas previstas, valor al que se le restan los costes de la promoción para esa venta. Como es lógico, para los mejores regalos las previsiones de ventas son mucho más optimistas, pero al mismo tiempo ganamos menos al ser más alto el valor del regalo.

La celda **D12** contiene el total de cartas enviadas: Solver utilizará este valor como referencia para modificar los datos de las celdas cambiantes (D6:D10), de modo que puede optimizar al máximo el montante total de las previsiones de venta (celda F12). Por último, en la celda **C15** se encuentra reflejado el coste total de la promoción. El resultado se obtiene de multiplicar el valor del regalo por la cantidad y por la respuesta, y la suma de este cálculo para cada uno de los regalos, revela el coste total de la promoción. Quizás en un principio no pueda parecer importante esta celda, pero va a permitir decirle a Solver cuál es la cantidad máxima que queremos gastar en la promoción.

> **Nota:**
>
> *En términos de marketing, el valor de la campaña no estaría sólo en el montante de la venta, sino en la promoción de la nueva tienda, aunque este aspecto no interesa en estos momentos.*

Ya tenemos todos los datos y cálculos necesarios para comenzar el análisis con Solver. Recuerde que el objetivo es maximizar el valor de las ventas contenido en la celda **F12**:

1. Haga clic en la celda **F12** para seleccionarla y, después, elija el comando **Solver** en el grupo **Análisis** de la ficha **Datos**. Aparecerá el cuadro de diálogo **Parámetros de Solver** con la referencia **F12** en el cuadro **Establecer objetivo**.

2. En la opción **Para** deje activado el botón **Máximo,** ya que ésta es la opción que deseamos.

3. En el cuadro **Cambiando las celdas de variables,** debemos introducir el rango de celdas cambiantes que utilizará Solver para conseguir el objetivo propuesto. En nuestro caso, será D6:D10.

4. A continuación, llega el momento de indicarle a la herramienta Solver las restricciones que debe cumplir para calcular el objetivo. Haga clic en **Agregar** y aparecerá un nuevo cuadro de diálogo en el que debe indicar la celda, el operador y el valor de la restricción.

5. Seleccione la celda **C15**, el operador <= e introduzca 1200 para limitar el coste de la promoción a esta cantidad. Después, haga clic en **Aceptar**. Si lo desea, puede utilizar el botón **Agregar** para mantener abierto el cuadro de diálogo y continuar incluyendo las restricciones.

6. Pulse el botón **Agregar** y, después, la celda **D12**, el operador = y la cantidad 750 para restringir el número de cartas que tenemos pensado enviar.

7. Para los regalos más caros también vamos a indicar que su número mínimo sea 25, 75 y 100 respectivamente.

8. Para el rango de valores cambiantes D6:D10 impondremos como restricción que sea mayor o igual a cero, evitando que aparezcan valores negativos.

9. Como última restricción, le diremos que utilice valores enteros de modo que no aparezca media raqueta o media camiseta. En la referencia de la celda, introduzca el rango D6:D10; en la lista desplegable central seleccione int, y aparecerá automáticamente Integer en el cuadro de la derecha.

10. Una vez completada la tabla de parámetros y restricciones, debería tener el aspecto que muestra la figura 14.16. Haga clic en el botón **Resolver** para comprobar el resultado del análisis.

Figura 14.16. Cuadro de diálogo Parámetros de Solver completado.

Transcurridos unos segundos, pueden darse tres posibles situaciones:

- **Se ha hallado una solución.** Este mensaje indica que los valores y restricciones han sido tomados en cuenta y que basado en ellos, Solver ha podido encontrar una solución favorable. En la hoja de cálculo aparecen los nuevos datos, modificados según el estudio realizado por la herramienta de análisis. Si el resultado no es el esperado, puede hacer clic en **Cancelar** y modificar los parámetros del análisis.

- **Se ha cumplido el límite máximo de tiempo.** Por defecto Solver dispone de cien intentos y el mismo número de segundos para encontrar una solución. Si el problema es demasiado complejo, puede ocurrir que no sea suficiente con estos valores; en tal caso debe hacer clic en el botón **Continuar**. También puede detener el proceso y modificar algunos parámetros para disminuir la complejidad.

- Solver no ha podido encontrar una solución válida. Normalmente este error se debe a una mala definición de las restricciones que provoca la imposibilidad de delimitar el valor de la celda objetivo o algún error en la hoja del cálculo. Por ejemplo, si en nuestro caso limitamos a 200 el coste máximo de la promoción, lógicamente Solver no podrá encontrar una solución. Llegados a este punto, puede utilizar la solución que ha encontrado aunque no sea buena o restaurar los valores iniciales, aunque se recomienda en la mayoría de los casos esta última opción.

Cuando todo sea favorable y los resultados del análisis sean los que espera, haga clic en el botón **Aceptar** para completar el proceso. Si lo desea, puede utilizar el botón **Guardar escenario** para almacenar la situación actual del análisis.

> **Nota:**
>
> *También puede volver a ejecutar el comando* Solver *para realizar cualquier cambio en el resultado. El cuadro de diálogo* Parámetros de Solver *aparecerá de nuevo con los últimos ajustes introducidos.*

Informes

En el margen derecho del cuadro de diálogo Resultados de Solver se encuentra la sección Informes. Con las opciones disponibles, podrá obtener información adicional sobre el análisis realizado. Para generar cualquiera de ellos, sólo tiene que hacer clic sobre su nombre, teniendo en cuenta que puede seleccionar más de uno al mismo tiempo. Una vez realizado, y después de pulsar sobre el botón **Aceptar**, los informes aparecerán en hojas independientes del libro de trabajo actual.

Para que entienda mejor el significado de cada uno de los modelos de informes, a continuación tiene una breve descripción:

- Responder: Muestra los datos originales y aquellos generados por Solver, tanto de las celdas objetivo como de las cambiantes. También aparecen las celdas de restricción.

- Confidencialidad: Aparecen las variaciones aplicadas sobre las celdas cambiantes y sobre las restricciones.

- Límites: Muestra los valores entre los que han oscilado las celdas objetivo y cambiantes, es decir, su margen de variación.

En este capítulo, aunque con ejemplos sencillos, hemos tratado tres potentes herramientas de análisis que sin duda serán de gran ayuda en los trabajos con Excel.

Nota:

Antes de terminar con los temas dedicados a Excel queremos recordar que esta aplicación también dispone del comando Compartir *entre las opciones del menú* Archivo. *Con ellas podrá enviar sus hojas de cálculo por correo electrónico en diferentes formatos o trabajar de forma colaborativa con usuarios situados en cualquier lugar.*

Resumen

Las herramientas de análisis conceden una potencia excepcional a Excel en aquellas situaciones en las que se desea optimizar los datos de partida o conocer las posibilidades de ciertos parámetros. Del mismo modo, las tablas de datos y el formato condicional facilitan las tareas de revisión y supervisión de tendencias de las series de datos.

15

Presentaciones con PowerPoint

En este capítulo aprenderá a:

- Definir las líneas generales de una presentación.
- Conocer el entorno de PowerPoint.
- Crear una presentación sencilla.
- Cambiar el orden de las diapositivas.
- Ejecutar una presentación.
- Añadir anotaciones en tiempo de ejecución.
- Utilizar las presentaciones predefinidas de PowerPoint.

Qué es una presentación

Son frecuentes las situaciones en las que necesitamos presentar ideas o proyectos ante un grupo de personas. Cuando sólo utilizamos nuestros propios recursos, dependemos exclusivamente de nuestras cualidades como orador. Pero incluso en aquellos casos en los que dispongamos de estas virtudes, existen determinados conceptos que necesitan de un complemento visual para su total comprensión. Una presentación puede resultar muy útil en esta labor de difusión y se convierte en un elemento de apoyo perfecto.

Una presentación en su estado más básico sería una secuencia de diapositivas. Cada una de estas diapositivas mostraría cierto contenido relacionado con la información que deseamos transmitir, pero con PowerPoint podemos llegar mucho más lejos.

Consejos para crear una buena presentación

Antes de comenzar el proceso de diseño y creación de una presentación, existen una serie de recomendaciones que debería tener presente:

- No incluya demasiado texto en cada diapositiva, es aconsejable tener muchas diapositivas a tener pocas con demasiada información.
- Tampoco abuse de los efectos y animaciones. Utilice con prudencia recursos como el sonido y el vídeo.
- Siempre que sea posible utilice viñetas o numeraciones. Esta es la mejor forma de estructurar conceptos clave e ideas.
- El tamaño del texto no debería bajar de los 24 puntos, aunque este valor puede depender de algunos factores como el número de asistentes a la presentación o la distancia desde estos a la pantalla de proyección.
- Los gráficos mejoran en gran medida la comprensión de los datos. En este caso se podría aplicar el dicho: "Una imagen vale más que mil palabras".
- Cuide la combinación de colores de la presentación. Unos tonos poco adecuados podrían echar por tierra una buena presentación.
- Si utiliza transiciones, haga que pasen rápido sin entorpecer el desarrollo de la presentación.
- Contemple la posibilidad de mostrar la diapositiva clave de la presentación sin tener que pasar por el resto. La diapositiva clave suele ser la pantalla de referencia donde se incluyen los contenidos que se desarrollarán a lo largo de la presentación.

- Piense en el lugar en el que se realizará la presentación y en el número de asistentes. Tenga en cuenta estos aspectos y analice las necesidades técnicas.

Nota:

Recomendamos leer estas consideraciones antes, durante y después de crear una presentación para asegurar el éxito del proyecto. Después de algunas presentaciones seguro que podrá elaborar su propia lista de puntos a tener en cuenta.

Entorno de PowerPoint

El entorno de PowerPoint resulta muy similar al de aplicaciones como Word o Excel; aún así es preciso conocer aquellos elementos específicos de la aplicación. La vista Normal será la que utilicemos habitualmente cuando trabajemos en el diseño de presentaciones con PowerPoint. Las partes principales que componen esta vista son las siguientes:

- **Panel de tira de diapositivas:** Muestra una pequeña minitatura de todas las diapositivas incluidas en la presentación. Aquí puede seleccionar dispositivas, aplicarles diferentes diseños, eliminarlas, cambiar su posición, etcétera.

- **Panel de diapositivas:** Ocupa la mayor parte del área de trabajo y es el espacio destinado a diseñar y trabajar con las diapositivas de la presentación.

- **Panel de notas:** Este panel se encuentra por defecto en la parte inferior de la ventana y tiene como propósito añadir cualquier anotación que necesite para la presentación. Puede ocultar o mostrar este panel mediante el botón **Notas** situado en la barra inferior.

- **Barra de estado:** Aunque en principio no lo pueda parecer se trata de un elemento muy importante. Está situado en la parte inferior de la ventana e indica desde el número de diapositiva actual, hasta accesos directos a las distintas vistas o el grado de zoom aplicado.

- **Paneles de tareas:** Aparecen en el margen derecho de la ventana y muestran información en función del comando elegido.

La distribución del espacio dedicado a cada uno de estos componentes no es fija y puede modificarla con tan sólo situar el ratón sobre la línea que divide cada una de ellas y arrastrar. La figura 15.1 muestra los principales elementos que componen el entorno de la aplicación.

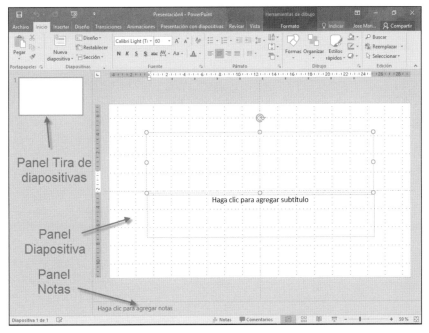

Figura 15.1. Entorno de PowerPoint.

Nota:

El soporte principal de una presentación son las diapositivas. Existen diferentes modelos de diapositiva diseñadas para incluir texto, gráficos de datos, imágenes, vídeos, objetos SmartArt, etcétera.

Una presentación sencilla

Una vez hecho el planteamiento de la presentación y definido el guión aproximado de la misma, sólo queda abrir PowerPoint y seguir los pasos adecuados para crearla:

1. Abra Microsoft PowerPoint y elija Presentación en blanco entre las plantillas disponibles en la pantalla de Inicio. En este caso elegiremos el modelo más básico como mejor opción para aprender a diseñar una presentación pero, lo habitual sería utilizar alguna plantilla más elaborada que se adapte a nuestras necesidades.

2. Haga clic sobre el primero de los recuadros donde se encuentra el texto "Haga clic para agregar título" y escriba: **Manual imprescindible Office 2016**.

3. A continuación, haga clic en el recuadro que se encuentra justo debajo y escriba: **Presentación de ejemplo**. El resultado de estos primeros pasos debería ser similar al que muestra la figura 15.2.

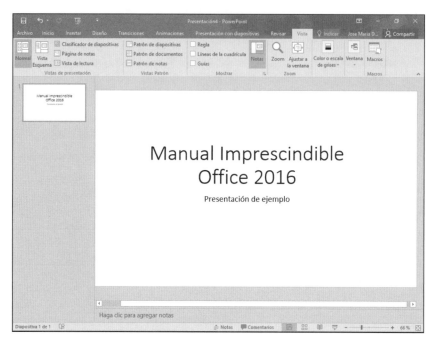

Figura 15.2. Aspecto de PowerPoint después de abrir la aplicación y escribir nuestros primeros textos.

Con estos sencillos pasos podemos decir que hemos puesto la primera piedra. A partir de aquí sólo es necesario añadir diapositivas hasta completar los contenidos de la presentación.

> **Nota:**
>
> *Si necesita crear una nueva presentación desde el entorno de PowerPoint utilice el comando* Nuevo *situado entre las opciones del menú* Archivo.

Añadir nuevas diapositivas

Una vez creada la presentación, el siguiente paso sería incluir tantas diapositivas como necesite hasta completarla. Una forma de añadir una nueva diapositiva es utilizar el botón **Nueva diapositiva** de la ficha Inicio. Este botón se encuentra dividido en dos partes, la zona superior añade directamente una nueva dispositiva del último modelo utilizado. En cambio, haga clic sobre la zona inferior y tendrá acceso a la galería de diseños como puede comprobar en la figura 15.3.

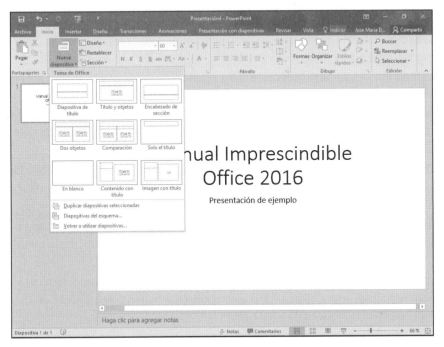

Figura 15.3. Modelos de diapositivas disponibles.

> **Truco:**
>
> *La forma más rápida de añadir una nueva diapositiva a la presentación es utilizar la combinación de teclas* **Control-M**. *También puede hacer clic con el botón derecho sobre el panel* Tira de diapositivas *y seleccionar el comando* Nueva diapositiva.

Cada uno de los modelos de diapositivas disponibles está destinado para un fin concreto, aunque como podrá comprobar un poco más adelante todo lo podremos adaptar y configurar a nuestro gusto. A continuación describimos brevemente el propósito de los diferentes diseños:

- Diapositivas de título: Incluye un campo de texto principal para títulos y espacio debajo para un subtítulo o cualquier otro texto.
- Título y objetos: Además del título en la parte superior, dispone de espacio para texto y un pequeño cuadro con seis opciones como puede ver en la figura 15.4.

Sería suficiente con hacer clic sobre estos accesos directos para añadir a la diapositiva tablas, gráficos de datos, objetos SmartArt, imágenes o incluso vídeos.

- **Encabezado de sección**: Es un típico diseño para diapositivas de cabecera pensadas cara contener títulos o encabezados.

- **Dos objetos**: Un modelo útil a la hora de mostrar comparativas o si necesita añadir dos objetos de diferente tipo en una misma diapositiva. Por ejemplo, una tabla con información y un gráfico de datos.

- **Comparación**: Es prácticamente idéntico al diseño anterior, pero añade un pequeño encabezado para escribir un título o cualquier otro texto encima de cada cuadro.

- **Solo el título**: Bueno, su nombre lo dice todo, únicamente muestra un espacio para añadir un título. Puede ser una buena opción para la primera diapositiva de la presentación.

- **En blanco**: Cada uno de los elementos descritos hasta ahora se puede añadir manualmente: cuadros de texto, imágenes, tablas, etcétera. Si desea configurar su propio diseño de diapositiva este sería un buen punto de partida.

- **Contenido con título**: En este caso, la distribución del espacio se hace horizontalmente, dejando el margen derecho para texto y el izquierdo tanto para texto como para cualquier tabla, imagen o gráfico.

- **Imagen con título**: Similar al modelo anterior pero, en este caso, pensado especialmente para aquellos casos en los que desee mostrar una imagen con un título y algo de texto explicativo a la izquierda.

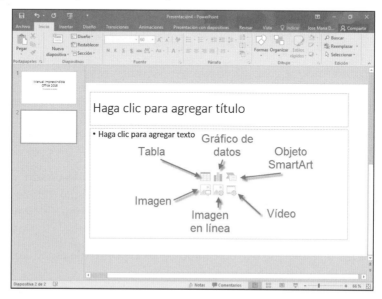

Figura 15.4. Objetos disponibles.

Después de crear la presentación, añadir nuevas diapositivas y de entender el sentido de los distintos modelos, puede aprovechar estos conocimientos para crear alguna presentación sencilla. Evidentemente aún queda mucho por descubrir, cómo dar formato a nuestras diapositivas, ejecutar la presentación y muchos otros temas que trataremos a continuación.

Truco:

Puede cambiar el modelo de cualquier diapositiva con tan sólo hacer clic con el botón derecho sobre ella y elegir el comando **Diseño***. Observe la figura 15.5.*

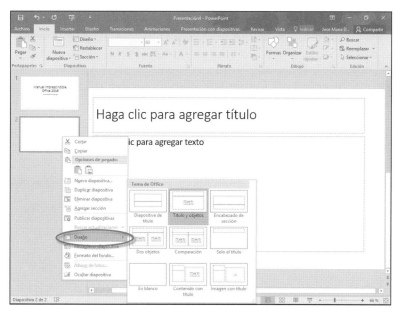

Figura 15.5. Cambiar diseño de diapositiva.

Desplazamiento entre las diapositivas de una presentación

Para desplazarnos por las diapositivas que componen la presentación seleccione cualquiera de ellas en el panel Tira de diapositivas y use las teclas del cursor o la rueda de su ratón. Además, desde cualquier pantalla puede utilizar las teclas **RePág**, **AvPág**, **Inicio** o **Fin** para retroceder, avanzar o ir hasta la primera o la última diapositiva de la presentación.

> **Nota:**
> *En el panel izquierdo, siempre que nos encontremos en la vista Normal, la diapositiva activa aparece rodeada por un rectángulo de color naranja.*

Eliminar diapositivas

Para eliminar una diapositiva, haga clic sobre ella en el panel Tira de diapositivas y después pulse la tecla **Supr**. También puede hacer clic con el botón derecho sobre la diapositiva y seleccionar el comando Eliminar diapositiva. Si hubiera algún problema, recuerde que siempre puede utilizar la combinación de teclas **Control-Z** para deshacer la última acción o utilizar el comando Deshacer de la barra de acceso rápido.

Cambiar el orden de las diapositivas

Si necesita modificar la posición de una diapositiva dentro de la presentación, el método más sencillo es utilizar el panel Tira de diapositivas:

1. Haga clic sobre la vista preliminar que representa la diapositiva que desea mover y mantenga pulsado el botón izquierdo del ratón al mismo tiempo que arrastras la diapositiva.

2. Cuando se encuentre en la posición adecuada, suelte el botón del ratón.

Ejecutar la presentación

Seguro que está deseando probar la presentación aunque todavía no sea demasiado espectacular pero, no se preocupe, poco a poco la iremos mejorando. En definitiva, si quiere ver el resultado de su trabajo utilice alguno de estos métodos:

*   El comando Desde el principio situado en la ficha Presentación con diapositivas.

*   El comando Desde la diapositiva actual situado en la misma ficha, ejecuta la presentación desde el punto en el que nos encontremos.

*   Pulse la tecla **F5**.

*   Utilice el comando Presentación desde el principio situado en la barra de acceso rápido.

*   Haga clic sobre el botón **Presentación con diapositivas** situado en la barra de tareas.

Nota:

Utilice alguno de los métodos que ya conoce para guardar la presentación. No es un paso imprescindible pero sí muy recomendable.

En la figura 15.6 hemos señalado algunas de las opciones disponibles en el entorno de PowerPoint para iniciar la presentación. El aspecto de nuestra pantalla después de ejecutar la presentación será similar al que puede ver en la figura 15.7. Para volver al entorno de PowerPoint, utilice la tecla **Esc**.

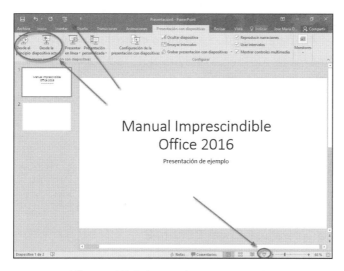

Figura 15.6. Iniciar la presentación.

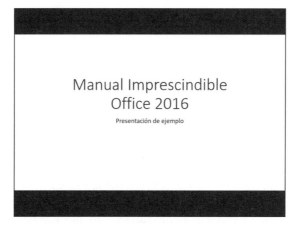

Figura 15.7. Presentación en ejecución.

Una vez en el modo de ejecución, es necesario conocer la forma de movernos a través de las diapositivas de la presentación. En la tabla 15.1 encontrará una lista de los métodos más habituales.

Tabla 15.1. Controles utilizados durante la ejecución de la presentación.

Para	Utiliza
Avanzar a la siguiente diapositiva	**Intro**, **AvPág**, **Barra espaciadora**, flecha abajo, flecha derecha o clic en el botón izquierdo del ratón
Retroceder a la diapositiva anterior	**RePág** o flecha izquierda o flecha abajo
Ir a una diapositiva determinada	<número diapositiva>-**Intro**
Alternar entre una pantalla en negro y la presentación	**Mayús-N** o . (punto)
Alternar entre una pantalla en blanco y la presentación	**Mayús -B** o ; (punto y coma)
Detener o reiniciar una presentación con diapositivas automáticas	**D** o **+**
Borrar anotaciones de la pantalla	**E**
Regresar a la primera diapositiva	**Inicio**
Ir hasta la última diapositiva	**Fin**
Mostrar el puntero de anotaciones	**Control-P**
Mostrar el puntero	**Control-L**
Presentar el menú contextual	**Mayús-F10** (o hacer clic con el botón derecho del ratón)
Finalizar la presentación	Tecla **Esc**, la combinación **Control-Pausa** o el "-".

Modificar la secuencia de ejecución

Por defecto la secuencia de ejecución de la presentación vendrá definida por la disposición de sus diapositivas. Si lo necesita, puede crear una presentación a medida ejecutando cada una de las diapositivas en un orden distinto al que originalmente ocupan. Haga clic sobre el comando Presentación personalizada de la ficha Presentación con diapositivas y elija la única opción disponible. En ese momento, PowerPoint mostrará un cuadro de diálogo con todas las presentaciones personalizadas. Inicialmente no debemos tener ninguna por lo que será necesario hacer clic en el botón **Nueva** para mostrar el cuadro de diálogo que aparece en la figura 15.8.

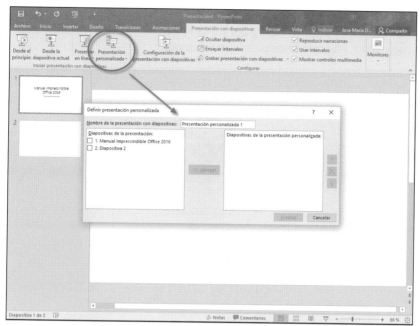

Figura 15.8. Definir presentación personalizada.

En el margen izquierdo del cuadro de diálogo **Definir presentación personalizada** encontrará todas y cada una de las diapositivas que componen la presentación. A partir de aquí, basta con seleccionar cualquiera de ellas y hacer clic en el botón **Agregar**. Además utilizando los botones **Subir** y **Bajar** puede aplicar el orden que desee al conjunto de diapositivas seleccionadas.

Truco:

Recuerde que no es necesario tener PowerPoint abierto para mostrar una presentación; es suficiente con hacer clic con el botón derecho sobre el archivo y seleccionar el comando **Mostrar.**

Anotaciones en tiempo de ejecución

PowerPoint permite realizar anotaciones sobre las diapositivas de la presentación mientras la ejecutamos. Esta posibilidad puede resultar útil a la hora de resaltar datos o fijar la atención sobre algún aspecto concreto. La forma de hacerlo sería la siguiente:

1. Ejecute la presentación. Recuerde que la forma más sencilla es utilizar la tecla de función **F5**.

2. Pulse la combinación de teclas **Control-P** o haga clic con el botón derecho sobre la presentación y seleccione Opciones del puntero; después, puede elegir entre Puntero láser, Pluma o Marcador de resaltado.

3. Haga clic y arrastre para dibujar o hacer cualquier anotación sobre la presentación. En la figura 15.9 puede ver un ejemplo. Evidentemente con el puntero láser sólo podrá señalar.

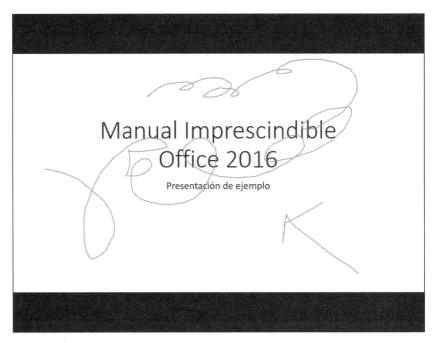

Figura 15.9. Anotaciones durante la ejecución de la presentación.

Truco:

Si quiere pinta líneas rectas horizontales o verticales, mantenga pulsada la tecla **Mayús**.

Si lo desea puede cambiar el color que utiliza el puntero para dibujar. Con alguna de las herramientas del puntero activada, haga clic con el botón derecho sobre la presentación y seleccione el comando Opciones del puntero>Color de lápiz.

Para salir del modo anotación lo más rápido es utilizar la combinación de teclas **Control-E**, aunque también puede hacer clic con el botón derecho sobre la presentación, elegir el comando Opciones del puntero y finalmente seleccionar la herramienta que esté utilizando para desactivarla.

Truco:

Utilice la tecla **E** *para borrar las anotaciones realizadas con el puntero. Este sería el método más rápido, pero también puede hacer clic con el botón derecho para seleccionar el comando* **Opciones del puntero** *y después elegir* **Borrador** *para eliminar sólo algunas anotaciones o el comando* **Borrar todas las entradas de lápiz de la diapositiva** *para eliminarlas todas.*

Plantillas predefinidas

Si en Word y Excel las plantillas son una parte importante del trabajo con estas aplicaciones, en PowerPoint se convierte en algo fundamental. Puede resultar relativamente frecuente utilizar un documento u hoja de cálculo en blanco pero en PowerPoint no es así. Nuestra recomendación es que utilice siempre algunas de las plantillas instaladas o recurrir al buscador de plantillas en línea para comenzar cualquier proyecto con diapositivas.

Truco:

Haga clic sobre cualquier modelo de plantilla para comprobar su aspecto y las diferentes combinaciones de colores disponibles, tal y como puede observar en la figura 15.10.

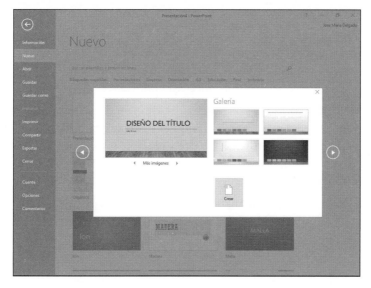

Figura 15.10. Aspecto de una diapositiva de título.

Vistas de la presentación

PowerPoint también dispone de varios modos de visualizar el contenido de la presentación. Los comandos situados en el grupo Vistas de presentación de la ficha Vista corresponden a todas las posibilidades de visualización disponibles dentro de PowerPoint; la descripción de cada una de ellas sería la siguiente:

- Normal: Es la vista que hemos estado utilizando hasta ahora y, como ya sabe, se encuentra dividida en tres paneles principales: tira de diapositivas, diapositiva, notas y, en determinadas circunstancias, también aparecerán paneles de tareas para complementar la función de algún comando.

- Vista Esquema: Muestra el panel Tira de diapositivas en modo texto mostrando toda la información que contiene cada una de las diapositivas de la presentación. Desde esta vista es posible añadir o modificar el texto de cualquier diapositiva de la presentación.

- Clasificador de diapositivas: Tras seleccionar esta vista aparece en pantalla una miniatura de todas las diapositivas que componen la presentación como puede comprobar en la figura 15.11, de tal forma que es sumamente sencillo cambiar de posición cualquiera de ellas, eliminar o incluir nuevas diapositivas.

- Página de notas: Muestra una página dividida en dos, con la diapositiva actual y un amplio espacio para incluir cualquier texto aclaratorio. Es la vista perfecta si tiene intención de imprimir la presentación y necesita aclarar conceptos ampliando su descripción mediante un comentario más extenso al que puede hacer referencia durante la presentación.

- Vista de lectura: Utilice esta vista para revisar su presentación, corregir errores y comprobar su aspecto final. También le puede servir si se encuentra con otra persona y quiere presentarle su idea de forma cercana.

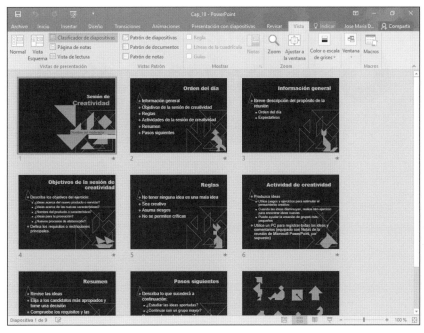

Figura 15.11. Clasificador de diapositivas.

Resumen

Una vez planificado el trabajo sólo queda sentarnos delante de nuestro equipo y comenzar a crear la presentación en PowerPoint. Para diseñar cada una de las diapositivas deberá elegir entre los diferentes modelos que incluye el programa en los que se combinan: cuadros de textos, espacios para gráficos, hojas de datos, sonidos, vídeos...

Además de los modelos de diapositivas, PowerPoint incluye un buen número de plantillas prediseñadas que nos pueden ahorrar mucho tiempo y trabajo a la hora de llevar a cabo nuestros proyectos.

16

Mejorar la presentación

En este capítulo aprenderá a:

- Utilizar las reglas, guías y cuadrícula.
- Añadir nuevos elementos a una diapositiva.
- Modificar el formato de la diapositiva.
- Trabajar con los patrones de diapositivas.
- Incluir imágenes y formas.
- Organizar objetos.
- Insertar audio y vídeo.
- Incluir notas del orador.
- Crear un álbum de fotos con PowerPoint.

Reglas, guías y cuadrícula

Antes de empezar con la descripción de los distintos métodos para incluir y editar elementos en una diapositiva, es necesario conocer las reglas, las guías y la cuadrícula. Estos elementos son esenciales para situar de forma precisa cualquier objeto dentro de la diapositiva.

Para mostrar las reglas en el panel Diapositiva, haga clic sobre el comando Regla situado en el grupo Mostrar de la ficha Vista. Las reglas se usan como ayuda para colocar elementos en un punto exacto de la diapositiva o para alinear varios objetos. Puede ver que tanto en la regla vertical como en la horizontal, aparece una línea punteada representando el punto exacto sobre el que se encuentra el cursor en cada momento.

Las guías y la cuadrícula tienen como objetivo la alineación de objetos tanto vertical como horizontalmente. Una de sus ventajas con respecto a las reglas es que al acercar el extremo de un objeto a la guía más cercana éste se fija a ella automáticamente facilitando el trabajo.

Para mostrar las guías y la cuadrícula, haga clic en las casillas de verificación Líneas de la cuadrícula y Guías situadas en el grupo Mostrar de la ficha Vista. También puede hacer clic sobre el pequeño icono que hemos resaltado en la figura 16.1 para mostrar el cuadro de diálogo Cuadrículas y guías:

- La primera opción permite activar el ajuste automático de objetos a la cuadrícula.
- La segunda sección sirve para ocultar o mostrar la cuadrícula y configurar el espacio entre sus líneas.
- Por último, utilice las opciones de la sección Configuración de las guías para activar o desactivar las guías de dibujo y las guías inteligentes.

Añadir nuevas guías

Por defecto, al activar las guías aparecerá una línea vertical y otra horizontal, pero puede añadir tantas como necesite:

1. Haga clic sobre la guía vertical u horizontal según la posición de la nueva guía que desee añadir. Observe los valores que aparecen junto al cursor; estos números corresponden a la posición de la guía.

2. Mantenga pulsada la tecla **Control** y sin soltar, arrastre el cursor. Compruebe como la guía seleccionada permanece y se crea una nueva. Ahora la etiqueta muestra la distancia de la nueva guía con respecto al punto cero de la regla.

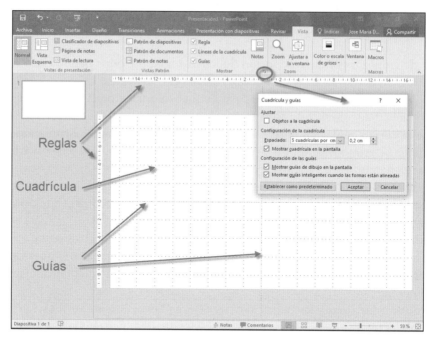

Figura 16.1. Cuadro de diálogo Cuadrículas y guías.

Del mismo modo, puede modificar la posición de cualquier guía colocando el cursor sobre ella, haciendo clic y arrastrando. Para eliminar una guía es suficiente con moverla fuera de la diapositiva.

Advertencia:

Para modificar su posición o añadir nuevas guías le recomendamos seleccionarlas fuera de los límites de la diapositiva para que no interfiera con otros elementos, como cuadros de texto o imágenes.

Cuadros de texto

Lo más habitual será utilizar algunos de los modelos de diapositiva donde de manera predefinida se combinan distintos tipos de cuadros de texto, pero si necesita crear su propio diseño, a continuación describimos los pasos necesarios para añadir un cuadro de texto:

1. En el panel izquierdo seleccione la diapositiva en la que quiere incluir el cuadro de texto o utilice algunas de las combinaciones de teclado disponibles para llegar hasta ella.

2. Seleccione el comando **Cuadro de texto** en el grupo **Texto** de la ficha **Insertar**. Compruebe como el cursor se convierte en una pequeña cruz invertida.

3. Haga clic en el punto donde quiere situar la esquina superior izquierda del cuadro de texto y arrastre para determinar el ancho, ya que el alto vendrá definido por el texto que escriba dentro del cuadro.

Una vez creado el cuadro de texto puede modificar sus dimensiones utilizando los pequeños círculos situados alrededor. También es posible cambiar su posición si hace clic sobre el borde, mantiene pulsado el botón izquierdo del ratón y arrastra.

Advertencia:

Si una vez definido el cuadro de texto no escribe ningún texto en su interior, desaparecerá al hacer clic en cualquier otro punto de la diapositiva.

Insertar imágenes y formas

No hay nada especial a la hora de insertar en PowerPoint gráficos, imágenes procedentes de Internet o capturas de pantalla. Para estos casos utilice los comandos de los grupos **Imágenes** e **Ilustraciones** de la ficha **Insertar**. Otra forma de añadir estos elementos es utilizar alguno de los modelos de diapositivas diseñados para contener elementos multimedia y hacer clic sobre los iconos que hemos señalado en la figura 16.2.

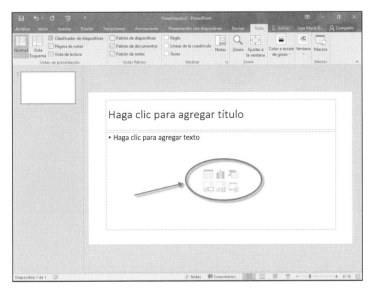

Figura 16.2. Iconos desde los que puede añadir una imagen o ilustración a la diapositiva.

La forma de modificar el tamaño, la posición o la orientación de cualquier imagen o forma es la misma que ya tratamos en los capítulos dedicados a Word. Del mismo modo, PowerPoint muestra la categoría **Herramientas de imagen** o **Herramientas de dibujo** cada vez que seleccione uno de estos elementos en alguna diapositiva.

SmartArt

Con SmartArt puede añadir atractivos organigramas y esquemas gráficos como puede comprobar en la figura 16.3. La manera de insertar cualquiera de estos elementos es muy sencilla, abra la ficha **Insertar** y en el grupo **Ilustraciones** seleccione el comando **SmartArt**. El cuadro de diálogo asociado muestra en el margen izquierdo las diferentes categorías disponibles. Haga clic sobre cualquiera de ellas para tener acceso a todas sus posibilidades.

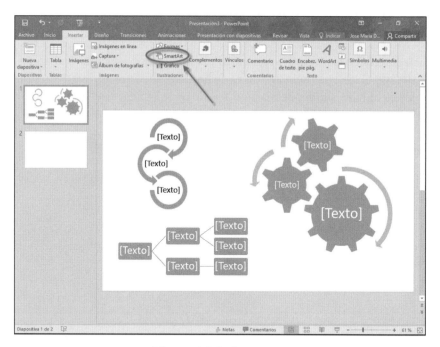

Figura 16.3. SmartArt.

Una de las grandes ventajas que ofrecen los SmartArt es que se tratan de gráficos vectoriales, es decir, puede alterar su tamaño sin que se vean afectadas su legibilidad o nitidez. Por otra parte, el tamaño de este tipo de archivo es mucho menor que los gráficos o imágenes tradicionales.

Truco:

Cada uno de objetos que forman el SmartArt se pueden modificar de manera independiente. Simplemente necesita hacer clic sobre para moverlo, cambiar su proporciones, borrarlo, girarlo, etcétera.

Formas

No existe ninguna diferencia entre las opciones del grupo Ilustraciones de la ficha Insertar de PowerPoint y las que conocemos de Word o Excel. La manera de añadir imágenes o formas y cambiar su aspecto tampoco es diferente.

Haga clic sobre el icono Formas, elija el modelo que necesite y dibújelo sobre la diapositiva hasta que tenga las dimensiones deseadas. Seleccione la forma para mostrar en la cinta de opciones la categoría Herramienta de dibujo donde encontrará los comandos necesarios para trabajar con este tipo de gráficos. Otra opción es hacer clic con el botón derecho sobre la forma y seleccionar el comando Formato de forma. En este caso, aparecerá en el margen derecho el panel del mismo nombre con varias categorías representadas en la parte superior por tres iconos como puede observar en la figura 16.4. Cada uno de ellos agrupa las diferentes posibilidades de formato vinculadas a este tipo de elementos.

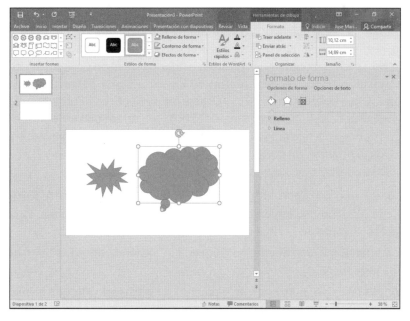

Figura 16.4. Panel Formato de forma.

Nota:

En cierto modo PowerPoint trata el texto como objetos gráficos y permite aplicarle muchas de las opciones de formato disponibles para formas.

Otra de las posibilidades que ofrece PowerPoint con respecto a las formas es la de convertirlas en contenedores de texto. Haga doble clic sobre la forma y al instante aparecerá el cursor en su interior para que pueda asociarle el texto que necesite.

El catálogo de formas es bastante amplio. Aún así si no encuentra el objeto que necesita puede cambiar el aspecto de alguno de los modelos disponibles:

1. Haga clic con el botón derecho sobre el objeto que desea modificar.

2. En el menú emergente seleccione el comando Modificar puntos.

3. Utilice los pequeños cuadrados que aparecen sobre el contorno de la forma para modificar su apariencia. Sólo es necesario hacer clic y sin soltar el botón del ratón, arrastrar.

Organizar objetos

Una diapositiva es como un pequeño lienzo donde iremos colocando imágenes, textos, formas o cualquier otro objeto que consideremos útil para nuestra presentación. Con todo esto, seguro que en más de una ocasión surgirá la necesidad de alinear varios objetos, agruparlos para aplicarles efectos o tratarlos de forma conjunta, cambiar el orden de apilado, etcétera. Todas estas operaciones las puede llevar a cabo mediante los comandos disponibles en el grupo Organizar de las fichas Formato asociadas a las categorías especiales Herramientas de dibujo y Herramientas de imagen como puede comprobar en la figura 16.5. En la ficha Inicio, el comando Organizar vinculado al grupo Dibujo también dispone de estas opciones.

A continuación describimos el significado de los más importantes:

•   Agrupar: Permite acoplar los objetos seleccionados en uno solo. A partir de ese momento, su comportamiento y sus propiedades quedan unidas. Para poder utilizar este comando los objetos deben ser del mismo tipo.

•   Desagrupar: Realiza la operación contraria al comando anterior, liberando cada uno de los objetos.

•   Reagrupar: Vuelve a agrupar un elemento desagrupado sin que sea necesario seleccionar los objetos de nuevo.

•   Traer al frente: Mueve el objeto hasta situarlo delante de todos los demás.

- **Enviar al fondo:** Coloca el objeto detrás de todos los objetos de la diapositiva.
- **Traer adelante:** Adelanta el objeto una posición.
- **Enviar atrás:** Retrasa el objeto una posición.
- **Alinear:** Determina la alineación de los objetos según diferentes criterios.
- **Girar o Voltear:** Permite aplicar valores de giro a los objetos o rotar los elementos seleccionados horizontal o verticalmente.

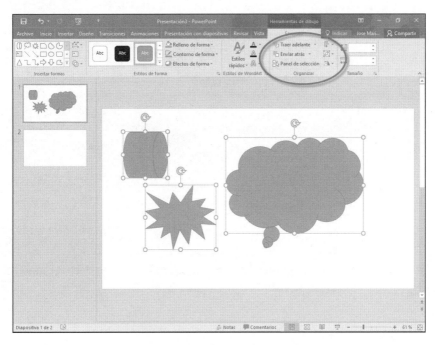

Figura 16.5. Grupo Organizar.

Algo evidente pero que no debe olvidar es seleccionar los objetos que desea organizar antes de ejecutar cualquiera de los comandos referidos en los puntos anteriores. Recuerde que debe mantener pulsada la tecla **Control** al mismo tiempo que hace clic sobre los elementos que desea incluir en la selección.

Otra forma de seleccionar los elementos incluidos en una diapositiva es utilizar el panel Selección. Haga clic en el comando Panel de selección situado tanto en las fichas Formato como en el icono Seleccionar de la ficha Inicio. Como puede observar en la figura 16.6, el panel muestra todos los elementos incluidos en la diapositiva. Para seleccionar individualmente cualquiera de ellos simplemente haga clic sobre su nombre y en el caso de necesitar más de uno, mantenga pulsada la tecla Control.

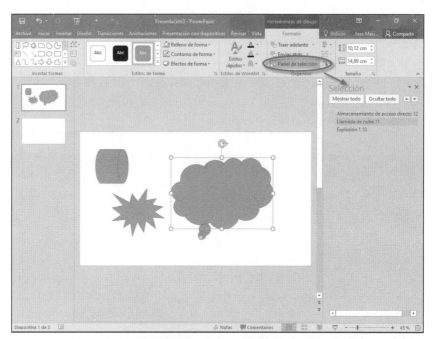

Figura 16.6. Panel Selección.

> **Truco:**
>
> *El pequeño símbolo situado a la derecha del nombre de cada objeto en el panel* **Selección** *permite ocultar o mostrar temporalmente cualquiera de ellos.*

Audio y vídeo

Puede incluir en sus presentaciones de PowerPoint fragmentos de vídeo, audio e incluso, grabaciones de pantalla. Existen básicamente dos formas de añadir estos elementos a una diapositiva: El primero de ellos sería utilizar los comandos situados en el grupo **Multimedia** de la ficha **Insertar**. El segundo es recurrir de nuevo a uno de los modelos de diapositivas con espacio reservado para elementos especiales.

Seleccione el comando **Vídeo** y comprobará que ofrece dos posibilidades: **Vídeo en Mi PC** no tiene demasiada explicación, simplemente permite elegir algún archivo de vídeo que tengamos en nuestro equipo y lo añade a la presentación. En cambio, **Vídeo en línea** muestra el cuadro de diálogo que aparecen en la figura 16.7 donde puede recurrir a la fuente de vídeos más extensa del mundo, Youtube y añadir el que más le guste a su presentación. También puede utilizar OneDrive o si dispone de algún enlace, pegar el código en el cuadro de texto indicado.

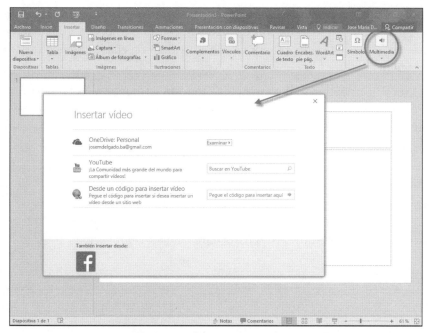

Figura 16.7. Insertar vídeo.

Nota:

Si dispone de una cuenta de Facebook, también puede añadir elementos multimedia desde esta red social con tan sólo hacer clic sobre su conocido logo en la ventana **Insertar vídeo**.

A la hora de añadir un fragmento de audio, el comando disponible en el grupo **Multimedia** permite seleccionarlo de nuestro propio equipo o realizar una grabación en ese instante si dispone del hardware adecuado. En este último caso, PowerPoint muestra el cuadro de diálogo **Grabar sonido** donde podrá asignar un nombre al archivo y utilizar los controles básicos de reproducción.

Nota:

Office adapta el contenido de la cinta de opciones a la resolución de su dispositivo, modificando el aspecto de los iconos y elementos que componen cada grupo. Por este motivo, es posible que algunas capturas de pantalla del libro no coincidan exactamente con su configuración.

Por último, una interesante característica a la hora de realizar sencillos tutoriales. Se trata de la herramienta Grabación en pantalla con la que podrá grabar todas las acciones realizadas en su ordenador y crear un vídeo con ellas para mostrarlas en la presentación:

1. Después de seleccionar el comando Grabación en pantalla en la ficha Insertar, nuestro escritorio debería tener un aspecto similar al que puede ver en la figura 16.8.

2. El siguiente paso será seleccionar el área donde ocurrirán las acciones que desea grabar. Puede ser la ventana de una aplicación o simplemente una parte del escritorio. Haga clic y arrastre hasta definir la zona deseada.

3. A continuación, haga clic sobre el botón **Grabar** y realice todas aquellas acciones que desee mostrar en el vídeo. El mensaje inicial indica que debe utilizar la combinación de teclas **Windows-Mayús-Q** para detener la grabación.

> **Nota:**
>
> *Si su equipo dispone de micrófono puede añadir una locución a la grabación. También es posible ocultar o mostrar el cursor del ratón mediante el icono situado en el extremo derecho de la barra de grabación.*

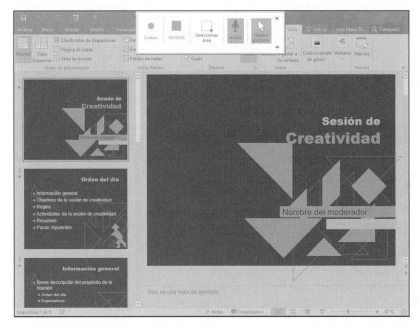

Figura 16.8. Grabación en pantalla.

Gráficos de datos

Ya conoce como funciona una hoja de cálculo y como se manejan los gráficos de datos. Si necesita incluir un gráfico de datos en una diapositiva puede utilizar alguno de los modelos de diapositivas que incluyen objetos y hacer clic sobre el icono simbolizado por un pequeño gráfico de barras. PowerPoint mostrará un gráfico de ejemplo y una pequeña hoja de datos para que introduzca la información que desea representar. En la figura 16.9 puede ver un ejemplo.

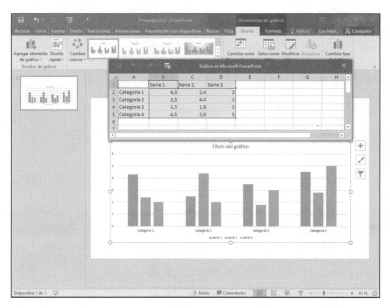

Figura 16.9. Aspecto de PowerPoint mientras trabajamos con un gráfico de datos.

Para terminar la creación del gráfico, cierre la ventana de datos. Como puede comprobar, PowerPoint muestra una nueva categoría en la cinta de opciones denominada **Herramientas de gráficos** con dos fichas en las que encontrará muchas de las funciones y comandos tratados en los capítulos dedicados a Excel.

Otra forma de incluir un gráfico de datos en una diapositiva sería utilizar el comando **Gráfico** situado en el grupo **Ilustraciones** de la ficha **Insertar**.

Nota:

Puede modificar las dimensiones de cualquier objeto, incluidos los gráficos de datos, mediante los pequeños círculos que lo rodean así como su posición, haciendo clic sobre ellos y arrastrando.

Editar gráficos de datos

Seleccione el gráfico de datos y en el margen superior derecho encontrará los mismos iconos que ya describimos en los capítulos anteriores y que le permitirán:

- Mostrar u ocultar los diferentes elementos del gráfico.
- Cambiar el modelo de gráfico.
- Seleccionar las series y categorías que desea representar.

Para editar los datos asociados a un gráfico, haga clic para seleccionarlo y a continuación elija el comando Modificar datos en la ficha Diseño de la categoría Herramientas de gráficos. Cuando termine, simplemente cierre la ventana de datos.

Truco:

En la parte superior de la ventana de datos se encuentra el pequeño icono que hemos resaltado en la figura 16.10. Haga clic sobre él y podrá editar la información directamente en Excel. También puede utilizar el comando Editar datos en Excel *asociado al icono* Modificar datos *de la ficha* Diseño *asociada a la categoría* Herramientas de gráficos.

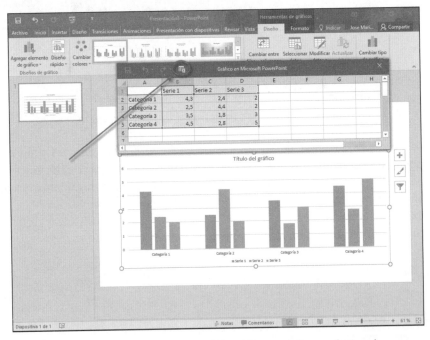

Figura 16.10. Abrir datos del gráfico en Microsoft Excel.

Además de los diferentes estilos disponibles para gráficos, el comando Diseño rápido permite elegir entre varias configuraciones, algunas de ellas realmente útiles y atractivas.

Formato y efectos de texto

La forma de aplicar formato al texto en PowerPoint es idéntica a la descrita en los capítulos dedicados a Word. El acceso a los comandos habituales de formato se encuentra en los grupos Fuente y Párrafo de la ficha Inicio. En este último encontramos algunas opciones específicas destinadas a PowerPoint:

- Dirección del texto: Permite colocar el texto en vertical, horizontal, apilado... Si con las opciones por defecto no es suficiente puede utilizar el comando Más opciones.

- Alinear texto: Establece el ajuste vertical del texto, arriba, abajo o centrado.

- Convierte en un gráfico SmartArt: Transforma el cuadro de texto en un objeto SmartArt, añadiendo vistosos gráficos de niveles o esquema.

> **Nota:**
>
> *Los métodos de selección de texto también son idénticos a los descritos para el procesador de textos. En realidad, estos pequeños detalles forman parte de las grandes de ventajas de Office.*

Efectos

Inicialmente podríamos pensar que los comandos y las opciones disponibles en el grupo Dibujo están destinados al trabajo con formas. Bien, esto es cierto pero muchos de ellos también se pueden utilizar sobre el texto de nuestras diapositivas consiguiendo resultados tan atractivos como los que muestra la figura 16.11.

Seleccione un cuadro de texto y juegue un poco con las posibilidades de los comandos Estilos rápidos y Efecto de forma. Recuerde que puede aplicar de forma provisional el efecto simplemente colocando el cursor sobre él.

> **Advertencia:**
>
> *Los efectos del grupo Dibujo se aplican sobre todo el contenido del cuadro de texto.*

Figura 16.11. Algunos efectos de forma aplicados sobre cuadros de texto.

Una forma realmente cómoda de aplicar efectos al texto dentro de una diapositiva de PowerPoint es utilizar el panel Formato de forma en su configuración destinada a las opciones de texto. Para mostrarlo, haga clic con el botón derecho del ratón sobre el texto que desea modificar y seleccione el comando Aplicar formato a los efectos de texto. Al instante aparecerá el panel en el margen izquierdo de la ventana. En la parte superior debe seleccionar Opciones de texto para tener acceso a las opciones dirigidas a este tipo de elementos. Además, las posibilidades del panel se encuentran divididas en tres grupos representados por tres iconos como puede observar en la figura 16.12.

Estilos de WordArt

Seleccione algún cuadro de texto y observe como la cinta de opciones muestra una nueva categoría denominada Herramientas de dibujo. Haga clic sobre la ficha Formato asociada a esta categoría y tendrá acceso a numerosas posibilidades relacionadas con el trabajo de formas. También, el grupo Estilos de WordArt dispone de comandos que permiten mejorar la apariencia de los textos de nuestras presentaciones. Sitúe el cursor sobre los diferentes estilos para comprobar su aspecto sobre el texto seleccionado. También son interesantes las opciones Relleno de texto para cambiar el color de fondo de los caracteres, Contorno de texto para cambiar el tono del borde y la última, Efectos de texto para aplicar increíbles transformaciones como puede comprobar en la figura 16.13.

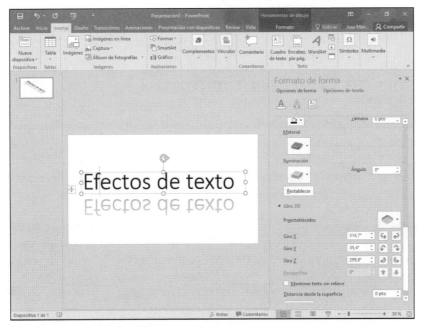

Figura 16.12. Panel Formato de forma en su configuración para opciones de texto.

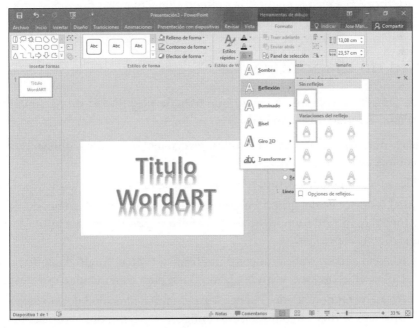

Figura 16.13. Efectos de texto.

Una de las ventajas de los estilos WordArt es que puede aplicarlos sobre palabras o frases y no necesariamente sobre todo el contenido del cuadro de texto.

Diseño de la presentación

Para cambiar el aspecto de todas las diapositivas de la presentación, haga clic sobre la ficha Diseño y seleccione alguno de los temas disponibles. De nuevo, es suficiente con situar el cursor encima de cualquiera de ellos para comprobar al instante sus efectos sobre la diapositiva actual. Además, para cada tema existen diversas combinaciones de colores disponibles en el grupo Variantes.

> **Nota:**
>
> *Entre las posibilidades disponibles en la ficha* Diseño, *seleccione la opción* Personalizar *para acceder al comando* Tamaño de diapositiva. *En la actualidad es común encontrar tanto equipos con pantallas estándar (4:3) como panorámicas 16:9, esta opción le permitirá elegir el formato más adecuado en cada caso.*

El comando Ideas de diseño se encuentra disponible únicamente para los suscriptores de Office 365. Permite analizar la presentación y plantear diferentes propuestas para mejorar el resultado final del proyecto.

Fondo de diapositiva

Otra de las propiedades de formato que tiene la posibilidad de personalizar en PowerPoint, el fondo de la diapositiva:

1. Elija la diapositiva que desea modificar en el panel izquierdo o utilizando alguna combinación de teclas.

2. En la cinta de opciones, compruebe que se encuentra seleccionada la ficha Diseño.

3. Entre las opciones del grupo Personalizar, haga clic sobre el comando Formato del fondo. Al instante, tendrá acceso al panel que puede ver en la figura 16.14 con las siguientes opciones:

   - Relleno sólido: Aplica un color uniforme a todo el fondo de la diapositiva. Utilice el icono asociado a la opción Color para elegir el tono que desee.

   - Relleno con degradado: Puede elegir alguno de los modelos de degradados preestablecidos y a continuación configurarlos con todas las opciones disponibles.

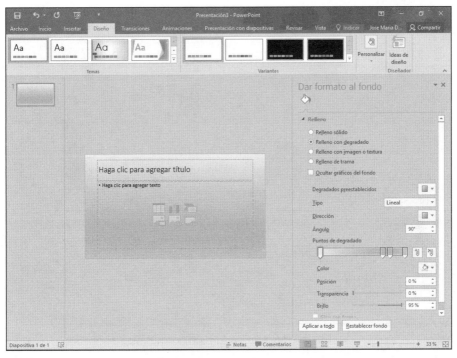

Figura 16.14. Panel Dar formato al fondo.

- **Relleno con imagen o textura:** La primera parte permite elegir una imagen almacenada en el equipo mediante el botón **Archivo** o descargarla desde Internet con el botón En línea. Si desea utilizar una textura, haga clic sobre el botón que hemos resaltado en la figura 16.15 para elegir alguno de los modelos disponibles.

- **Relleno de trama:** Una trama suele ser un dibujo sencillo que sigue un determinado patrón. En la sección Trama puede seleccionar alguno de los modelos disponibles y con el botón de relleno puede aplicarle el tono que desee.

- **Ocultar gráficos del fondo:** Esta opción sirve para evitar que la diapositiva muestre el motivo de fondo asociado al tema de la presentación, dando prioridad a la combinación elegida por nosotros en el panel Dar formato al fondo.

Una vez realizados los ajustes, los cambios quedarán fijados únicamente sobre la dispositiva actual pero si desea usarlos sobre toda la presentación haga clic en el botón **Aplicar a todo**. Si necesita devolver la diapositiva a su estado original utilice el botón Restablecer fondo.

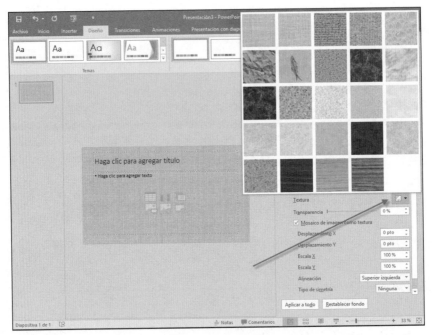

Figura 16.15. Texturas disponibles.

Truco:

Después de añadir una imagen como fondo o utilizar alguna de las texturas disponibles, pruebe a desplazar el regulador Transparencia *del panel* Dar formato al fondo *para cambiar el grado de opacidad del efecto.*

Patrón de diapositivas

El patrón de diapositivas resulta útil para aplicar propiedades de formato a todas las diapositivas de una misma presentación, ganando en homogeneidad, diseño y rapidez. Por ejemplo, imagine que quiere incluir el logotipo de su empresa en todas las diapositivas de la presentación. En este caso tiene dos posibilidades, hacerlo una a una o utilizar el patrón de diapositivas insertando el logotipo una sola vez como describimos a continuación:

1. Suponemos que tiene abierta la presentación sobre la que desea hacer los cambios.

2. En la cinta de opciones seleccione la ficha Vista.

3. Haga clic sobre el comando Patrón de diapositivas situado en el grupo Vistas Patrón. La ventana de PowerPoint cambia de aspecto y la cinta de opciones

muestra la ficha **Patrón de diapositivas** en primer plano como puede ver en la figura 16.16.

4. En el margen izquierdo aparecerán los diferentes patrones asociados a los modelos de diapositivas disponibles. Sitúe el ratón sobre cualquiera de ellas y además de su título mostrará el número de diapositivas de la presentación que utilizan ese diseño.

5. Utilice todo lo aprendido hasta ahora para añadir imágenes, formas, títulos o cualquier texto a los diferentes patrones. Puede utilizar los elementos que necesite de la cinta de opciones y volver de nuevo a la ficha **Patrón de diapositivas** cuando haya terminado.

6. Para finalizar, haga clic en el botón **Cerrar vista Patrón** situado en la ficha **Patrón de diapositivas** y compruebe como los cambios se aplican sobre todas las diapositivas de la presentación.

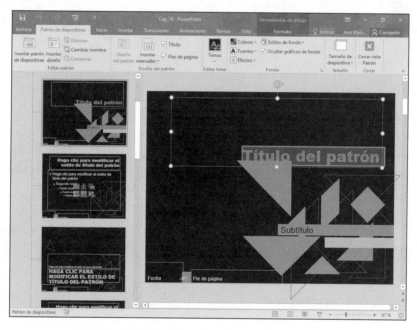

Figura 16.16. Vista Patrón de diapositivas.

Incluir direcciones de Internet y otros vínculos

En estos tiempos que vivimos, ya no podemos pasar por alto Internet y sus posibilidades. Como no podía ser de otro modo, PowerPoint también ofrece la posibilidad de incluir enlaces a direcciones Web o de correo electrónico dentro de sus presentaciones. La forma de hacerlo sería la siguiente:

1. Seleccione la diapositiva donde desea incluir el enlace.

2. Cree un nuevo cuadro de texto o seleccione uno ya existente.

3. En la cinta de opciones, haga clic sobre la ficha Insertar.

4. A continuación, ejecute el comando Hipervínculo situado en el grupo Vínculos.

5. En el margen izquierdo del cuadro de diálogo seleccione el tipo de vínculo. La primera de ellas es la elección adecuada si desea incluir una dirección de Internet.

6. El siguiente paso será escribir el texto del enlace. Puede hacerlo directamente o seleccionar la opción Páginas consultadas para elegir alguna de las últimas direcciones visitadas en su navegador.

7. Para finalizar, haga clic en **Aceptar**.

Nota:

También puede utilizar los accesos directos situados en el margen izquierdo del cuadro de diálogo para enlazar con los últimos archivos utilizados, algún lugar dentro de la presentación, a un nuevo documento o a una dirección de correo electrónico.

Corrector ortográfico

El corrector ortográfico de PowerPoint tampoco difiere del que hemos visto en el resto de aplicaciones de Office. En este caso, después de ejecutarlo revisará todas las diapositivas de la presentación buscando posibles errores ortográficos.

Advertencia:

PowerPoint no dispone de un corrector gramatical como el descrito en Word.

Notas del orador

Las notas del orador son pequeños apuntes o incluso imágenes que se pueden incorporar a cada una de las diapositivas, pero que no aparecerán cuando ejecute la presentación. El fin de estas notas es ayudar a la persona que hará la presentación o servir como complemento para los asistentes. Si quiere aprovechar esta característica, siga estos pasos:

1. Elija la diapositiva a la que desea añadirle alguna nota.

2. Seleccione el icono resaltado en la figura 16.17 para mostrar el panel Notas. Este mismo icono también permite ocultarlo.

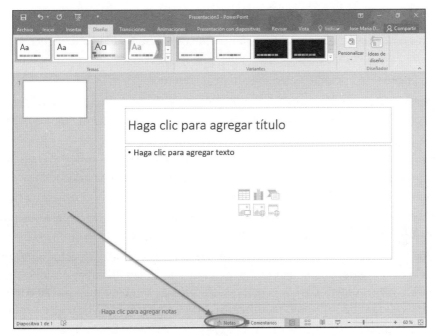

Figura 16.17. Panel Notas.

3.   Haga clic dentro del panel de notas y escriba el texto que desee.

El comando **Página de notas** que podrá encontrar en la ficha **Vista** ofrece la posibilidad de mostrar en una misma página tanto la diapositiva como la nota asociada. Puede utilizar esta vista para comprobar cómo quedaría el documento impreso si decide utilizar esta característica.

Nota:

Para modificar una nota sólo tiene que hacer clic de nuevo en el panel **Notas** *y cambiar lo que necesite.*

Álbum de fotos

PowerPoint dispone de una interesante herramienta que permite crear de una forma rápida y sencilla nuestros propios álbumes de fotos con todas las ventajas de las presentaciones. Es decir, hacer que pasen automáticamente las imágenes, añadir transiciones y efectos, etcétera.

Para crear un álbum de fotos con PowerPoint debe seguir estos pasos:

1. Cree una nueva presentación en blanco. Recuerde que puede utilizar el comando Nuevo del menú Archivo si tiene abierta la aplicación.

2. En la cinta de opciones seleccione la ficha Insertar.

3. Dentro del grupo Imágenes, haga clic sobre la parte superior del icono Álbum de fotografías y al instante, PowerPoint mostrará el cuadro de diálogo que puede ver en la figura 16.18.

4. Utilice el botón **Archivo o disco** si las imágenes se encuentran en alguna ubicación local. No hace falta incluirlas una a una, puede seleccionarlas todas o tantas como desee y añadirlas de una sola vez.

5. El botón **Nuevo cuadro de texto** añade una diapositiva en blanco para que pueda incluir un título para el álbum o cualquier otro texto que desee.

6. Una vez seleccionados los archivos que compondrán el álbum, estos aparecerán en la lista Imágenes del álbum. Desde aquí puede modificar su posición, eliminarlos y visualizarlos en la ventana Vista previa. También dispone de controles para voltear una imagen o modificar su brillo y su contraste bajo esta ventana.

7. Para terminar, haga clic en el botón **Crear**.

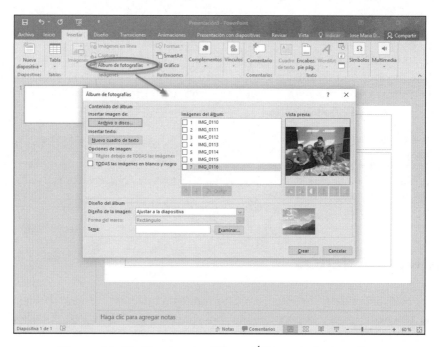

Figura 16.18. Cuadro de diálogo Álbum de fotografías.

Nota:

Los tres iconos situados bajo la lista Imágenes del álbum *permiten modificar la posición de cualquier imagen o eliminar alguna si fuera necesario.*

El apartado Diseño del álbum puede establecer el aspecto de las imágenes en cada diapositiva, elegir la forma del marco e incluso aplicar temas predefinidos.

Resumen

Las reglas y la cuadrícula son elementos que pueden resultar muy útiles para situar de forma precisa los elementos que formarán parte de la diapositiva.

Dentro de una diapositiva de PowerPoint puede incluir imágenes, sonidos, vídeos, tablas e incluso gráficos de datos. La forma más sencilla de incluir cualquiera de estos elementos es utilizar alguno de los modelos prediseñados de diapositivas que ya incluyen en su esquema la inserción de objetos multimedia.

PowerPoint pone a nuestra disposición multitud de posibilidades para modificar el aspecto del texto cambiando el tipo de fuente, añadiendo sombras, biseles o efectos tridimensionales.

17

Transiciones y efectos especiales

En este capítulo aprenderá a:

- Aplicar efectos especiales y transiciones.
- Añadir animaciones de texto.
- Utilizar viñetas gráficas.
- Crear botones de acción.
- Convertir en vídeo una presentación.

Introducción

En este capítulo describiremos algunas técnicas realmente atractivas para que nuestras presentaciones asombren y resulten mucho más convincentes.

Trataremos las transiciones como elemento principal a la hora animar una presentación, aunque también describiremos otras posibilidades como los efectos especiales para el texto. Este tipo de recursos son muy vistosos pero debe utilizarlos con prudencia para no sobrecargar la presentación.

Transiciones

Como ya hemos adelantado, las transiciones son un conjunto de animaciones diseñadas para pasar de una diapositiva a otra intercalando distintos tipos de efectos visuales. Para entenderlo mucho mejor veamos un ejemplo:

1. En el panel izquierdo, elija la diapositiva a la que desea añadir el efecto.
2. Seleccione en la cinta de opciones la ficha Transiciones.
3. Haga clic sobre alguno de los modelos de transición disponibles en el grupo Transición a esta diapositiva. PowerPoint mostrará una vista previa del efecto al seleccionarlo.

En la figura 17.1 puede comprobar el aspecto de la ficha Transiciones y el pequeño símbolo que aparece junto al número de diapositiva indicando que tiene asociada una transición.

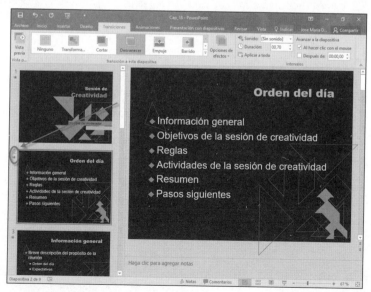

Figura 17.1. Aspecto de la ficha Transiciones y marca asociada a una diapositiva con transición.

El comando Opciones de efectos, muestra diferentes posibilidades relacionadas con cada modelo de transición. Por ejemplo, si selecciona Empuje podrá elegir la dirección desde la que aparecerá la siguiente diapositiva.

Además de la lista de transiciones, la ficha Transiciones muestra las siguientes opciones en el grupo Intervalos para configurar de manera precisa el comportamiento de la animación:

- Sonido: Mediante esta opción es posible asociar un sonido determinado a la transición. La lista de posibilidades es bastante amplia pero si desea incluir su propio archivo de sonido seleccione el comando Otro sonido.

- Duración: Establece el intervalo de tiempo que tarda en completarse la animación. Nuestro consejo es que no utilice valores excesivamente largos para evitar hacer demasiado pesada la animación.

- Aplicar a todo: Si lo desea, puede aplicar tanto la transición elegida como los ajustes a todas las diapositivas de la presentación.

- Al hacer clic con el mouse: Active esta casilla si quiere pasar a la siguiente diapositiva utilizando un clic de ratón.

- Después de: En esta ocasión puede decidir el tiempo en segundos que transcurrirá antes de pasar a la siguiente diapositiva de forma automática.

Nota:

Utilice el icono Vista previa *situado en el extremo izquierdo de la ficha* Transiciones *para comprobar el resultado de la configuración utilizada.*

Para modificar alguno de los valores de la transición, sólo es necesario seleccionar la diapositiva y utilizar de nuevo las opciones disponibles en la ficha Transiciones.

En la lista de transiciones, elija la opción Ninguno para eliminar el efecto de la diapositiva o diapositivas seleccionadas.

Truco:

Si quiere aplicar una transición a más de una diapositiva al mismo tiempo, debe seleccionarlas en primer lugar en el panel Tira de diapositivas. *Haga clic en la primera, mantenga pulsada la tecla* **Mayús** *y finalmente, seleccione la última de las diapositivas que desee incluir en la selección. La forma de seleccionar diapositivas no consecutivas es mantener pulsada la tecla* **Control**. *Una vez seleccionadas abra la ficha* Transiciones *para configurar el efecto.*

Efectos especiales para texto

Otra de las posibilidades de animación son los efectos de animación para el texto. Imagine que tiene una diapositiva donde se enumeran varios puntos pero no le interesa que aparezcan todos al mismo tiempo, sino uno tras otro después de explicar el significado de cada uno de ellos. Esta situación se resolvería del siguiente modo:

1. Elija la diapositiva que contiene el texto que necesita animar. Puede aplicar efectos sobre cualquier tipo de textos, aunque normalmente los resultados más espectaculares se consiguen sobre listas con viñetas o listas numeradas.

2. Seleccione el cuadro de texto que contiene la lista con viñetas sobre la que añadiremos los efectos.

3. En la cinta de opciones, seleccione la ficha **Animaciones**.

4. A partir de este momento, ya puede elegir el efecto que desee utilizar en el grupo **Animación**. Para mayor comodidad haga clic en el botón que hemos resaltado en la figura 17.2 y accederá todas las posibilidades disponibles. Del mismo modo que ocurría con las transiciones, PowerPoint muestra una vista previa del efecto cada vez que seleccione alguno de ellos.

5. Ejecute la presentación y compruebe el resultado de las animaciones.

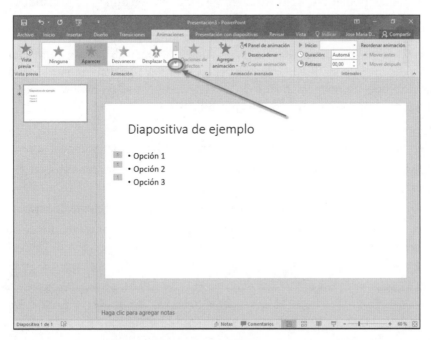

Figura 17.2. Animaciones para el texto.

PowerPoint, clasifica las animaciones de texto en tres categorías diferentes que describimos a continuación:

- Entrada: El texto no aparece en la diapositiva y la animación de texto se produce en el momento de mostrar la viñeta o el texto animado.

- Énfasis: En este caso, el texto ya se encuentra en la diapositiva. El efecto se reproduce cuando haga clic o pulse **Intro** para pasar de un punto a otro.

- Salir: Todo el texto aparece en el momento de presentar la diapositiva y desaparece de la diapositiva después de cada animación.

- Trayectorias de la animación: El texto aparece en la presentación, realiza la trayectoria elegida y vuelve a su punto de partida.

Del mismo modo que tratamos para las transiciones, las animaciones se pueden configurar y el significado de sus parámetros son los mismos. En el grupo Intervalos de la ficha Animaciones es posible establecer el método para mostrar la siguiente viñeta, normalmente un de clic de ratón o pulsar la tecla **Intro**, el tiempo que durará la animación o si es necesario aplicar un determinado retraso.

En texto con viñetas o numeraciones, PowerPoint coloca a la derecha de cada elemento un valor que determina el orden en el que aparecerán en la diapositiva. Si lo desea, puede cambiar este comportamiento y establecer el orden que prefiera. Haga clic sobre el pequeño cuadrado con el número y a continuación utilice los comandos Mover antes o Mover después situados en el grupo Intervalos. En la figura 17.3 hemos resaltado estos comandos y los valores que aparecen junto a cada viñeta.

Un elemento que puede resultar de gran ayuda a la hora trabajar con animaciones es el panel del mismo nombre que puede ver en la figura 17.4. Para mostrarlo utilice el comando Panel de animación situado en el grupo Animación avanzada de la ficha Animaciones. Veamos algunas de sus posibilidades:

- Coloque el cursor en los extremos de la pequeña franja verde situada a la derecha del nombre de cada viñeta y arrastre para cambiar la duración de la animación.

- Los botones situados en la esquina superior derecha permiten cambiar el orden de reproducción de cada elemento.

- Puede reproducir toda la animación o únicamente a partir del elemento seleccionado.

- Haga doble clic sobre cualquiera de las entradas para mostrar un cuadro de diálogo donde podrá configurar todos los detalles de la animación.

Nota:

Recomendamos no recargar la presentación abusando de los efectos de animación. Utilícelos cuando realmente crea que son necesarios y puedan ayudar a mejorar la comprensión de una idea o conceptos que intente transmitir.

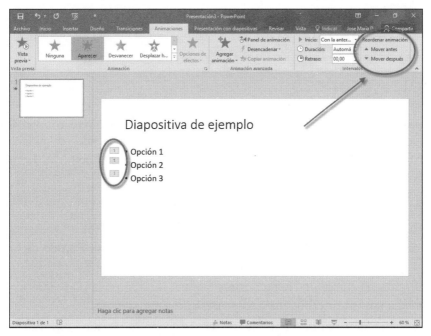

Figura 17.3. Cambiar orden de las viñetas.

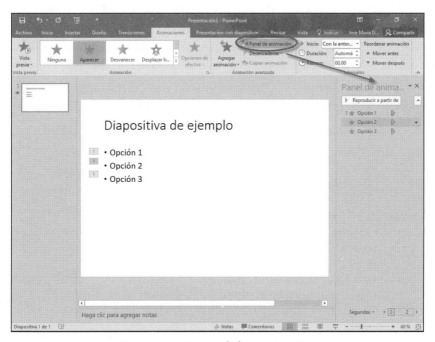

Figura 17.4. Panel de animación.

Por último, para eliminar el efecto de animación de una diapositiva, haga clic sobre el texto y en la ficha Animación seleccione Ninguna en la galería de efectos.

Viñetas gráficas

Si no desea utilizar los típicos boliches o cuadraditos para sus listas con viñetas, no se preocupe, PowerPoint dispone de herramientas para que estos elementos sean mucho más vistosos utilizando gráficos en lugar de los símbolos habituales. La manera de hacerlo sería la siguiente:

1. Haga clic con el botón derecho sobre alguna viñeta para modificarla individualmente o sobre el cuadro de texto para cambiarlas todas.

2. A continuación utilice el icono Viñetas situado en el grupo Párrafo de la ficha Inicio.

3. Seleccione el comando Numeración y viñetas situado en la parte inferior de la ventana para abrir el cuadro de diálogo del mismo nombre.

4. Haga clic sobre el botón **Imagen** para acceder la ventana que muestra la figura 17.5.

5. Puede seleccionar archivos almacenados en su propio equipo, en OneDrive o la opción más interesante desde nuestro punto de vista, **Buscar en la Web**. En este último caso, escriba un término relacionado con el tipo de gráfico que desea utilizar como viñeta para que el buscador de Internet muestre diferentes posibilidades.

6. Elija la imagen que desee utilizar y haga clic sobre el botón **Aceptar**.

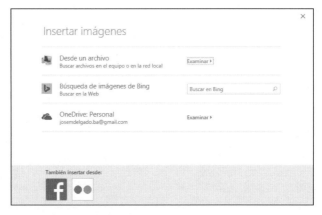

Figura 17.5. Buscar imágenes para viñetas.

Si únicamente desea cambiar el color y el tamaño de la viñeta, utilice los comandos situados bajo la lista de modelos de viñetas.

Truco:

Si necesita utilizar como viñeta algún carácter especial, utilice el botón **Personalizar** *del cuadro de diálogo* Numeración y viñetas.

Botones de acción

Seguimos descubriendo características interesantes de PowerPoint, y a continuación trataremos los botones de acción. Con ellos podrá lograr un mayor grado de interactividad y control en sus presentaciones, asignándoles distintas tareas como ir a una diapositiva o ejecutar una tarea determinada.

La forma de incluir y configurar uno de estos botones de acción dentro de una diapositiva sería la siguiente:

1. Elija en el panel izquierdo la diapositiva en la que desea añadir el botón de acción.

2. Haga clic sobre la ficha Insertar y a continuación seleccione el icono **Formas** en el grupo Ilustraciones.

3. La última de las categorías se denomina Botones de acción, seleccione alguno de los diseños disponibles.

4. Haga clic en el lugar de la diapositiva donde desee colocar el botón y arrastre para definir su tamaño. Al soltar aparecerá el cuadro de diálogo Configuración de la acción.

5. A continuación debe elegir entre alguna de las opciones disponibles:

   • Hipervínculo a: Con esta opción podrá utilizar el botón de acción para ir a otra diapositiva, presentación, dirección web, etcétera.

   • Ejecutar programa: Como su propio nombre indica, permite ejecutar el programa que seleccione al hacer clic sobre el botón **Examinar.**

   • Ejecutar macro: Asigna como acción asociada al botón alguna macro que haya creado previamente.

   • Acción de objeto: Permite ejecutar acciones relacionadas con objetos sobre los que estamos intentando configurar la acción. Por ejemplo, si hemos seleccionado el comando Configuración de la acción después de hacer clic con el botón derecho sobre un archivo de sonido, la acción disponible será **Reproducir.**

- **Reproducir sonido:** Active esta casilla de verificación si desea asociar un sonido cada vez que haga clic sobre el botón de acción.

- **Resaltar al hacer clic:** Modifica el aspecto del botón al hacer clic sobre él.

6. Para completar este ejemplo, elegiremos la opción Última diapositiva de la lista **Hipervínculo a:**.

7. Ejecute la presentación y compruebe que el botón funciona correctamente.

En la pestaña Clic del mouse puede activar acciones que se ejecutarán cuando pulse el botón. En cambio, las acciones que defina en la pestaña Pasar el mouse por encima se llevarán a cabo simplemente con situar el cursor encima del botón u objeto.

Truco:

Haga clic con el botón derecho del ratón sobre el botón y seleccione Formato de forma *para mostrar el panel del mismo nombre donde podrá configurar muchas opciones relacionadas con su aspecto.*

Asociar acciones a cualquier objeto de la diapositiva

Del mismo modo que acaba de ver en el apartado anterior, puede asociar una acción a cualquier objeto de la presentación, incluso sobre cuadros de texto o imágenes. Haga clic con el botón derecho sobre el objeto y ejecute el comando Hipervínculo. A partir de aquí, podría utilizar la categoría Lugar de este documento en el margen izquierdo para ir hasta una diapositiva determinada como puede comprobar en la figura 17.6.

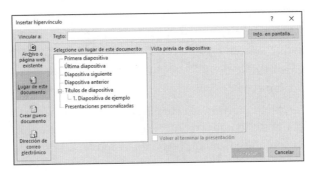

Figura 17.6. Insertar hipervínculo a otra diapositiva de la presentación.

Convertir una presentación en un vídeo

Tener la posibilidad de transformar cualquiera de nuestras presentaciones en un vídeo parece una característica realmente interesante. Además la forma de hacerlo es muy sencilla:

1. Haga clic en el menú Archivo y seleccione en el margen izquierdo Exportar.

2. A continuación haga clic sobre el comando Crear un vídeo para tener acceso a las diferentes posibilidades de configuración que aparecen en el margen derecho. Compruebe en la figura 17.7 el aspecto de esta pantalla.

3. La primera de las listas desplegables permite elegir las dimensiones del vídeo. La calidad y el tamaño del archivo también se adaptarán a la opción elegida.

4. En la lista desplegable siguiente puede decidir si incluir o no las narraciones y los intervalos entre diapositivas.

5. Por último, haga clic sobre el botón **Crear vídeo** para completar el proceso.

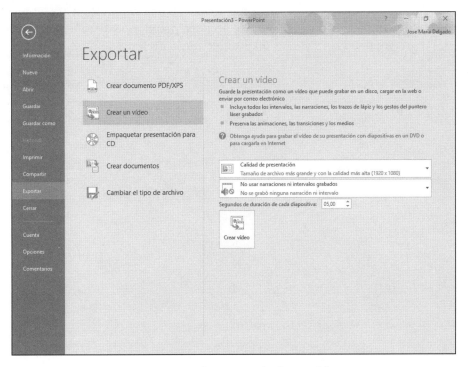

Figura 17.7. Opciones de Crear vídeo.

Nota:

Antes de terminar con los contenidos dedicados a PowerPoint queremos recordar todas las posibilidades descritas en los primeros capítulos para compartir archivos de Office con otros usuarios o presentar en línea. Insistimos en que estas características funcionan del mismo modo en cualquiera de las aplicaciones donde se encuentren disponibles.

Resumen

Principalmente, las transiciones permiten hacer mucho más vistoso el paso entre las diapositivas de la presentación. Si bien es cierto que se trata de un recurso que seduce, debemos tratarlo con elegancia y cautela para no aburrir y, sobre todo, para no desviar la atención de los contenidos que realmente deseamos transmitir. También es posible aplicar efectos especiales o animar la forma en que aparecen los elementos que componen una lista numerada o lista con viñetas.

Los botones de acción añaden el toque de interactividad dentro de una presentación de PowerPoint permitiéndonos asociarles acciones como: desplazamientos entre diapositivas, ejecución de macros, reproducción de objetos multimedia, etcétera. PowerPoint permite convertir el botón de acción a prácticamente cualquiera de los objetos que componen las distintas diapositivas de la presentación.

18 OneNote

En este capítulo aprenderá a:

- Escribir notas rápidas con OneNote.
- Crear nuestros propios bloc de notas.
- Añadir vistosas etiquetas.
- Utilizar las plantillas de página.
- Insertar objetos.
- Proteger con contraseñas nuestros bloc.
- Realizar anotaciones a mano.

Introducción

No podemos describir OneNote simplemente como un software para tomar notas porque estaríamos faltando al respeto de los desarrolladores de la aplicación y además no sería cierto. OneNote es un software pensado para realizar anotaciones rápidas pero también puede trabajar con gráficos, imágenes, tablas... en resumen se trata de un auténtico bloc de notas digital. Todo unido a la completa integración con OneDrive y la posibilidad de acceder a nuestras anotaciones desde cualquier lugar o dispositivo hacen de OneNote una aplicación realmente interesante.

Otro de los aspectos destacados de OneNote son las herramientas de colaboración que tratamos en capítulos anteriores y que puede utilizar perfectamente en esta aplicación desde el comando Compartir del menú Archivo. La recopilación de datos en OneNote puede ser compartida y alimentada por varias personas a la vez, convirtiéndolo en el aliado perfecto de OneDrive y Office. Recuerde que para aprovechar estas características es imprescindible utilizar una cuenta de usuario Microsoft.

> **Nota:**
>
> *Windows 10 incluye entre sus aplicaciones por defecto una versión reducida de OneNote. La aplicación disponible en Office ofrece muchas más posibilidades y además es totalmente compatible con su hermana menor. De modo que si tiene bloc de notas y anotaciones realizadas en ella se mostrarán automáticamente cuando utilice la versión de Office 2016.*

Interfaz de OneNote

La interfaz de OneNote no es demasiado diferente a las que hemos visto en Word, Excel o PowerPoint. En este caso, la cinta de opciones dispone de seis fichas que vamos a comentar brevemente:

- Inicio: Muestra las opciones típicas de formato como negrita, cursiva, listas numeradas, sangrías, etcétera. Pero también ofrece la posibilidad de añadir casillas de verificación y otros símbolos que mejorarán sin duda el aspecto de las anotaciones y que trataremos a continuación.

- Insertar: Esta ficha proporciona la oportunidad de incluir en sus notas: imágenes, tablas, archivos de diferentes tipos, audio, vídeo, direcciones de Internet... Resulta realmente increíble la diversidad de posibilidades que admite OneNote.

- Dibujar: Si necesita escribir a mano, pintar o resaltar cualquier elemento en la nota puede utilizar las herramientas incluidas en esta ficha.

- **Historial:** Sus diferentes opciones permiten llevar un seguimiento de nuestras notas, recuperar versiones antiguas o eliminadas, buscar notas por autor o por fecha…

- **Revisar:** Incluye comandos para revisar la ortografía, buscar sinónimos o incluso añadir una contraseña para proteger nuestras notas.

- **Vista:** Además de los típicos botones de zoom y escalado, dispone de una opción realmente interesante denominada **Renglones**. Con ella puede añadir a la página líneas horizontales y cuadrículas, simulando los típicos cuadernos en papel como puede ver en la figura 18.1. Sin lugar a dudas una característica a tener en cuenta cuando escriba notas a mano.

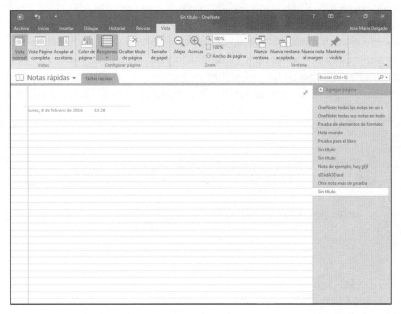

Figura 18.1. Página de notas con renglones.

Cuando el volumen de notas o páginas empiece a crecer será cada vez más complicado encontrar las anotaciones que necesite. Para ayudarle en esta tarea puede recurrir a la herramienta de búsqueda incluida en OneNote. Acceda a ella desde el cuadro de texto situado justo encima del panel de páginas o utilice la combinación de teclas **Control-E**.

Notas rápidas

Si no ha utilizado antes OneNote, la primera vez que abra la aplicación mostrará una serie de mensajes sobre el funcionamiento y las posibilidades del programa. Al margen de esta información debería tener acceso a una ventana similar a la que muestra la figura 18.2. En ella encontrará la sección denominada **Notas rápidas** destinada a la redacción de pequeñas anotaciones o apuntes sin demasiadas complicaciones.

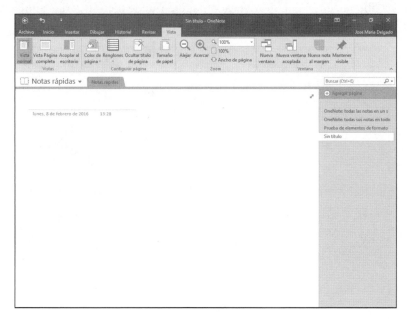

Figura 18.2. Notas rápidas.

A partir de aquí imagine que se encuentra en una reunión y que necesita recopilar una serie de datos importantes que más tarde deberá compartir con varios compañeros de trabajo. ¿Cómo podemos hacer todo esto?

1. Inicie su dispositivo, busque OneNote y ejecute la aplicación.
2. El bloc Notas rápidas se encuentra seleccionado. En el margen derecho seleccione **Agregar página** para que aparezca una pantalla en blanco con la fecha y la hora actuales.
3. A continuación, el cursor espera justo encima de la fecha para que escriba un título o cualquier otro texto que desee utilizar para identificar la página de notas.
4. Pulse **Intro** y comience a escribir. Con estos pasos ya tendría todo listo para redactar sus anotaciones.

Nota:

Recuerde que todo el contenido que añada a OneNote se almacenará automáticamente en OneDrive. De este modo podrá recuperarlo desde cualquier otro equipo, dispositivo o desde Internet, siempre que utilice sus mismas credenciales de usuario Microsoft.

Observe en la figura 18.3 el aspecto del panel asociado donde podrá gestionar las diferentes páginas asociadas al bloc. En realidad este comportamiento imita en cierto modo a las libretas en papel, donde cada página puede incluir varias anotaciones y al mismo tiempo tendríamos varias páginas para escribir en ellas.

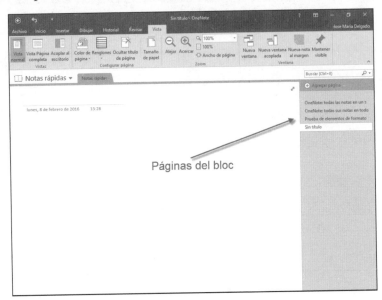

Páginas del bloc

Figura 18.3. Panel con las páginas asociadas al bloc.

Para añadir anotaciones a una página ya creada, selecciónela en el panel y a continuación haga clic en cualquier espacio vacío. Debe saber que puede escribir en cualquier parte del espacio destinado a notas: arriba, abajo, a la izquierda, a la derecha… simplemente es necesario hacer clic en el lugar donde desea añadir la anotación y empezar a escribir. El texto quedará incluido en un contenedor que posteriormente podrá mover, copiar, pegar o cambiar de tamaño.

Coloque el cursor encima de cualquier anotación para que aparezca el contenedor de texto y haga clic sobre la franja de color gris situada en la parte superior para seleccionarlo, tal y como muestra la figura 18.4. En ese momento, utilice la tecla **Supr** para eliminar la anotación, haga clic con el botón derecho del ratón o utilice la mini barra de herramientas si desea aplicarle algún atributo de formato.

Nota:

Los métodos para aplicar formato al texto de la nota son iguales a los descritos en Word. La ficha Inicio *incluye en los grupos* Texto básico *y* Estilos *todos los comandos necesarios para modificar el formato de texto de sus anotaciones.*

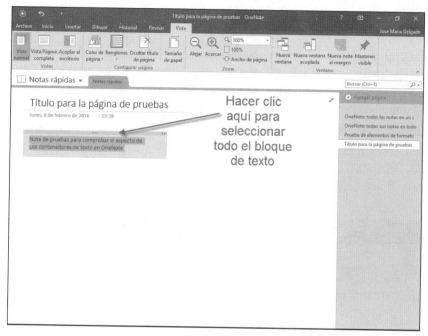

Figura 18.4. Anotación seleccionada.

Si necesita añadir nuevas páginas, hemos comentado que debe seleccionar el comando **Agregar página** en la parte superior del panel, pero también existe otro modo de incluir una nueva página en el bloc en una posición determinada:

1. Desplace el cursor sobre las diferentes páginas disponibles en el panel y compruebe como OneNote muestra a la izquierda una pequeña etiqueta con un signo más en su interior.

2. Sitúe la etiqueta en la posición exacta donde desea añadir la nueva página y haga clic sobre ella.

Bloc de notas

Ya conocemos las notas rápidas donde puede realizar anotaciones sin demasiadas complicaciones. El segundo método serían los bloc de notas y puede tener tantos como necesite. Dentro de ellos existe la posibilidad de agrupar las notas por secciones y dentro de ellas tener diferentes páginas. Los bloc ofrecen una estructura mucho más ordenada para organizar notas, apuntes o cualquier otro contenido que desee almacenar. Los pasos para crear uno nuevo serían los siguientes:

1. Haga clic en el botón que hemos resaltado en la figura 18.5 y seleccione el comando Agregar bloc de notas.

2. OneNote muestra la ventana Nuevo bloc de notas donde deberá asignar un nombre al nuevo bloc y elegir su ubicación. Nuestra recomendación en este caso es clara, utilice siempre que sea posible OneDrive. Esta decisión le permitirá acceder a sus notas desde cualquier lugar o dispositivo.

3. Una vez completado el paso anterior, haga clic en el botón **Crear bloc de notas**.

4. La aplicación pregunta si deseamos compartir el nuevo bloc con otros usuarios. Si es así utilice el botón **Invitar personas**, pero si decide hacerlo un poco más adelante seleccione **Ahora no**.

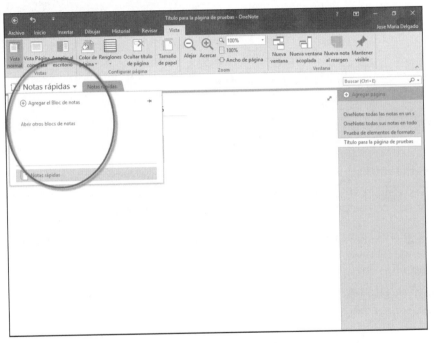

Figura 18.5. Agregar bloc de notas.

El aspecto de OneNote después de crear el nuevo bloc debería ser similar al que muestra la figura 18.6. En este caso, como hemos comentado anteriormente los bloc incluyen un elemento más para la organización de nuestras notas, las secciones. Cada bloc puede tener varias secciones representadas por pestañas de distintos colores situadas en la parte superior, justo a la derecha del nombre del bloc. Para crear una nueva sección, haga clic en la última pestaña representada por un signo más.

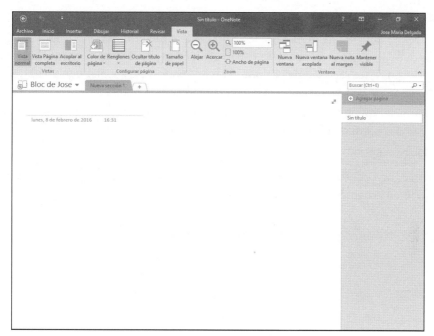

Figura 18.6. Nuevo bloc de notas.

Cada sección, a su vez, puede tener tantas páginas como necesite. En este caso, el método para trabajar con ellas es el mismo que hemos descrito en el párrafo anterior para las notas rápidas.

Truco:

Si desea cambiar el nombre de una página o eliminarla definitivamente, haga clic sobre ella con el botón derecho para mostrar el menú asociado. A continuación seleccione el comando Eliminar página *o* Cambiar nombre *en función de la acción que desee realizar.*

Haga clic con el botón derecho del ratón sobre la pestaña asociada a una sección y tendrá acceso a un menú emergente con interesantes posibilidades. Veamos algunas de ellas:

• Cambiar nombre: La denominación por defecto que utiliza OneNote para las secciones no es muy descriptiva. Utilice este comando para asignarle el nombre que desee.

• Exportar: OneNote permite convertir nuestras notas en diferentes formatos como pdf o Word. Trataremos esta característica en los siguientes apartados.

- Eliminar: Borra tanto la sección como todas sus páginas y anotaciones.

- Mover o copiar: Después de seleccionar este comando, tendrá acceso al cuadro de diálogo que puede ver en la figura 18.7. En él aparecerán todos nuestros bloc, incluido Notas rápidas. Seleccione el lugar donde desea copiar o mover la sección y utilice los botones situados en la parte inferior.

- Combinar en otra sección: Utilice este comando para trasladar todo el contenido de una sección a otra sección o a otro de sus bloc.

- Color de sección: Permite elegir el tono que desee para identificar la sección.

Los comandos relacionados con la vinculación de secciones y páginas, así como la protección mediante contraseña los trataremos a continuación.

Figura 18.7. Mover o copiar la sección.

Nota:

Para volver a las Notas rápidas, abrir otro bloc o crear uno nuevo haga clic sobre el nombre del bloc actualmente seleccionado.

Etiquetas

Cuando se trata de recopilar ideas, hacer listas de tareas o enumerar diferentes elementos, las etiquetas de OneNote son un gran aliado. Para comprobarlo redacte la típica lista de cosas que no debemos olvidar cuando salimos de viaje. A continuación haga los siguiente para que sea mucho más sencillo saber que lo que ha guardado o no en la maleta.

1. Para empezar, escriba el primer elemento de la lista.

2. En la cinta de opciones, seleccione la ficha Inicio.

3. Haga clic sobre el comando Etiqueta de tarea pendiente situado en el grupo Etiquetas.

Una vez completados los pasos anteriores, a la izquierda del texto aparece la típica casilla de verificación. Haga clic sobre ella para mostrar u ocultar el símbolo de confirmación. En la figura 18.8 puede comprobar el resultado del ejemplo anterior y el resto de etiquetas disponibles en OneNote.

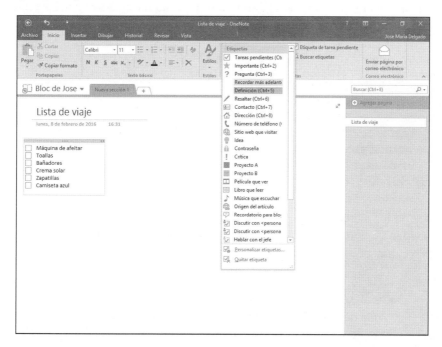

Figura 18.8. Etiquetas disponibles y ejemplo de etiqueta de tarea pendiente.

Nota:

El comando Buscar etiquetas *muestra el panel* Resumen de etiquetas *y en él, aparecen clasificadas las diferentes etiquetas utilizadas en el bloc junto con el texto asociado. La opción* Mostrar sólo elementos sin marcar *limita la visualización a solo aquellas etiquetas de tareas pendientes que no estén marcadas como completadas; sin duda una gran ayuda.*

Para eliminar una etiqueta puede utilizar el comando destinado a este fin situado al final de la lista de etiquetas o tratarla como un elemento más del texto y usar los métodos habituales para este fin.

Plantillas de página

Es posible que el formato página en blanco sea suficiente para la mayoría de nosotros pero si quiere que sus páginas de notas tengan un aspecto mucho más cuidado puede utilizar las plantillas disponibles en OneNote. En la cinta de opciones, seleccione la ficha Insertar y a continuación haga clic sobre el comando Plantillas de página. Entre las opciones disponibles le recomendamos que seleccione Plantillas de página para mostrar en el margen izquierdo el panel donde podrá encontrar todas las plantillas disponibles clasificadas por categorías.

Nota:

La categoría Programaciones *incluye varias plantillas con elegantes modelos de listas de tareas con sus correspondientes etiquetas de verificación.*

Insertar objetos

Algunos de los elementos de la ficha Insertar como imágenes, recorte de pantalla, tablas, vídeo en línea o símbolos, los hemos descrito en Word, Excel o PowerPoint. En cambio, hay otros específicos de OneNote que sin lugar a dudas debe conocer:

- Insertar espacio: Como su propio nombre indica, permite hacer hueco en la página para añadir algún objeto o más notas. Después de seleccionar el comando, haga clic en la zona de la página donde desea insertar el espacio en blanco y sin soltar arrastre para establecer sus proporciones.

- Copia impresa de archivo: OneNote permite generar una copia impresa de un archivo y añadirlo a la página de notas como elemento digitalizado. Debe seleccionar el archivo en primer lugar y a continuación el programa se encargará tanto de generar la copia como de agregarla a la página. Una vez que la copia impresa se encuentre en la página, podrá incluso copiar el texto y pegarlo en cualquier otro lugar.

- Datos adjuntos del archivo: Del mismo modo que hacemos habitualmente en mensajes de correo electrónico, también puede adjuntar archivos a sus páginas de notas en OneNote.

- Hoja de cálculo: Haga clic en este comando y seleccione la opción Nueva hoja de cálculo de Excel. Una vez añadido el objeto, seleccione el botón **Editar** situado en la esquina superior izquierda para abrir Excel como puede comprobar en la figura 18.9. Cuando termine de editar la hoja, haga clic en **Guardar** y cierre Excel para que los datos se trasladen a la página de notas.

- Grabar audio y vídeo: Siempre que disponga del hardware adecuado en su equipo, puede utilizar estos dos comandos para añadir fragmentos de audio y de vídeo en sus páginas de notas. Sin duda, otra característica interesante para enriquecer sus anotaciones.

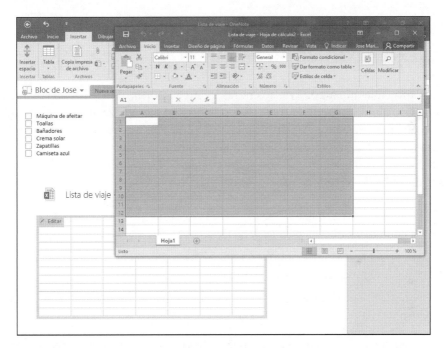

Figura 18.9. Excel listo para editar una hoja de cálculo y añadirla a la página de notas.

Nota:

Los comandos situados en el grupo Marca de tiempo *son una forma rápida y sencilla de añadir la fecha o la hora actual.*

Vínculos a otras páginas, secciones o bloc

Si necesita hacer referencia en una nota a otra página, sección o bloc utilice el comando Vínculo situado en la ficha Insertar. OneNote muestra un cuadro de diálogo donde debe seleccionar el elemento que desea vincular. Una vez completado el proceso, bastará con hacer clic sobre el enlace para acceder directamente a la página, sección o bloc.

Nota:

El comando Copiar vínculo a la sección *disponible después de hacer clic con el botón derecho sobre alguna etiqueta de sección, copia la dirección o vínculo a la sección elegida en el portapapeles para que simplemente con utilizar el comando* Pegar *o la combinación de teclas* **Control-V** *inserte el enlace donde desee.*

Proteger con contraseña

Es muy probable que alguna de sus notas incluya información sensible como datos personales, direcciones, teléfonos... La posibilidad de utilizar OneNote tanto en equipos de sobremesa como en dispositivos móviles lo hace muy vulnerable a pérdidas o descuidos. Si quiere mantener a salvo la privacidad de sus anotaciones o simplemente necesita estar seguro de que nadie las leerá pase lo que pase, debería añadir una contraseña. La forma de hacerlo es sencilla:

1. Seleccione la sección que desea proteger.

2. En la cinta de opciones, elija la ficha Revisar.

3. Haga clic sobre el icono Contraseña y al instante aparecerá en el margen izquierdo el panel que muestra la figura 18.10.

4. Seleccione el botón Establecer contraseña y escríbala dos veces en el siguiente cuadro de diálogo. Acepte para terminar.

Antes de terminar le recomendamos que preste atención a los mensajes que aparecen en el apartado Sugerencias del panel Protección con contraseña.

Nota:

Si lo desea también puede establecer una contraseña para el bloc Notas rápidas. Simplemente es necesario mostrarlo y seleccionar a continuación el comando Contraseña *en la ficha* Revisar.

Por defecto las secciones protegidas con contraseña se bloquearán transcurridos cinco minutos sin realizar ningún tipo de acción sobre ellas. Para modificar este comportamiento, seleccione Opciones de contraseña en la parte inferior del panel Protección con contraseña.

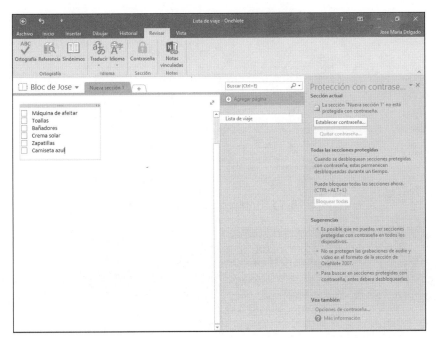

Figura 18.10. Añadir protección con contraseña a una sección.

Entrada manuscrita

Si utiliza OneNote en un dispositivo móvil es posible que le interese saber cómo escribir a mano sus notas. En este caso debe seleccionar en primer lugar la ficha **Dibujar** en la cinta de opciones. A partir de aquí, elija alguno de los modelos de plumas y empiece a escribir. Para volver a utilizar de nuevo el teclado, seleccione el comando **Escribir** en la misma ficha.

Hasta aquí más o menos algo que podíamos esperar de un cuaderno de notas digital pero ¿qué le parecería si OneNote pudiera reconocer los caracteres escritos a mano y los convirtiera automáticamente en texto? Pues, justo ese es el propósito del comando **Entrada de lápiz a texto** situado en el grupo **Convertir** de la ficha **Dibujar**. Escriba el texto a mano, o seleccione sus anotaciones manuscritas y a continuación elija este comando para que el programa los transforme en texto. Salvo que tenga una letra realmente ilegible los resultados son muy buenos en la mayoría de los casos.

En relación con la opción anterior, OneNote también reconoce fórmulas y expresiones matemáticas realizadas a mano y las transforma en texto. Seleccione el comando **Entrada de lápiz a matemáticas** y tendrá acceso a la ventana que muestra la figura 18.11. Escriba la expresión que desee y al instante podrá comprobar la interpretación realizada por el programa.

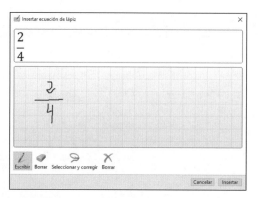

Figura 18.11. Entrada de lápiz a matemáticas.

Truco:

El comando Borrador *permite eliminar las anotaciones o dibujos realizados con las herramientas de dibujo.*

Exportar

El comando Exportar situado entre las opciones del menú Archivo ofrece la posibilidad de transformar el contenido de la página actual, la sección o incluso el bloc completo a una gran variedad de formatos como: PDF, Word o xps.

Nota:

En el extremo derecho de la ficha Inicio *se encuentra el comando* Enviar página por correo electrónico. *Como su propio nombre indica permite enviar a uno o más destinatarios el contenido de la página actual de nuestro bloc.*

Resumen

OneNote es una gran herramienta por sí sola pero además es el complemento perfecto para muchas de las aplicaciones de Office 2016. En este capítulo hemos descrito los conceptos básicos para que pueda trabajar y aprovechar sus posibilidades.

19 Fundamentos de Access

En este capítulo aprenderá a:

- Conocer los fundamentos de las bases de datos.
- Comenzar a trabajar con Access.
- Gestionar y planificar una base de datos.
- Crear tablas.
- Trabajar con registros.
- Ordenar y filtrar la información de las tablas.
- Diseñar y trabajar con formularios.

Introducción

Miremos a donde miremos estamos rodeados de información almacenada en bases de datos. Esta forma de guardar y mantener ordenada la información es fundamental, sobre todo teniendo en cuenta el volumen de información que se manejan hoy en día. Explicar en pocas palabras qué es una base de datos no es sencillo. Simplificando mucho podemos decir que es un conjunto de información ordenada según ciertas reglas y criterios. Si a esta definición le añadimos el concepto de Gestor de bases de datos estamos ante un sistema que permite almacenar de forma ordenada cualquier tipo de información, así como acceder y recuperar estos datos aplicando distintos filtros y criterios de selección.

Por ejemplo, imagine que tiene tantos discos de música que necesita ordenarlos y clasificarlos de algún modo. La solución puede ser crear una base de datos con todos los títulos. En este caso, cada disco tendría un número o clave que lo identificaría y datos complementarios como el género musical al que pertenece, el intérprete, la discográfica, etcétera.

Una vez hecho el trabajo de campo, es decir, rellenar la base de datos con toda la información, llega la hora de sacarle partido.

Llega un amigo a casa y quiere que le dejemos todos los discos de "El último de la fila" para una fiesta que tiene dentro de una hora. Pero, aun siendo consciente de la urgencia de la petición, invitas a tu amigo a un café. Este se pone algo nervioso e insiste, pero le comenta que todo está perfectamente organizado y que tardará escasos segundos en localizar todos los títulos que ha pedido. Como nuestro amigo es algo incrédulo, se lo demuestra. Abre la base de datos y le pide que muestre el código de todos los discos que incluyen la cadena de caracteres "El último de la fila" en el apartado intérpretes y… en unos segundos tiene la lista de todos los discos que necesita. Este es un ejemplo más o menos real de cómo podemos aprovechar las posibilidades que nos ofrece la base de datos. En el resto del capítulo iremos descubriendo como Access es imprescindible en tareas donde necesitemos manejar gran cantidad de datos.

Entorno de Access

Después de iniciar la aplicación, aparecerá la pantalla de Inicio como en el resto de aplicaciones de Office. Haga clic sobre la plantilla denominada **Base de datos del escritorio en blanco** para acceder al entorno de Access donde encontrará elementos que ya conoce como la cinta de opciones, la barra de acceso rápido o el menú **Archivo**. El panel **Todos los objetos de Access** que puede ver en la figura 19.1 es uno de los componentes del entorno más importantes de la aplicación junto con la ventana de diseño situada a la derecha. Este panel será el espacio donde se organizarán todos los objetos que incluyamos en la base de datos como: tablas, consultas, informes...

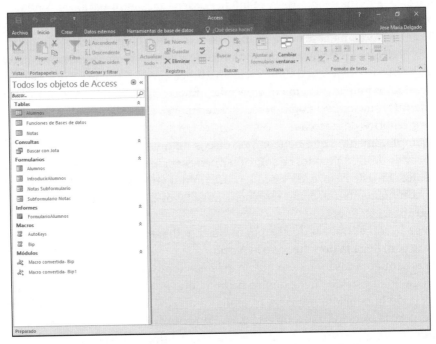

Figura 19.1. Aspecto del panel Todos los objetos de Access.

El pequeño botón del panel de objetos de Access, resaltado en la figura 19.2 muestra un menú donde podrá configurar tanto los objetos que aparecen en el panel como la organización de los mismos. Si necesita más espacio puede utilizar el icono también resaltado para ocultar el panel.

Análisis y planificación

Antes de empezar a trabajar en Access es imprescindible realizar determinadas tareas de planificación y análisis. Por este motivo. lo más conveniente es coger lápiz y papel para hacernos un pequeño esbozo de lo que será la estructura de nuestra base de datos.

1. Debemos tener clara la finalidad del trabajo, ya que será determinante para crear las tablas y la estructura básica de la base de datos.

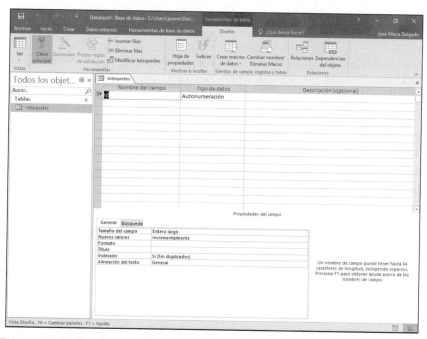

Figura 19.2. Configurar el aspecto del panel Todos los objetos de Access.

2. Enumere las tablas que necesita. Por ejemplo, si está diseñando una base de datos para un pequeño negocio, probablemente necesitará una tabla de clientes, otra de proveedores, otra de pedidos, etcétera.

3. Una vez tomada la decisión sobre las tablas, toca el turno a la información que almacenará en cada una de ellas. Siguiendo con el ejemplo anterior, para la tabla de clientes necesitará nombre, dirección, teléfono, persona de contacto, etcétera. Desde el principio es necesario tener claros todos estos datos para evitar modificar la estructura de la base de datos una vez creada.

4. Pensar en la relación que tendrán las tablas entre sí. Por ejemplo está claro que la tabla de pedidos tiene que estar asociada de algún modo a la tabla de proveedores. Aunque esto todavía queda un poco lejos es bueno tenerlo presente.

5. Piense en el tipo de elementos de Access que necesitará como Consultas, Formularios o Informes.

Revisados todos estos puntos, estudie la estructura propuesta para detectar posibles fallos. Insistimos en que una buena planificación hará mucho más fácil la tarea de creación y diseño de la base de datos. Además evitará que tengamos que hacer cambios sobre la estructura.

Tablas

Las tablas son la columna vertebral de Access y, por lo general, de cualquier sistema gestor de bases de datos. Como ya sabemos, las tablas son los contenedores donde se incluirá la información que necesitemos ordenar, organizar y almacenar en nuestras bases de datos.

El propósito en este y los capítulos siguientes será crear una base de datos para tener organizada nuestra biblioteca musical. Para comenzar con nuestro ejemplo lo primero que necesita es crear una nueva base de datos:

1. Seleccione la plantilla **Base de datos de escritorio blanco** después de iniciar la aplicación.

2. A continuación, escriba un nombre para la base de datos y elija una ubicación para guardarla.

3. Haga clic en el botón **Crear** para completar el proceso y acceder al entorno de Access.

Si se encuentra en el entorno de Access, haga clic en el comando **Nuevo** del menú **Archivo** para crear una nueva base de datos. Una vez creada la base de datos, el siguiente paso es diseñar la estructura de tablas que soportará la información de la misma. Vamos a suponer que ya hemos trabajado el tiempo suficiente sobre la planificación de la base de datos y finalmente decidimos utilizar cuatro tablas:

- Una tabla donde almacenaremos los intérpretes.

- Otra donde guardaremos información sobre los temas, es decir, las canciones incluidas en cada disco de música.

- Una más donde se encontrarán nuestros títulos, o lo que es lo mismo, los nombres de cada disco.

- Y una última de estilos musicales.

Nota:

Para no alargarnos demasiado en la creación del ejemplo, almacenaremos sólo la información básica y dejamos en sus manos la tarea de completarla tanto como desee. En cualquier caso, le recomendamos que sólo añada unos pocos datos ya que en el capítulo dedicado a las relaciones será necesario modificar la estructura y perderemos parte de la información almacenada.

Para la primera tabla utilizaremos la que aparece por defecto después de crear la base de datos; los pasos serían los siguientes:

1. En el panel de objetos de la base de datos seleccione el único elemento disponible **Tabla1**.

2. En la cinta de opciones, haga clic sobre la ficha Inicio asociada a la categoría Herramientas de tabla.

3. Seleccione la parte inferior del icono Ver, situado en el extremo izquierdo y elija Vista Diseño.

4. Access muestra un cuadro de diálogo donde debe introducir un nombre para la tabla; escriba **Intérpretes** y acepte.

Después de estos pasos, ya tendremos la primera tabla de nuestra base de datos lista para añadir los campos necesarios como puede comprobar en la figura 19.3.

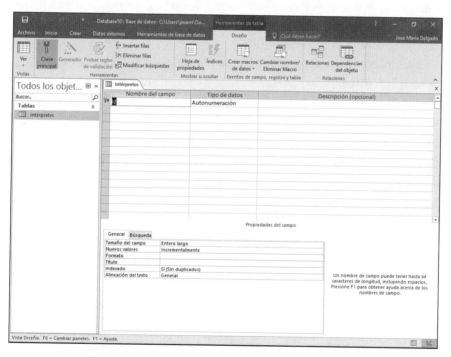

Figura 19.3. Primera tabla en modo vista Diseño.

Nota:

Si necesita cambiar el nombre de una tabla, haga clic con el botón derecho sobre ella en el panel de objetos de la base de datos y seleccione el comando Cambiar nombre.

Campos

Un campo es la unidad de información mínima dentro del conjunto de la base de datos. Por ejemplo, para nuestra tabla de intérpretes podrían ser el nombre del intérprete, su nacionalidad, etcétera.

Retomamos la tabla en el estado donde la dejamos en el apartado anterior para crear los campos necesarios:

1. El cursor debe estar en la primera casilla por lo que aprovechamos para escribir el nombre del primer campo: **ID_intérprete**. Este valor servirá para identificar de manera única a cada intérprete.

2. Haga clic en la columna Tipo de datos y seleccione el pequeño botón situado a la derecha. En la lista desplegable que aparece, elija el tipo Autonumérico.

3. En la columna Descripción escriba: **Código del intérprete**. Utilice la tecla **Tab** para desplazar el cursor a la columna siguiente.

4. A continuación, haga clic en la segunda fila de la columna Nombre del campo y escriba: **Nombre**.

5. En la columna Tipo de datos puede dejar la opción que aparece por defecto, es decir, Texto corto.

6. En la columna Descripción escriba: Nombre del intérprete o grupo.

7. De nuevo en la tercera fila de la primera columna escriba: **Nacionalidad** y elija el tipo Texto corto en la columna de la derecha.

8. Para la descripción de este último campo escriba: País de origen del intérprete o grupo.

9. Llegados a este punto, el aspecto de la tabla debería ser similar a la que muestra la figura 19.4. Haga clic en el botón **Guardar** situado en la barra de acceso rápido para almacenar los cambios realizados.

La explicación de lo que hemos hecho es sencilla, la primera de las columnas sirve para establecer el valor que identificará al campo o unidad de información. Después, el Tipo de datos indica el carácter de la información que contendrá el campo: texto, número, fecha, moneda… Por último, la columna Descripción aporta algunos detalles más sobre el contenido del campo.

> **Nota:**
>
> *En un principio puede parecer que la columna* Descripción *no es demasiado útil, pero nada más lejos de la realidad. Cuando la tabla en lugar de tres campos tenga treinta o la base de datos en lugar de tres tablas tenga veinte, la descripción de cada campo resulta*

vital para comprender el funcionamiento de la base de datos y para solucionar cualquier problema.

Advertencia:

Aunque es bastante obvio no pueden existir dos campos con el mismo nombre.

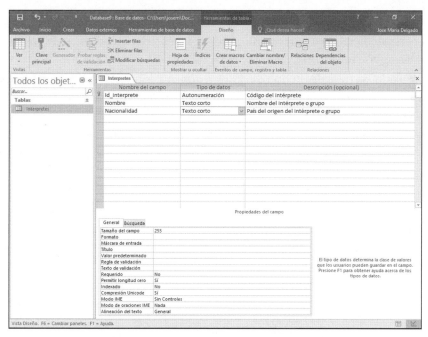

Figura 19.4. Tabla Intérpretes con tres campos.

Tipos de datos

Para que no tenga ningún problema a la hora de seleccionar el tipo de campo adecuado en cada caso, a continuación describimos cada uno de ellos:

- **Texto corto:** Se trata de una cadena de caracteres de longitud variable (máximo 255 caracteres).
- **Texto largo:** Destinado a almacenar grandes cantidades de texto.
- **Número:** Cantidades y valores numéricos.
- **Fecha/Hora:** Fechas y horas en diferentes formatos.

- **Moneda:** Valores numéricos con formato de moneda.
- **Autonumeración:** Campo numérico cuyo valor se incrementa cada vez que se añade un nuevo registro.
- **Sí/No:** Valores de tipo boleano (1 o 0).
- **Objeto OLE:** Sirve para incluir objetos de otras aplicaciones como imágenes, archivos de Word o de Excel...
- **Hipervínculo:** En realidad es un tipo de texto que aplica características especiales de enlace.
- **Datos adjuntos:** Este tipo puede considerarlo como un cajón de sastre donde tienen cabida todos los tipos anteriores, así como documentos, archivos de diferentes aplicaciones, imágenes, etcétera.
- **Calculado:** Se trata de un tipo de datos realmente interesante, teniendo en cuenta que Access permite rellenarlo a partir de la información del resto de campos, funciones o constantes definidas por el usuario.
- **Asistente para búsqueda:** Esta última opción no es realmente un tipo de dato, es más una herramienta para asociar a un campo una lista de valores predeterminada, de modo que a la hora de su introducción sea obligatorio elegir un elemento de esta lista. Trataremos esta característica en el capítulo dedicado a las relaciones entre tablas.

Con todo lo comentado hasta ahora, la forma de crear una tabla pasa por introducir el nombre de cada campo, su tipo y algún comentario si fuera necesario, repitiendo este proceso para todos los campos que quiera incluir.

Propiedades de los campos

Asociadas a cada tipo de dato, en la parte inferior del cuadro de diálogo, aparecen una serie de propiedades. Por ejemplo, la figura 19.5 muestra las propiedades del tipo **Texto corto**. En este caso, cabe destacar la primera de las opciones, denominada Tamaño del campo, que contempla el tamaño máximo de la cadena de caracteres que admitiría el campo.

Advertencia:

La longitud máxima del tipo Texto corto es de 255 caracteres. Si cree que el campo superará este límite deberá utilizar el tipo Texto largo.

En el espacio situado a la derecha de las propiedades, encontrará una breve descripción. En cualquier caso, a continuación enumeramos las más importantes:

- **Tamaño del campo:** Define el número total de caracteres que admite el campo en los tipos de texto así como el valor máximo que se puede representar en los tipos numéricos.

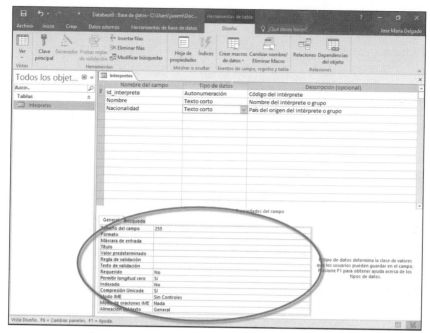

Figura 19.5. Propiedades del campo Texto.

- **Formato**: Para algunos de los tipos como las fechas y horas, puede elegir entre diferentes modelos de representación.

- **Lugares decimales**: Esta propiedad sólo está disponible para los tipos numéricos y determina el número de posiciones decimales que se utilizarán tanto para almacenar como para representar el valor.

- **Máscara de entrada**: Permite introducir ciertas reglas para que el campo se ajuste a un formato determinado.

- **Título**: Determina el nombre del campo en los formularios e informes donde se utilice.

- **Valor predeterminado**: Aquí puede introducir el valor por omisión para el campo. Este aparecerá antes de introducir nada.

- **Regla de validación**: Determina las condiciones que debe cumplir la información para que sea admitida por el campo.

- **Texto de validación**: Cuando el valor que queremos introducir no cumpla la regla anterior, aparecerá el mensaje que escribamos en esta propiedad.

- **Requerido**: Hace obligatoria o no la introducción de un valor en el campo.

- Permitir longitud cero: Con esta propiedad activa es posible introducir cadenas de longitud cero en los campos de tipo Texto o Memo.

- **Nuevos valores**: Este campo sólo está disponible para el tipo Autonumérico y permite elegir entre la generación secuencial de valores para el campo o hacerlo de forma aleatoria.

Nota:

No todas las propiedades están disponibles para todos los tipos de datos posibles.

Registros

Después de ver el concepto de campo debemos avanzar un paso más y hablar de los registros. Simplificando mucho, un registro es un conjunto de campos o, simplificando aún más, cada una de las filas de la tabla. Por lo tanto, si los campos eran la unidad mínima de información dentro de la base de datos, los registros serían el siguiente peldaño dentro de esa escala y se pueden considerar como uno de los conceptos más importantes y más utilizados cuando trabajamos con bases de datos. Por ejemplo, en el caso de la tabla de intérpretes un registro sería:

```
0001  Revolver  España
```

Como puede comprobar ésta sí es una estructura que proporciona suficiente información para empezar a considerarla útil.

Campos clave

Para identificar de manera única cada registro de una tabla es necesario definir un campo denominado Clave. La clave es única para cada tabla y puede estar compuesta por uno o varios campos. Este último caso se utiliza cuando ninguno de los campos de la tabla por sí solo puede identificar de forma exclusiva a los registros de la tabla. Para ilustrar todo lo mencionado con un ejemplo, imagine que tiene una base de datos de clientes. Es evidente que el primer apellido no puede ser una clave válida ya que podría existir más de un cliente con el mismo apellido, incluso tampoco valdría si utilizáramos los dos apellidos, dado que existe la posibilidad de tener hermanos entre nuestros clientes. En cambio, el CIF o el NIF sí son valores asociados de forma exclusiva a una persona y, por lo tanto, podrían servir perfectamente como clave para nuestra tabla de clientes.

Advertencia:

Access no permite incluir dos valores iguales dentro de un campo definido como clave en la base de datos. Esta protección se puede quitar, aunque quebrantaríamos muchas

*de las reglas básicas de los sistemas de bases de datos relacionales por lo que no reco-
mendamos hacerlo.*

Access identifica de forma predeterminada el primer campo de la tabla como clave
como puede comprobar en la figura 19.6. Para nuestros propósitos es perfecto porque
el campo ID_intérprete cumple todas las condiciones para ser la clave de nuestra
tabla. El hecho de ser de tipo autonumérico le proporciona la propiedad de identifi-
cador único, ya que será Access quien se encargue de dar un valor diferente a este
campo cada vez que incluyamos un nuevo registro en la tabla.

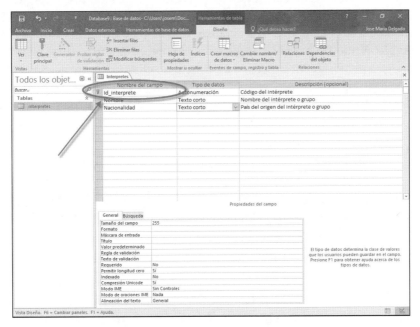

Figura 19.6. Campo clave principal.

Si decide cambiar la opción por defecto y utilizar como clave cualquier otro campo:

1. Haga clic con el botón derecho sobre el campo y en el menú emergente seleccione
   Clave principal. De esta forma, le estaremos indicando al programa que ese campo
   ya no es clave de la tabla.

2. A continuación, vuelva a hacer clic con el botón derecho sobre el campo que desee
   utilizar como clave y elija el mismo comando.

El comando Clave principal situado en la ficha Diseño también permite asignar o
eliminar esta propiedad del campo seleccionado.

> **Nota:**
>
> *Es importante elegir correctamente el campo clave en la fase de diseño de la tabla ya que una vez empecemos a introducir datos será muy complicado modificar esta propiedad.*

Antes de llenar la base de datos de información no existe ningún problema en modificar alguno de sus campos, pero cuando contiene registros es mejor no hacerlo a no ser que resulte estrictamente necesario.

Para cambiar el nombre de cualquier campo, sólo es necesario hacer clic sobre él y utilizar los métodos de edición habituales. Del mismo modo, para cambiar el tipo, sólo tiene que seleccionar en la lista el nuevo tipo de dato que desee utilizar.

Para completar nuestra base de datos de música, necesitará tres tablas más además de la que ya tenemos de intérpretes. La primera de ellas, con información sobre los temas que componen la discografía; otra, con los datos de cada disco; y una última, sobre estilos musicales. Utilice la información de la tabla 19.1 y lo aprendido hasta ahora para crearlas.

Tabla 19.1. Información para crear las tablas de ejemplo.

Nombre de la tabla	Campo	Tipo de dato
Temas	ID_Tema (CLAVE)	Autonumérico
	NombreTema	Texto
	FechaPublicación	Fecha/Hora
	Intérprete	Texto
Títulos	ID_Título (CLAVE)	Autonumérico
	Intérprete	Texto
	NombreTítulo	Texto
	NúmCanciones	Numérico
	FechaPublicación	Fecha/Hora
	Formato	Texto
Estilo	ID_Estilo	Autonumérico
	NombreEstilo	Texto

Una vez creadas las estructuras de las tablas el siguiente paso será introducir información en ellas y para esto, necesita la vista Hoja de datos.

Vistas Hoja de datos

Hasta ahora la única vista que conocemos para tablas es la que hemos utilizado para crear su estructura y se denomina vista Diseño. Además de la vista Diseño, es necesario algún modo de introducir información en la tabla. A esta segunda vista se la conoce como Hoja de datos y se puede acceder de varios modos:

- En la cinta de opciones, tanto las fichas Inicio y Diseño muestran el comando Ver en el grupo Vista. Haga clic sobre la mitad inferior del botón y seleccione Vista Hoja de datos.

- Haga doble clic sobre el nombre de la tabla en el panel de objetos y automáticamente se mostrará en la vista Hoja de datos.

- Utilice los iconos que hemos señalado en la figura 19.7 para acceder a la vista Diseño o la vista Hoja de datos.

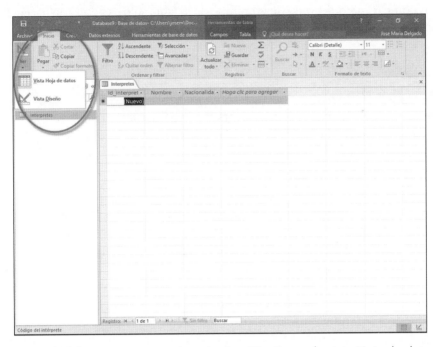

Figura 19.7. Iconos para acceder a la vista Diseño o a la vista Hoja de datos.

Una vez abierta la tabla en la vista Hoja de datos puede introducir datos en ella del siguiente modo:

1. Abra la tabla en el modo Hoja de datos.

2. Haga clic en el primer campo; si este es del tipo Autonumérico puede dejarlo como está y pasar al siguiente pulsando la tecla **Tab**, ya que en estos casos Access se encarga de asignarle un valor de forma automática.

3. Escriba la información que desee y utilice la tecla **Tab** para pasar al siguiente campo.

4. Si se encuentra en el último campo y quiere pasar al siguiente registro basta con pulsar la tecla **Tab**. Si lo desea, también puede utilizar el ratón para rellenar cada campo.

Advertencia:

Cuando introduzca información, no olvide utilizar con cierta frecuencia el botón **Guardar** *o la combinación de teclas* **Control-G** *para evitar perder información.*

Para modificar cualquier dato de un campo de la tabla sólo es necesario hacer clic en el campo y utilizar los métodos de edición habituales.

Nota:

Los comandos Copiar, Cortar *y* Pegar *están disponibles en Access y los puede utilizar del mismo modo que en Word y Excel para pasar información al portapapeles y después pegarla donde desee. Incluso puede utilizarlos sobre las tablas en el panel de objetos de la base de datos para crear copias de las mismas.*

Otra funcionalidad interesante de la vista Hoja de datos es la posibilidad de añadir nuevos campos a la tabla. Basta con hacer clic sobre el último encabezado denominado Haga clic para agregar y en la lista de tipos, seleccione el modelo más adecuado. Para terminar, escriba el nombre del nuevo campo y pulse **Intro**.

Eliminar registros

Para eliminar un registro es necesario mostrar la tabla en la vista Hoja de datos. A continuación, haga clic con el botón derecho del ratón sobre el margen de color gris situado a la izquierda y seleccione el comando Eliminar registros en el menú emergente. Access preguntará si está seguro de la operación; si es así, haga clic en **Aceptar**.

Si desea seleccionar varios registros al mismo tiempo, haga clic en el margen de color gris situado a la izquierda y arrastre hacia arriba o hacia abajo para añadir tantos registros como necesite. A continuación pulse la tecla **Supr** para eliminarlos.

Advertencia:

Una vez borrado el registro no existe ningún comando que permita deshacer la operación por lo que debe estar bien seguro antes de hacerlo.

Ordenar y filtrar

La vista Hoja de datos ofrece posibilidades interesantes a la hora de ordenar y filtrar los registros de la tabla. Más concretamente Access añade un pequeño botón de filtro a la derecha del nombre de cada campo como puede comprobar en la figura 19.8. Haga clic sobre cualquiera de ellos y tendrá acceso a una ventana donde podrá:

- Ordenar los registros de la tabla por el campo seleccionado según diferentes criterios.
- Mostrar únicamente los registros que cumplan una determinada condición mediante los comandos Filtros de texto o Filtros de números.
- En la parte final, se encuentran todos los valores distintos de la tabla para ese campo junto a una casilla de verificación que permitirá mostrar sólo aquellos que seleccione.

Los comandos descritos en los puntos anteriores y algunas opciones más se encuentran disponibles en el grupo Ordenar y filtrar de la ficha Inicio.

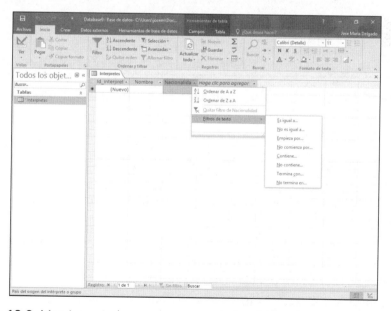

Figura 19.8. Menú asociado a cada campo de la tabla en la vista Hoja de datos.

> **Truco:**
>
> *En la barra de estado asociada a la vista Hoja de datos se encuentra el cuadro de búsqueda como puede observar en la figura 19.9. Introduzca en él cualquier valor que desee encontrar entre la información almacenada en los registros de la tabla.*

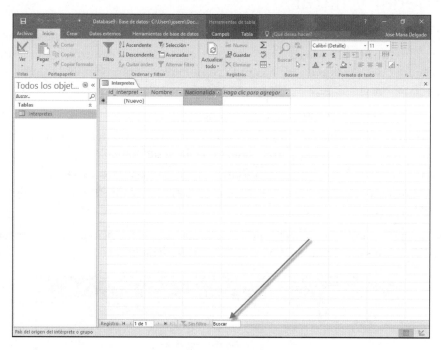

Figura 19.9. Cuadro de búsqueda asociado a la barra de estado en la vista Hoja de datos.

Cambiar el orden de los campos

Tanto en la vista Diseño como en la vista Hoja de datos existe la posibilidad de cambiar el orden de los campos de la tabla:

1. Haga clic sobre el cuadro de selección del campo que quiere mover, nos referimos al cuadro gris situado a la izquierda del campo en el caso de la vista Diseño y del nombre de la columna para la vista Hoja de datos.

2. A continuación haga clic de nuevo sobre el campo seleccionado, mantenga pulsado el botón izquierdo del ratón y arrastre hasta la nueva ubicación en la que desee

colocar el campo. Una línea más gruesa de color negro indica la posición de destino.

3. Cuando se encuentre en el lugar correcto, suelte el botón izquierdo del ratón.

Imprimir tablas

Como ya hemos comentado, Access dispone de un objeto denominado Informes que ofrece todas las características necesarias para obtener una copia impresa de la información contenida en la base de datos. Esto es lo ideal, pero en ciertas ocasiones simplemente necesitará una copia de la información almacenada en alguna tabla; en estos casos, utilice el comando Imprimir del menú Archivo.

Antes de imprimir la tabla le recomendamos que utilice la vista preliminar para comprobar el resultado antes de obtener la copia impresa. En el caso de que no sea posible mostrar todos los campos, pruebe a utilizar el papel con una orientación horizontal o a modificar el ancho de los campos manualmente.

Advertencia:

A lo largo de los siguientes capítulos iremos añadiendo nuevos objetos a la base de datos. Este hecho hará que tengamos que hacer algunos cambios en su estructura, sobre todo durante el desarrollo del último capítulo. Por este motivo aconsejamos que para seguir los ejemplos del libro no introduzca demasiada información en las tablas de la base de datos ya que la versión de la misma no será definitiva hasta el final del último capítulo. A partir de ese momento, ya podrá empezar a modificarla a su gusto y a introducir toda la información que desee.

Formularios en Access

El siguiente de los objetos de Access que vamos a tratar son los formularios. La misión principal de este tipo de objetos es facilitarnos la introducción de información en nuestras bases de datos. Si ha empezado a completar las tablas creadas en los apartados anteriores seguro que ha resoplado más de una vez pensando si no existe otra forma mejor de hacer este trabajo. Para solucionar o mejorar esta tarea, Access dispone de los formularios.

Para empezar, veremos los pasos necesarios para crear un formulario sencillo basado en los datos de una de las tablas de ejemplo. Concretamente utilizaremos la tabla Intérpretes como origen de datos del formulario:

1. Abra la base de datos de ejemplo. Utilice el acceso a los archivos recientes situado en el margen izquierdo de la pantalla de inicio.

2. En el panel de objetos de la base de datos debe elegir la tabla que estará asociada al formulario, en nuestro caso, Intérpretes.

3. En la cinta de opciones seleccione la ficha **Crear**.

4. Haga clic sobre el comando **Formularios** situado en el grupo del mismo nombre.

A continuación aparecerá una nueva pestaña en la base de datos, y en ella, tantos cuadros de texto para la introducción de datos como campos tuvieran la tabla. Observe su aspecto en la figura 19.10 así como la nueva categoría que muestra la cinta de opciones denominada Herramientas de presentación de formularios.

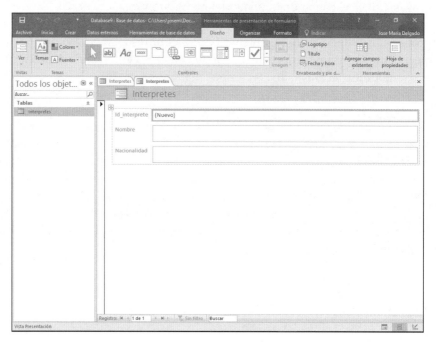

Figura 19.10. Nuevo formulario y categoría Herramientas de presentación de formularios.

El siguiente paso sería guardar el formulario y asignarle un nombre. Utilice el botón **Guardar** de la barra de acceso rápido o la combinación de teclas **Control-G**. Después, el panel de objetos de la base de datos muestra el nuevo elemento y una nueva categoría denominada Formularios.

Este método que acabamos de describir permite crear sin demasiadas complicaciones un formulario de introducción de datos en nuestra bases de datos. Eso sí, la capacidad de control sobre el proceso es mínima. En cualquier caso, es un buen punto de partida para después eliminar campos que no necesitemos y aplicar diferentes estilos de diseño.

Asistente para formularios

Otra forma de añadir nuevos formularios a nuestra base de datos sería utilizar el asistente disponible en Access para este propósito:

1. Compruebe que se encuentra seleccionada la ficha Crear.

2. Seleccione el comando Asistente para formularios del grupo Formularios para mostrar el primer cuadro de diálogo de esta herramienta.

3. En primer lugar, utilice la lista Tablas/Consultas para elegir la tabla o la consulta que servirá como origen para los datos que vamos a manejar con el formulario.

4. Dentro de la lista Campos disponibles, haga doble clic sobre todos los campos que desee utilizar y, de ese modo pasarlos a la lista de campos seleccionados. Puede utilizar el botón >> si desea usar todos los campos. También puede utilizar los botones < y << para eliminar campos de la lista Campos seleccionados. El aspecto de este paso del asistente deberá ser similar al que muestra la figura 19.11.

5. Haga clic en el botón **Siguiente** para continuar con el asistente y elegir la distribución de los campos que más le guste para el formulario.

6. Por último, asigne un nombre al formulario y haga clic en el botón **Finalizar**.

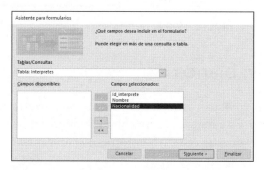

Figura 19.11. Asistente para formularios.

Como ha podido comprobar el Asistente para formularios ofrece algunas posibilidades interesantes como por ejemplo elegir los campos que deseamos incluir en el formulario o su distribución.

> **Truco:**
>
> *El comando* **Más formularios** *de la ficha* **Crear** *incluye una opción denominada* **Formulario dividido**. *Utilícela para crear formularios que muestren en la misma ventana los campos del formulario y la tabla o consulta que sirve como origen de datos. En la figura 19.12 puede ver un ejemplo.*

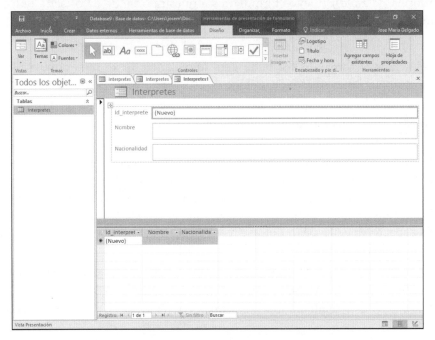

Figura 19.12. Formulario dividido.

Formulario en blanco

Si desea crear un formulario completamente personalizado utilice el comando **Formulario en blanco**. Este método es mucho más laborioso que los descritos en los apartados anteriores y nuestra recomendación es que únicamente lo utilice para casos realmente especiales.

Después de hacer clic sobre el comando **Formulario en blanco**, Access añade una nueva pestaña y muestra el panel **Lista de campos** en el margen derecho de la ventana como puede comprobar en la figura 19.13. En el panel debe seleccionar tanto la tabla como los campos que desea utilizar. Para incluir cualquiera de los campos disponibles en el formulario simplemente haga doble clic sobre su nombre.

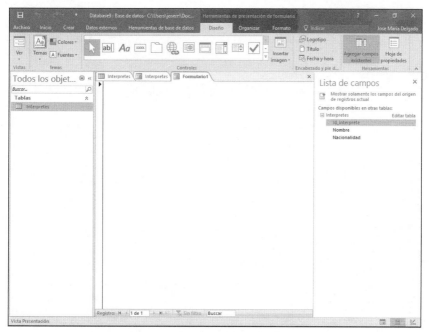

Figura 19.13. Formulario en blanco y lista de campos.

Este método de diseño será útil cuando necesite añadir campos a un formulario de más de una tabla. Pero como paso previo es imprescindible que la información de las tablas de origen debe estar relacionada como veremos en los próximos capítulos.

> **Nota:**
> *No olvide guardar el formulario y asignarle un nombre después de crearlo.*

Ejecutar el formulario

Después de crear el formulario sólo quedaría comprobar el resultado y comenzar a utilizarlo. En la ficha Diseño, haga clic en el botón **Ver** del grupo Vistas y seleccione Vista de formulario. La figura 19.14 muestra el aspecto del formulario listo para utilizarlo.

Introduzca algo de información y compruebe que resulta mucho más cómodo que hacerlo directamente sobre la tabla. Utilice la tecla **Tab** para pasar de un campo a otro y al llegar al último campo, el formulario guardará todos los datos introducidos y pasará al siguiente registro.

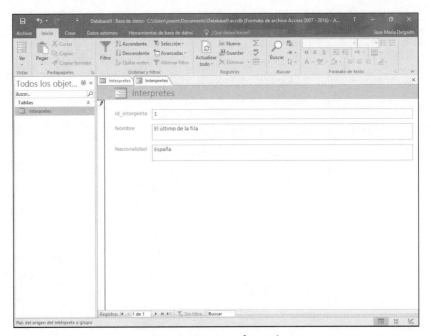

Figura 19.14. Vista formulario.

Observe en la parte inferior del formulario la información sobre el número del registro actual y el total de la tabla. Los botones situados en esta zona del formulario permiten desplazarnos entre los registros del formulario o incluso ir a uno concreto introduciendo su número en el campo de texto.

Vistas del formulario

Los formularios en Access tienen varios modos o vistas a las que puede acceder desde el botón **Ver** situado en el extremo izquierdo de la ficha Inicio. La descripción de cada una de ellas es la siguiente:

- **Vista Diseño**: Es el modo utilizado para crear el formulario y será al que debemos volver cada vez que necesitemos hacer algún cambio en su diseño o su estructura.

- **Vista Formulario**: Esta vista se utiliza para introducir, modificar o acceder a la información almacenada en la base de datos y en definitiva, es el modo real de trabajo con el formulario.

- **Vista Presentación**: También permite realizar cambios en el diseño del formulario pero mostrando datos reales. De este modo podrá ajustar mucho mejor el tamaño de los campos y su posición dentro del formulario. Muestra en la parte inferior los botones de navegación para desplazarnos por los registros de la tabla.

Editar campos

Con respecto a los campos del formulario puede cambiar su nombre, su tamaño, posición, modificar su color, cambiar el texto de la etiqueta y algunas propiedades más. Todas estas operaciones debe realizarlas en la vista Diseño.

Pero antes de continuar un pequeño detalle, una vez creado el formulario es probable que todos los campos se encuentren agrupados y no sea posible tratarlos de forma independiente. Para solucionar este problema haga clic en el icono que hemos resaltado en la figura 19.15 y a continuación seleccione el icono **Quitar diseño** situado en el grupo **Tabla** de la ficha **Organizar**.

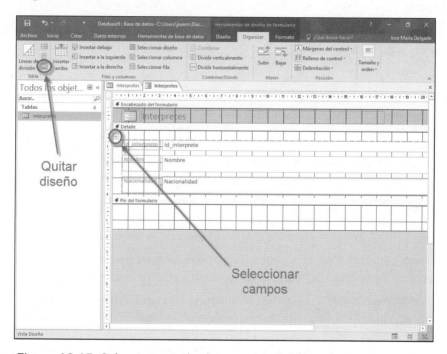

Figura 19.15. Seleccionar todos los campos del formulario para trabajar independientemente con cada uno de ellos.

Una vez desagrupados los campos del formulario, haga clic en cualquiera de ellos. Para empezar, debe saber que cada uno de los pequeños cuadros que rodean al campo tiene un propósito:

- Para modificar la posición del campo y la etiqueta, sitúe el cursor sobre cualquiera de los bordes del campo, no de la etiqueta ni tampoco sobre los cuadros; el cursor se transforma en una flecha cuádruple. En ese momento, haga clic y arrastre.

- Para mover sólo el campo, utilice el cuadrado de mayor tamaño situado en la esquina superior izquierda del campo.

- Para mover sólo la etiqueta, siga el mismo procedimiento descrito en el punto anterior pero utilice el cuadro mayor situado en la esquina superior izquierda de la etiqueta.

- Para cambiar tanto el tamaño de la etiqueta como del campo utilice los pequeños cuadros situados alrededor. Si no aparecen los selectores es que no se encuentra seleccionado el elemento por lo que debe primero hacer clic en él.

Truco:

El tamaño de las etiquetas se adapta al tamaño de su contenido, pero si por algún motivo esto no ocurriera haga doble clic en cualquiera de los selectores de tamaño.

Si necesita cambiar el aspecto de los campos del formulario, haga clic con el botón derecho sobre el campo o la etiqueta que desea cambiar. En el menú asociado encontrará varias opciones:

- Color de fondo o de relleno: Al situar el cursor sobre esta opción aparece la típica paleta de colores donde sólo es necesario hacer clic sobre el tono que desee utilizar como fondo.

- Color de fuente o de primer plano: Funciona del mismo modo que el anterior pero, en este caso, los cambios afectan al texto de la etiqueta o del campo.

- Efecto especial: Con esta propiedad puede transformar el aspecto visual del campo o de la etiqueta, generando sombras o efectos tridimensionales.

- Formato condicional: Esta opción, sólo disponible para campos y no para etiquetas, abre la potente herramienta que puede ver en la figura 19.16. En ella podrá establecer determinadas condiciones bajo las cuales el formato del campo cambiaría automáticamente de formato. Seleccione el botón **Nueva regla** establezca los parámetros necesarios para el formato condicional. El funcionamiento es similar al comando del mismo nombre que ya tratamos en Excel.

Truco:

Puede aplicar opciones de formato a más de un campo al mismo tiempo; basta con seleccionar todos los campos que desee modificar utilizando el método que detallamos a continuación.

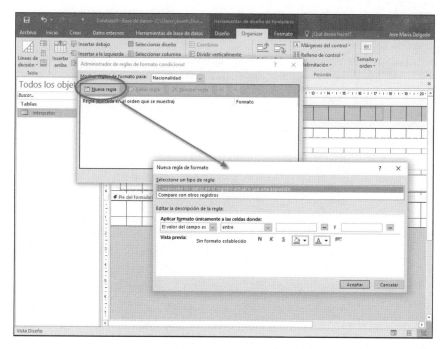

Figura 19.16. Formato condicional.

Para cambiar el formato de carácter tanto de campos como de etiquetas utilice los comandos situados en los grupos **Fuente** y **Número** de la ficha **Formato** asociada a la categoría especial **Herramientas de diseño de formularios**.

El proceso para eliminar cualquier objeto del formulario como campos, etiquetas, imágenes, etc., es bien sencillo. Seleccione el elemento o elementos que quiera eliminar y después pulse la tecla **Supr**.

> **Nota:**
>
> *En este caso, Access sí dispone de varios niveles de deshacer y rehacer por si necesita utilizar alguna de estas opciones.*

Selección de controles

Para seleccionar uno o más elementos de un formulario existen varios métodos. El primero de ellos es utilizar los comandos situados en el grupo **Selección** de la ficha **Formato**. La lista desplegable que muestra la figura 19.17 contiene todos los controles del formulario y el comando **Seleccionar todo** no tiene demasiada explicación.

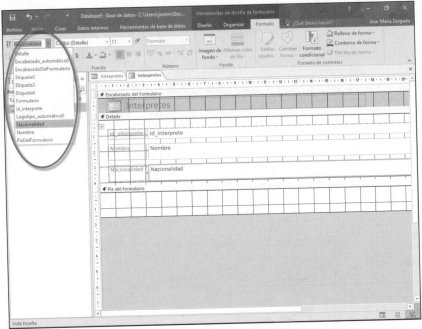

Figura 19.17. Listado de elementos del formulario disponibles para seleccionar.

Si desea seleccionar sólo algunos componentes del formulario, siga estos pasos:

1. Haga clic en el primer elemento que quiere seleccionar.

2. Mantenga pulsada la tecla **Control** y haga clic en el siguiente control para añadirlo a la selección. También puede utilizar la tecla **Mayús** para elementos consecutivos.

3. Repita el paso anterior para seleccionar tantos elementos como desee.

Otra forma bastante rápida de seleccionar campos, etiquetas o cualquier otro objeto incluido en el formulario consiste en hacer clic en alguna parte vacía del formulario, mantener pulsado el botón izquierdo del ratón y arrastrar. Con esta acción, aparecerá un tenue rectángulo que define el área de selección. Esto quiere decir que todos los elementos que incluya dentro del área quedarán seleccionados.

Orden de tabulación

En cualquier cuadro de diálogo de una aplicación Windows es posible utilizar la tecla **Tab** para desplazar el cursor a través de los diferentes elementos que incluye. También es posible aplicar esta característica dentro de un formulario de Access pero, además, puede definir el orden de desplazamiento entre los diferentes campos. La forma de establecer este orden sería la siguiente:

1. Abra el formulario que desea configurar en la vista Diseño.

2. En la cinta de opciones seleccione la ficha Diseño asociada a la categoría Herramientas de diseño de formularios.

3. Haga clic sobre el icono Orden de tabulación para mostrar el cuadro de diálogo que puede ver en la figura 19.18.

4. La sección Orden personalizado funciona del mismo modo que una tabla. Por lo tanto, para cambiar el orden de tabulación de los campos, haga clic en el botón gris situado a la izquierda para seleccionar el campo. A continuación, vuelva a hacer clic y arrastre para modificar la posición de cualquiera de los campos.

5. Una vez realizados los cambios necesarios, haga clic en **Aceptar**.

Figura 19.18. Cuadro de diálogo Orden de tabulación.

Nota:

*El botón **Orden automático** establece un orden de tabulación de izquierda a derecha y de arriba abajo cambiando la posición de los campos.*

Temas de formulario

En la ficha Diseño se encuentra el grupo Temas. Puede utilizar el icono del mismo nombre para aplicar diferentes combinaciones de colores al formulario. También los comandos Colores y Fuentes permiten utilizar algunos de los tipos de letras o tonalidades disponibles para mejorar el aspecto del formulario.

Desde las opciones incluidas en el grupo Encabezado y pie de página también es posible añadir la fecha y la hora, el logo de nuestra empresa o cualquier otra imagen, o un título para el formulario.

Por último, haga clic con el botón derecho sobre cualquier espacio vacío del formulario y en el menú emergente seleccione el comando **Propiedades** para mostrar el panel **Hoja de propiedades** que aparece en la figura 19.19, donde encontraremos todas las posibilidades de configuración del formulario. Active la ficha **Formato** y tendrá acceso a diferentes parámetros para controlar el aspecto del formulario. Una de las más usadas es **Color de fondo** que permite cambiar el triste tono gris por otro algo distinto. También puede utilizar la opción **Efecto especial** para aplicarle un aspecto tridimensional al formulario.

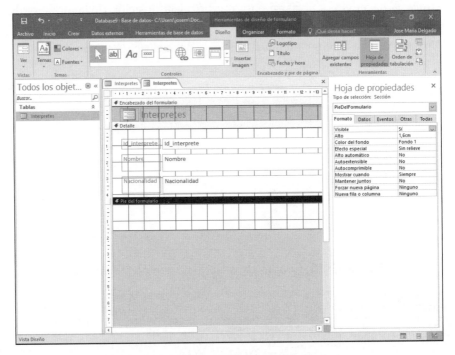

Figura 19.19. Propiedades del formulario.

Nota:

Recuerde que los formularios son una herramienta para introducir información y por este motivo es conveniente no usar colores demasiado agresivos.

Hasta ahora, los únicos controles que conocemos son los cuadros de texto y las etiquetas. En el grupo **Controles** de la ficha **Diseño** encontrará muchos más, desde botones, casillas de verificación, líneas, rectángulos...

Resumen

Access es un gestor de base de datos relacional, es decir, una herramienta que permite almacenar información de forma estructurada y recuperar a partir de múltiples criterios de ordenación, selección y filtrado.

Una vez creada la base de datos, el siguiente paso debe ser el diseño de cada una de las tablas que permitirán almacenar la información. A su vez, los campos determinarán la fisonomía de la información que contendrá cada tabla.

A medida que rellenamos las tablas de la base de datos, cada conjunto de campos se denomina registro. Por otra parte, necesita identificar estos registros de forma única, para lo que usaremos los denominados campos clave.

El propósito de los formularios en Access es hacer mucho más intuitiva y sencilla la introducción de datos en las tablas de la base de datos.

20

Consultas e informes

En este capítulo aprenderá a:

- Crear consultas.
- Utilizar las vistas de consulta.
- Trabajar con el Asistente para consultas.
- Crear consultas de agrupación y totales.
- Diseñar informes.
- Usar el asistente para informes.

Introducción

Hasta ahora hemos visto cómo crear tablas, cómo utilizar formularios para hacer mucho más sencilla e intuitiva la tarea de introducción de datos, pero aún no sabemos cómo recuperar la información de la base de datos de forma eficaz. Sí, eficaz porque podemos abrir la tabla en el modo Hoja de datos y buscarla o utilizar los formularios para ir registro por registro hasta llegar al que deseamos, pero no consideramos que ninguno de estos métodos sea eficaz. Sólo las opciones de filtrado tratadas en el capítulo anterior se acercan un poco a lo que podrían ser búsquedas complejas.

En cualquier sistema gestor de bases de datos es imprescindible una buena herramienta de consultas. No tendría demasiado sentido tener toda nuestra información perfectamente estructurada en una base de datos si después no dispusiéramos de los mecanismos necesarios para recuperarla.

Otra de las cualidades de las consultas es la posibilidad de obtener valores calculados como, por ejemplo, crear una consulta que nos devuelva todos los discos editados por "El último de la fila", sumarlos y sumar también el número total de temas contenidos en todos los títulos. A este tipo de información se la conoce dentro de Access como campos calculados.

Crear una consulta sencilla

Sin más, vamos a crear nuestra primera consulta. Por ejemplo, diseñaremos una consulta para obtener todos aquellos temas que se editaron después de la fecha 1/6/1998. Imagine que tuviera que hacer lo mismo sin una consulta, seguro que estaría entretenido un buen rato.

1. Abra la base de datos de ejemplo y seleccione la ficha Crear en la cinta de opciones.

2. Haga clic sobre el icono **Diseño de consultas** situado en el grupo Consulta.

3. En el cuadro de diálogo Mostrar tabla seleccione Temas y haga clic en el botón **Agregar**. Como no vamos a necesitar ninguna tabla más, haga clic en **Cerrar**.

4. El siguiente paso será colocar los campos que aparecerán en el resultado de la consulta. Para este ejemplo los usaremos todos.

5. Haga doble clic sobre el nombre de la tabla en la ventana de campos para seleccionarlos todos.

6. A continuación, haga clic sobre cualquiera de ellos, mantenga pulsado el botón izquierdo del ratón y arrastre hasta la casilla Campo de la primera columna; una vez aquí suelte el botón del ratón. La figura 20.1 muestra el aspecto de la ventana de consulta una vez colocados los campos.

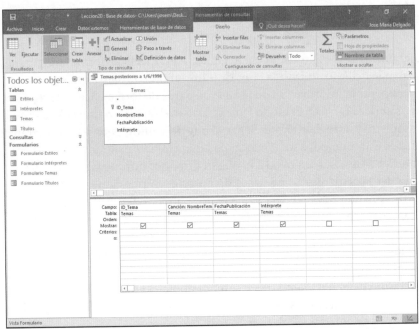

Figura 20.1. Ventana de consulta con todos los campos de la tabla Temas incluidos.

Truco:

Si quiere colocar los campos uno a uno, sólo tiene que hacer clic sobre el que desee utilizar y arrastrarlo hasta la casilla **Campo***. Otra opción sería hacer doble clic sobre el campo y éste se colocará automáticamente en la siguiente columna libre de la ventana de consulta.*

1. Si dejamos todo tal y como está, el resultado de la consulta serán todos los registros de la tabla, ya que no le hemos indicado ninguna condición que limite este resultado. Por lo tanto, haga clic en la casilla Criterios de la columna en la que se encuentra el campo FechaPublicación.

2. El criterio que vamos a utilizar es: que se haya publicado con posterioridad al 1/6/1998. Para conseguirlo deberá escribir en la casilla Criterios lo siguiente: >#1/6/1998#.

3. Para completar la consulta, haga clic en la casilla Orden de la columna donde se encuentra el nombre del tema. Despliegue la lista asociada a esta opción y elija Ascendente para ordenar el resultado. En la figura 20.2 puede comprobar el aspecto de la ventana de consulta después del último cambio.

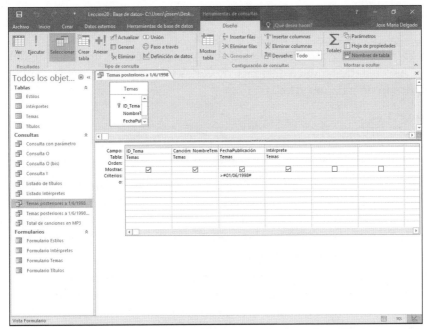

Figura 20.2. Criterio incluido en la ventana de consulta sobre el campo FechaPublicación.

Nota:

El uso de los símbolos # es obligatorio en Access cuando se utilizan fechas dentro de una expresión. De todos modos, puede intentar no ponerlos y comprobar cómo Access corrige este error automáticamente.

4. Después de completar los pasos anteriores, sólo quedaría ejecutar la consulta para comprobar los resultados. En la ficha Diseño, el grupo Resultados cuenta con el botón **Ejecutar**; haga clic sobre él para obtener los registros resultantes del criterio de búsqueda utilizado.

5. Si todo es correcto, guarde la consulta seleccionando el botón **Guardar** de la barra de acceso rápido.

6. En el cuadro de diálogo que aparece escriba: Temas posteriores a 1/6/1998 y haga clic en **Aceptar**.

Si en la base de datos no tiene información de temas que cumplan el criterio, es decir, que su fecha de publicación fuera posterior a 1/6/1998, al ejecutar la consulta no aparecerá ningún registro. En cualquier caso, puede modificar esta fecha en función de los datos que tenga almacenados en la tabla para comprobar si el ejemplo funciona.

Vistas de las consultas

Como ya es habitual entre todos los objetos que componen una base de datos de Access, las consultas también disponen de varias vistas. A continuación comentamos el significado de cada una de ellas.

Vista Diseño

Esta vista es la que hemos estado utilizando hasta ahora y la descripción de cada uno de sus componentes sería la siguiente:

- **Zona de datos:** Es la parte de la ventana de consulta donde se encuentran las tablas seleccionadas junto con sus campos. En el caso de que existieran varias tablas, se representarían en este espacio las relaciones entre ellas. Trataremos las relaciones en el siguiente capítulo.

- **Barra de separación:** Es el elemento que divide la zona de datos y de la cuadrícula QBE. Puede modificar este espacio situando el cursor encima de esta barra hasta que se transforme en una línea vertical con dos flechas opuestas. En ese momento haga clic y arrastre.

- **Cuadrícula QBE:** Ocupa la parte inferior de la ventana de consulta y contiene campos, criterios de búsqueda, expresiones, condiciones, etcétera.

A continuación describimos el significado y la función de cada fila de la cuadrícula QBE:

- **Campo:** Contiene los campos que intervienen en la consulta.

- **Tabla:** Muestra la tabla a la que pertenece cada campo.

- **Orden:** Determina el resultado de la consulta en la hoja de datos. Puede ordenar los registros de forma ascendente, descendente o no ordenarlos.

- **Mostrar:** Cuando esta casilla se encuentra activa, el campo aparecerá en el resultado de la consulta; en caso contrario, no. Es habitual usar campos que sólo necesitaremos para el filtrado de datos pero no en el resultado visible de la consulta.

- **Criterios:** Hemos utilizado esta fila en el primero de nuestros ejemplos y como ha podido comprobar, sirve para añadir expresiones a la consulta que permitan mostrar sólo los registros que deseamos en cada caso.

- **O:** A la opción anterior, a esta y a todas las que se encuentran debajo se les denomina filas de criterios o filas de condiciones. Al igual que ocurría con la fila de criterios, la fila **O** también permite condicionar el resultado mediante expresiones pero de manera mucho más compleja como podremos comprobar un poco más adelante.

Nota:

La verdadera potencia de las consultas de Access se encuentra en las filas de criterios o de condiciones.

Vista Hoja de datos

Hacer clic y seleccionar la vista Hoja de datos es equivalente a usar el botón **Ejecutar** de la barra de herramientas, ya que es la vista que muestra los resultados de la consulta.

Vista SQL

Existe un lenguaje estándar para realizar consultas en cualquier sistema gestor de bases de datos denominado SQL. En Access también es posible escribir consultas utilizando la sintaxis de este lenguaje, aunque está indicado para personas con unos conocimientos bastante amplios sobre programación en bases de datos.

Advertencia:

La sintaxis de las sentencias SQL usada por Access no es totalmente compatible con el estándar SQL por lo que debe consultar la ayuda para conocer estas diferencias si quiere utilizar este lenguaje para crear consultas complejas.

Asistentes para consultas

Antes de seguir queremos hacer un pequeño paréntesis para mostrar cómo funciona el asistente para consultas de Access. Con él, podrá diseñar consultas de una forma rápida y sencilla, aunque si después necesita personalizar la fila de criterios tendrá que recurrir a la vista Diseño.

Para crear una consulta sencilla utilizando el Asistente, realice los siguientes pasos:

1. En la cinta de opciones compruebe que se encuentra seleccionada la ficha Crear.

2. Seleccione Asistente para consultas en el grupo Consultas y al instante aparecerá la ventana correspondiente al primer paso. Elija la opción denominada Asistente para consultas sencillas.

3. En la lista Tablas/Consultas seleccione el objeto que desea utilizar para la consulta. En este caso elegiremos **Títulos** como puede comprobar en la figura 20.3.

4. Utilice la sección Campos disponibles para incluir en la consulta aquellos campos que desee mostrar en el resultado de la misma. Para seleccionar un solo campo,

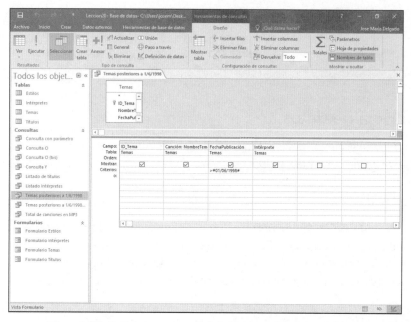

Figura 20.3. Primer paso del Asistente para consultas.

haga clic sobre él y después en el botón >. Para nuestro ejemplo, incluiremos todos los campos, así que haga clic sobre el botón >>. Después, haga clic en **Siguiente**.

5. El aspecto de este segundo paso está condicionado por el hecho de que exista o no algún campo numérico entre los seleccionados para componer la consulta. Si es así, encontrará dos opciones: si elige la primera Access muestra el resultado de la consulta sin más, mientras que la segunda permite ir un poco más lejos ya que si hace clic sobre el botón **Opciones de resumen** podrá incluir en el resultado de la consulta campos calculados (de esto último hablaremos un poco más adelante). Si no tenemos ningún campo numérico en la consulta, el Asistente obvia este paso y muestra directamente el siguiente.

6. En el último paso del Asistente deberá asignarle un nombre, por ejemplo: Listado de títulos. Deje el resto de opciones por defecto y haga clic en **Finalizar** para mostrar el resultado de la consulta.

Nota:

En el primer paso del asistente puede elegir tanto tablas como consultas. Esta posibilidad se debe a que Access permite utilizar los resultados de otra consulta creada anteriormente para diseñar una nueva consulta. No olvide este aspecto ya que puede resultar muy útil cuando trabaje con selecciones muy complejas.

El Asistente para consultas puede ser útil para crear la estructura básica de la consulta. Después debería utilizar la vista Diseño para incluir aquellas expresiones y criterios que permitan mostrar sólo los registros que desee.

Modificar consultas

Una vez creada la consulta existe la posibilidad de modificarla o adaptarla para que el resultado sea el que deseamos. En el siguiente apartado describimos las tareas más comunes:

- **Eliminar una columna**: Sitúe el cursor en el selector de columna, es decir, la pequeña franja gris que hay encima de cada una de ellas y haga clic para seleccionar la columna. A continuación, utilice la tecla **Supr** para eliminarla. Para eliminar más de una columna al mismo tiempo, haga clic en la primera y arrastre para seleccionar tantas columnas adyacentes como desee.

- **Cambiar de posición una columna**: Haga clic en el selector de la columna que quiere cambiar de posición para seleccionarla. A continuación, haga de nuevo clic sobre el selector y sin soltar, arrastre la columna hasta su nueva situación.

- **Añadir nuevos campos**: Para añadir nuevos campos sólo tiene que seleccionarlos de la lista de campos y arrastrarlos hasta una columna libre de la cuadrícula QBE.

- **Ocultar campos**: Para conseguir que un campo no aparezca en el resultado de la consulta, sólo tiene que desactivar la casilla Mostrar.

- **Cambiar el nombre de los campos**: Es posible que en alguna ocasión necesite que el nombre del campo que aparece en el resultado de la consulta sea distinto del que tiene en la tabla. Veamos un ejemplo, coloque el cursor en el campo NombreTema y escriba delante de éste lo siguiente: **Canción:**. Ahora el contenido de la celda será Canción: NombreTema (entre los dos puntos y el nombre del campo es necesario incluir un espacio) como puede ver en la figura 20.4. Ejecute la consulta y compruebe los cambios.

Advertencia:

Debe tener en cuenta que este cambio de nombre sólo afecta a la hoja de resultados de la consulta y no a la estructura de la tabla a la que pertenece el campo.

Consultas más complejas (operadores Y y O)

En las consultas diseñadas en Access las condiciones pueden ser tan complejas como necesite y en muchos casos será imprescindible incluir varias condiciones dentro de la misma consulta para conseguir el resultado deseado.

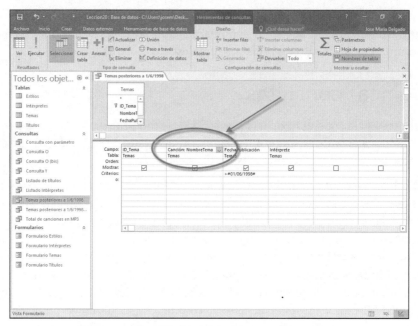

Figura 20.4. Cambio del nombre del campo.

Retomando el ejemplo usado al comienzo del capítulo, podríamos restringir más la búsqueda y pedir a la consulta que muestre los temas con fecha de publicación entre el 1/6/1998 y el 1/9/1998.

En este caso concreto, el aspecto de la consulta será el mismo que puede ver en la figura 20.5. Compruebe que hemos utilizado el operador Y de modo que sea obligatorio el cumplimiento de las dos condiciones para incluir el registro en el resultado de la consulta. Por el contrario, si hubiéramos aplicado el operador O sólo sería necesario que se cumpliera alguna de las dos partes de la condición para considerar válido el registro.

Una vez llegados a este punto tenemos que distinguir entre dos tipos de condiciones:

- Las que afectan a un solo campo y, por lo tanto, se pueden incluir dentro del mismo campo o de la misma fila.

- El segundo caso es cuando las condiciones afectan a más de un campo y entonces tenemos que recurrir a las filas de criterios para limitar el comportamiento de los operadores Y y O.

Siguiendo con las condiciones, dentro de un mismo campo sería equivalente a incluir en la casilla del campo Intérprete: ="Los burros" O "El último de la fila" a colocar estos dos criterios dentro de la misma columna pero en casillas separadas, como puede ver en la figura 20.6.

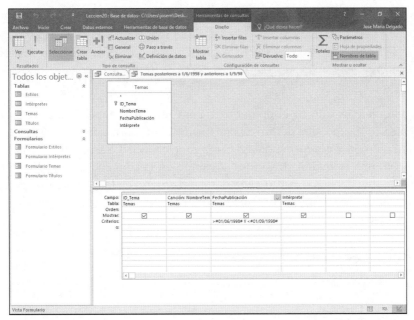

Figura 20.5. Condición múltiple utilizando el operador Y dentro de un mismo campo.

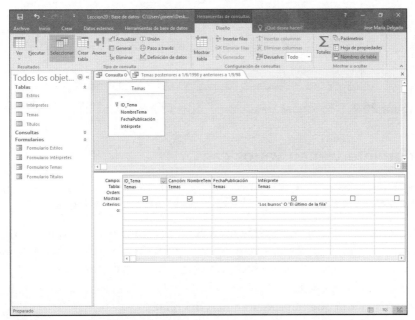

Figura 20.6. Condición O equivalente a colocar dentro de la misma casilla la expresión ="Los burros" O "El último de la fila".

Nota:

En aquellos casos donde se necesiten incluir valores de texto en las condiciones tendrá que utilizar comillas. Por ejemplo, ="Badajoz".

Si lo que quiere es utilizar el operador Y para un solo campo, tendrá que hacerlo componiendo la expresión dentro de una misma casilla, por ejemplo: >#01/12/2002# Y <#01/12/2003#. Otra forma de aplicar la funcionalidad del operador Y sobre una misma columna es incluir dos veces el campo en la consulta, desactivar la casilla **Mostrar** en uno deellos e incluir cada parte del criterio en la casilla correspondiente de cada campo. En la figura 20.7 puede ver el aspecto de la ventana de consulta en estos dos casos.

Figura 20.7. Dos formas de utilizar el operador Y sobre un mismo campo.

Cuando intervienen varios campos

Para aquellos casos en los que sea necesario incluir más de un campo en la composición del criterio, el funcionamiento de las filas de criterios es el siguiente:

- Cuando las condiciones se encuentran dentro de la misma fila, equivale a utilizar el operador Y. Por lo tanto, será necesario que un registro cumpla las dos condiciones al mismo tiempo para incluirlo en el resultado de la búsqueda.

- Pero si lo que necesita es que se cumpla sólo alguna de las dos condiciones, entonces tendrá que colocarlas en filas diferentes.

- En la figura 20.8 puede ver un ejemplo que representa cada uno de los casos anteriores.

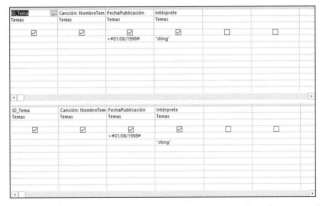

Figura 20.8. En primer lugar se tendrían que cumplir las dos condiciones para incluir el registro en el resultado, operador Y. En segundo término sólo sería necesario que se cumpliera alguna de las dos condiciones, operador O.

Advertencia:

Estamos hablando de dos condiciones para que sea más sencillo entender el funcionamiento del sistema de criterios múltiples pero, en realidad, se podrían incluir tantas expresiones como campos tenga la consulta.

Conociendo todo esto ya podría hacer combinaciones entre criterios que afecten a un campo, con otros que impliquen a varios, creando así consultas que devuelven exactamente el resultado deseado.

Solicitar parámetros

Imaginemos que diseñamos una consulta para mostrar todos los datos de un intérprete. Pero, ¿qué ocurre si desea cambiar el nombre? Con lo que sabemos hasta ahora sería necesario editar la consulta en la vista Diseño y modificar el nombre del intérprete en el criterio correspondiente. Para solucionar este problema, Access permite activar una propiedad en la consulta para que solicite antes de ejecutarse uno o varios datos que se utilizarán para obtener los resultados correspondientes. Veamos un ejemplo de cómo hacerlo:

1. Seleccione la ficha **Crear** en la cinta de opciones.
2. En el grupo **Consultas**, haga clic en el icono **Diseño de consulta** y añada la tabla Intérpretes.

3. Incluya todos los campos en la cuadrícula QBE. Recuerde que debe hacer doble clic sobre el título de la lista de campos y arrastrar los campos hasta la primera columna.

4. A continuación, en la cinta de opciones seleccione la ficha Diseño asociada a la categoría Herramientas de consultas.

5. En el grupo Mostrar u ocultar seleccione el comando Parámetros para mostrar el cuadro de diálogo Parámetros de la consulta.

6. En el primer campo escriba: Intérprete y como tipo de datos asígnale Texto corto, como puede observar en la figura 20.9. Haga clic en **Aceptar** para cerrar el cuadro de diálogo.

7. En la fila Criterios del campo Nombre escriba: = "Intérprete".

8. Ejecute la consulta y compruebe como aparece un pequeño cuadro de diálogo solicitando el nombre del intérprete. Introduzca el valor que desee y la consulta mostrará los resultados.

Figura 20.9. Aspecto del cuadro de diálogo Parámetros de la consulta.

Consultas de agrupación y totales

Además de ofrecernos una lista de registros que cumplan con unos criterios determinados, también es posible diseñar consultas que realicen ciertos cálculos con los datos.

Para acceder a las opciones de agrupación y totales, debe activar la fila Total en la cuadrícula QBE. Haga clic en el icono **Totales** situado en el grupo Mostrar u ocultar de la ficha Diseño como muestra la figura 20.10.

Para comprobar el funcionamiento de esta característica vamos a calcular todas las canciones de todos los discos que tenemos en la tabla Títulos:

Figura 20.10. Icono Totales en la ficha Diseño.

1. Seleccione la ficha **Crear** en la cinta de opciones.

2. En el grupo **Consultas**, haga clic en el icono **Diseño de consulta** y añada la tabla Intérpretes.

3. Seleccione la tabla Títulos, haga clic en **Agregar** y cierre la ventana de tablas.

4. A continuación, arrastre el campo Canciones hasta la primera columna de la cuadrícula.

5. Haga clic sobre el icono **Totales** de la ficha **Diseño** para mostrar la fila Total en la cuadrícula.

6. Despliegue la lista **Total** del campo Canciones y elija la operación **Suma**. Puede comprobar el aspecto de la consulta después de estos pasos en la figura 20.11.

7. Ejecute la consulta y compruebe como sólo aparece una fila con el total de canciones que tiene entre todos los discos.

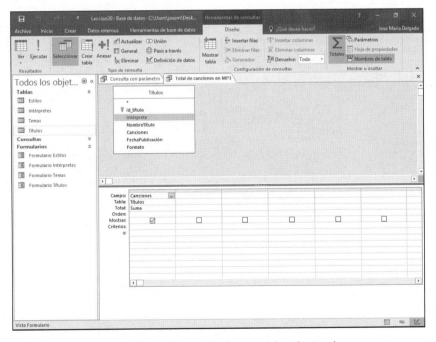

Figura 20.11. Ejemplo de consulta de totales.

> **Nota:**
>
> *La lista desplegable* **Total** *dispone de una gran variedad de funciones para añadir campos calculados.*

Pero no sólo es posible obtener totales y realizar ciertos cálculos, también podría completar estas operaciones aplicando determinados criterios de selección. Por ejemplo, podría sumar todas las canciones que tiene en formato MP3. Esta sería la forma de hacerlo:

1. Vuelva a la vista Diseño de la consulta anterior.
2. Haga clic sobre el campo Formato y arrástrelo hasta la siguiente columna en la cuadrícula QBE.
3. En la fila de criterios del campo Formato escriba: "MP3".
4. Desactive la casilla **Mostrar** del campo Formato ya que esta información no la necesita en este caso. El aspecto de la consulta sería el que muestra la figura 20.12.
5. Ejecute la consulta y compruebe como el valor que muestra corresponde a la suma de todas las canciones en MP3.

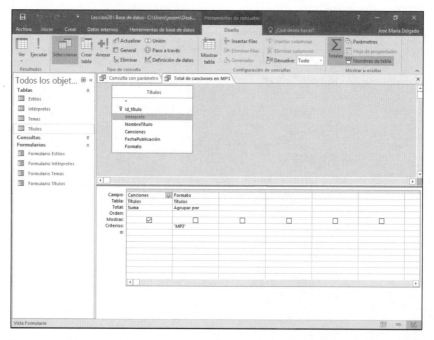

Figura 20.12. Suma de totales aplicada junto con un criterio de selección.

Estos sólo son algunos ejemplos que ilustran las posibilidades de las consultas de agrupación y totales. Pero los recursos que proporciona esta herramienta son enormes como, por ejemplo, en una tabla de clientes, calcular la media de la facturación anual, mensual, por clientes, por clientes de una determinada zona geográfica, etcétera.

Informes

Es cierto que Access permite imprimir la información contenida en las tablas o el resultado de una consulta, pero de forma algo rudimentaria y con pocas alternativas de configuración. Con los informes, existe la posibilidad de controlar y definir a nuestro gusto todos los parámetros de impresión de los registros de la base de datos. Otra de las posibilidades que ofrecen los informes es la de añadir información complementaria en forma de campos calculados pudiendo, de esta forma, incluir totales, subtotales y cualquier otra operación que cree valor añadido a nuestro informe.

Pero mejor pasamos directamente a la acción y diseñemos un sencillo informe. Como ya es habitual, para crear un informe dispone de un maravilloso asistente que hace gran parte del trabajo. De cualquier modo, en este primer ejemplo lo haremos de forma manual para describir el proceso con más detalle:

1. Abra la base de datos de ejemplo y seleccione la tabla que contiene los datos que desea mostrar en el informe.

2. Seguidamente haga clic en el comando Informe situado en el grupo del mismo nombre de la ficha Crear.

3. Haga clic sobre la parte inferior del comando Ver situado a la izquierda de la ficha Diseño y seleccione el comando Vista diseño.

Después de estos pasos, aparece en la ventana de Access un informe como el que puede ver en la figura 20.13, donde a primera vista puede observar varias partes:

*   Encabezado del informe: La información que aparece aquí se mostrará únicamente en la primera página del informe. Por lo tanto, sería interesante incluir datos como el nombre del informe o su fecha.

*   Encabezado de página: Igual que el apartado anterior pero, en este caso, se utiliza para colocar información como títulos, números de página, etcétera, que aparecerán en la parte superior de todas las páginas del informe.

*   Detalle: Comprende la zona donde incluiremos los campos, controles o valores calculados que mostrará el informe.

*   Pie de página y Pie del informe: El significado y su contenido es el mismo que el definido para los encabezados pero relativo a la parte inferior de la página.

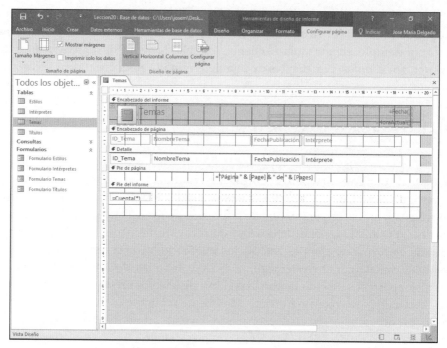

Figura 20.13. Informe en vista Diseño.

Advertencia:

Para ampliar o reducir el espacio asignado por defecto a cada una de las divisiones de la ventana Diseño del informe, *coloque el cursor sobre los extremos del informe o sobre la línea de división de cada sección y arrastre.*

Añadir campos al informe

La forma de incluir campos en el informe es la misma que ya utilizamos en los formularios, es decir, en la categoría Herramientas de diseño de informe seleccione el comando Agregar campos existentes situado en la ficha Diseño para mostrar en el margen izquierdo el panel Lista de campos. Después, sólo será necesario hacer clic sobre el campo y, sin soltar, arrastrarlo hasta el informe.

Igual que ocurría en los formularios, cada campo viene acompañado de una etiqueta que lo identifica. La forma de moverlos, cambiar su tamaño y aplicarles formato es la misma que para los formularios.

Truco:

Utilice las teclas **Mayús** *o* **Control** *para seleccionar varios campos consecutivos o alternos en la lista de campos. De este modo podrá arrastrar más de un campo al mismo tiempo sobre el informe.*

Vista preliminar

En los informes, la vista preliminar toma más importancia que en cualquier otro objeto de Access. Elija Vista preliminar después de hacer clic en la parte inferior del comando Ver situado a la izquierda de la ficha Diseño. Access mostrará una cinta de opciones personalizada para esta vista como puede comprobar en la figura 20.14.

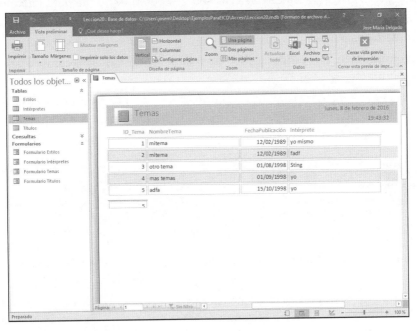

Figura 20.14. Vista preliminar y cinta de opciones asociada.

Utilice esta vista para comprobar que el aspecto que tiene el informe es realmente el que desea antes de imprimir.

Nota:

También encontrará el comando Ver *dentro de la ficha* Inicio.

Una vez terminado el proceso de diseño y comprobado en la vista preliminar que todo es correcto, seleccione el comando Imprimir en la cinta de opciones que muestra la propia vista preliminar o utilice el menú Archivo.

Informes con totales

A continuación crearemos un informe con el listado de todos nuestros títulos, agrupados por intérpretes, y como campo calculado añadiremos el total de canciones por intérprete. Además en este ejemplo lo realizaremos utilizando el asistente para comprobar el funcionamiento de esta herramienta:

1. Seleccione la ficha Crear en la cinta de opciones.

2. Dentro del grupo Informes haga clic sobre el botón Asistente para informes.

3. En la primera ventana del asistente, elija la tabla Títulos en la lista desplegable Tablas/Consultas.

4. A continuación, haga clic en el botón >> para incluir todos los campos y después en **Siguiente**.

5. Para el nivel de agrupamiento, seleccione el campo Intérprete y haga clic en el botón >. El nivel de agrupamiento queda representado en la vista preliminar de la derecha. Haga clic en **Siguiente** para continuar con el asistente.

> **Advertencia:**
>
> *Las opciones de resumen sólo están disponibles si elegimos algún nivel de agrupamiento para nuestro informe.*

6. Como campo de ordenación lo más lógico es utilizar la fecha de publicación. Por lo tanto, seleccione este campo como el primer campo de ordenación.

7. Haga clic en el botón **Opciones de resumen** y aparecerá el cuadro de diálogo del mismo nombre. En la lista de campos sólo se encuentra disponible "Canciones", dado que es el único campo que contiene valores numéricos. Haga clic en la casilla correspondiente a la función Suma del campo Canciones para mostrar en el informe la suma de todas las canciones de cada intérprete. Deje el resto de campos por defecto y haga clic en **Aceptar** para cerrar esta ventana y continuar con el asistente.

8. Con respecto a la distribución de los campos del informe y la orientación, puede dejar todos los valores por defecto. Haga clic en Siguiente.

9. Escriba un título para el informe, por ejemplo, Total Canciones por Intérprete, y utilice el botón **Finalizar** para completar el proceso.

Si necesita realizar otro tipo de operación aritmética, en el cuadro de diálogo Opciones de resumen existen varias funciones que permiten ejecutar diferentes cálculos con los campos utilizados en el informe.

> **Nota:**
>
> *El icono* **Diseño de informe** *situado en el grupo* Informes *de la ficha* Crear *muestra un informe completamente en blanco. De este modo, puede personalizarlo tanto como necesite añadiendo los campos mediante el comando* Agregar campos existentes.

Resumen

Las consultas son el medio más eficaz del que dispone cualquier base de datos para recuperar la información contenida en sus tablas. Access utiliza la ventana de consulta para incluir las tablas y los campos que desee utilizar para recuperar la información. Esta operación a un nivel básico consistiría simplemente en obtener una lista de registros pero, si aprovechamos la potencia de las consultas de Access, podremos añadir filtros y expresiones para recuperar sólo aquellos datos que nos interesen en cada caso.

Los informes permiten obtener una copia impresa de la información almacenada en la base de datos a partir de ciertos criterios de filtrado y ordenación.

21 Relacionar tablas

En este capítulo aprenderá a:

- Conocer los modelos de relaciones en Access.
- Utilizar la ventana Relaciones.
- Implicar más de una tabla en nuestras consultas.
- Crear subformularios y subinformes.
- Analizar nuestra base de datos.

Access, una base de datos relacional

En la fase de diseño, una de las tareas más importantes es sin duda definir las relaciones entre las distintas tablas que compondrán la base de datos. En nuestro ejemplo "Discoteca", hemos dejado este trabajo un poco de lado y este hecho va a provocar que tengamos que hacer ciertos cambios para crear la nueva estructura relacional. El motivo de hacerlo así es doble, en primer lugar demostrar que la fase de diseño es tan verdaderamente importante como hemos repetido en estos capítulos y, por otra parte, no creíamos conveniente hablar de relaciones cuando nuestros conocimientos sobre las bases de datos eran aún escasos.

Access es una base de datos relacional porque permite establecer relaciones entre las tablas que componen su estructura. Esto está muy bien pero… ¿cómo afecta al trabajo con la aplicación? Bueno, el principal objetivo de las relaciones es evitar la duplicación de información, y esta es la directriz básica sobre la que se sustentan los sistemas de bases de datos relacionales.

Para comprender mejor este concepto vamos a utilizar un ejemplo: imagine que tenemos una base de datos de clientes y dos de las tablas que la componen son Clientes y FacturasClientes; la estructura de cada una de estas tablas las puede ver en la figura 21.1. Observe que en la tabla de FacturasClientes existe mucha de la información que ya aparece en la tabla Clientes. Esto provoca una duplicación de información y, por lo tanto, una reducción en el rendimiento del sistema.

Id	NombreCliente	Dirección	NúmeroFactura	ConceptoFactu	CantidadFactur
1	Pepe	SuCasa	1	Caramelos	1000
2	Juan	La Bomba	2	Piruletas	2000
3	Antonio	LaBurra	3	Chicles	500
			0		0

Figura 21.1. Tabla sin tener en cuenta la duplicación de información.

La forma de solucionarlo es utilizar relaciones y sustituir toda la información de clientes de la tabla FacturasClientes por la clave del cliente, tal y como muestra el ejemplo de la figura 21.2. De esta forma, cuando precisemos la información, utilizaremos el campo clave del cliente para acceder a la tabla Clientes y obtener todos los datos necesarios.

Id_Factura	Id_Cliente	NumeroFactura	ConceptoFactu	ImporteFactura
30	1	1001	Caramelos	2500
31	2	1002	Piruletas	500
32	2	1005	Chicles	1200
		0		0

Id	NombreCliente	Dirección	Telefono
1	Pepe	SuCasa	925 22 23 66
2	Juan	La Bomba	925 23 25 26
3	Antonio	LaBurra	925 36 36 36

Figura 21.2. Estructura de las tablas utilizando relaciones.

Este es un ejemplo muy claro de cómo las relaciones pueden hacer mucho más eficaz la gestión de información y el trabajo dentro de la base de datos. Además, otra de las ventajas que aportan las bases de datos relacionales es la facilidad para actualizar y eliminar información. Siguiendo el mismo ejemplo, para borrar un cliente tendría que recurrir a dos tablas, mientras que si utiliza las posibilidades de las relaciones sólo sería necesario hacer el trabajo una vez.

Modelos de relaciones en Access

Después del ejemplo esperamos que tenga un poco más claro el sentido de las relaciones en Access. Pero existe algo más, ya que además de definir una relación será necesario elegir el modelo. Cada uno de ellos se basa en el comportamiento de los datos entre las tablas relacionadas.

Antes de continuar, debemos decir que en toda relación intervienen dos tablas. La primera de ellas sería la que contiene los datos completos y que denominaremos tabla principal (tabla Clientes en nuestro ejemplo). La segunda tabla contiene el enlace a los datos de la tabla principal y la llamaremos tabla secundaria (FacturasClientes en nuestro ejemplo). Una vez hecha esta aclaración, la descripción de cada uno de estos tipos de relaciones sería la siguiente:

- **Relación de uno a muchos**: Sin duda se trata del tipo de relación más común. En este caso, cada registro de la tabla principal puede tener más de una correspondencia en la tabla secundaria, pero cada elemento de esta última sólo puede tener una coincidencia en la tabla principal. Siguiendo con el ejemplo, cada cliente puede tener más de una factura pero cada factura sólo puede corresponder a un solo cliente; esto tiene sentido en la vida real.

- **Relación de muchos a uno**: Si la relación anterior era la más utilizada, ésta es la menos y más extraña de las tres. En este caso, cada registro de la tabla principal sólo tiene una coincidencia en la tabla secundaria y en cambio, ésta puede tener más de una correspondencia en la tabla principal.

- **Relación de muchos a muchos**: Tanto los registros de la tabla principal como aquellos que formen parte de la tabla secundaria tienen más de una correspondencia. En el caso de una base de datos de deportes, cada deporte está compuesto por muchos atletas y cada atleta puede practicar más de un deporte. Siendo estrictos, no es recomendable mantener este tipo de relaciones en la base de datos ya que no determina exactamente la relación entre los registros de cada tabla. En este tipo de situaciones se suelen crear tablas intermedias en las que sí puedan existir modelos de uno a muchos o de muchos a uno.

Consejo:

No dude en dedicar el tiempo que sea necesario a definir el modelo de relación que va a utilizar en cada caso ya que este paso resulta fundamental en la implementación posterior de la base de datos.

Integridad referencial

La integridad referencial es otro de esos conceptos que resulta algo extraño cuando trabajamos con bases de datos relacionales, pero que al mismo tiempo es imprescindible tener claro y aplicar.

La integridad referencial es un conjunto de reglas que deben cumplir las relaciones para garantizar la validez de las correspondencias entre registros y al mismo tiempo evitar posibles modificaciones o eliminaciones accidentales. Para establecer la integridad referencial de una relación es necesario que se cumpla lo siguiente:

- El campo que se utilice como referencia para la relación en la tabla principal debe ser clave principal de ésta.
- Los dos campos que se utilicen para establecer la relación deben ser del mismo tipo aunque, por ejemplo, uno de tipo Autonumérico podría coexistir con uno de tipo Numérico.
- Las tablas deben estar dentro de la misma base de datos.

Una vez establecidas las bases necesarias para el uso de la integridad referencial, las reglas que la determinan serían:

- No es posible eliminar registros de la tabla principal que tengan registros asociados en una tabla secundaria. La forma de hacerlo es eliminar el registro principal junto con los registros relacionados o eliminar primero los registros secundarios y posteriormente, el principal. Siguiendo con nuestro ejemplo, no podríamos eliminar clientes que tengan facturas asociadas ya que no sabríamos a quien pertenecen.
- Todos los registros de la tabla secundaria deben tener obligatoriamente un coincidente en la tabla principal. No puede haber facturas que no pertenezcan a ningún cliente.
- No se puede cambiar el campo clave de un registro de la tabla principal si éste tiene coincidentes en la tabla secundaria.

Ventana Relaciones

Es posible que en los apartados anteriores se haya visto abrumado con tanta teoría. Para arreglarlo vamos a seguir con la dinámica de este libro, es decir, aprender mediante ejemplos.

La ventana Relaciones es la herramienta que Access pone a nuestra disposición para definir, modificar, eliminar y, en definitiva, trabajar con las relaciones de la base de datos. Para acceder a esta ventana, haga clic en el botón **Relaciones** situado en la ficha Herramientas de bases de datos.

Pero antes de crear las relaciones de nuestra base de datos musical, es necesario hacer varios cambios en la definición de los campos de alguna de sus tablas:

- En la tabla Temas, modifique el tipo del campo Intérprete y seleccione Numérico en la lista Tipo de datos.
- También en la tabla Temas, añada un nuevo campo denominado Título y seleccione el tipo de datos Numérico para él. Este cambio permitirá asociar cada tema al título que pertenece.
- En la tabla Títulos, cambie el tipo del campo Intérprete y seleccione Numérico en la lista Tipo de datos.
- En la tabla Títulos añada un campo que se llame Estilo y aplíquele un tipo de datos Numérico.

Después de estos cambios habrá perdido información, y por ello esperamos que haya seguido nuestro consejo de los primeros capítulos y sólo tuviera guardado en las tablas la información necesaria para seguir los ejemplos del libro.

Definir una relación

Después de hacer los cambios necesarios, veamos los pasos necesarios para establecer una relación entre dos tablas:

1. Haga clic en el botón **Relaciones** situado en la ficha Herramientas de bases de dados y al instante aparecerá el cuadro de diálogo Mostrar tabla.
2. Seleccione la tabla Intérpretes y haga clic en **Agregar**.
3. A continuación, seleccione la tabla Temas y haga clic en **Agregar**.

Truco:

También puede hacer doble clic sobre la tabla que necesite añadir en el cuadro de diálogo Mostrar tabla.

4. Por ahora no incluiremos más tablas a esta ventana, así que puede cerrar el cuadro de diálogo Mostrar tabla.
5. Para definir la relación, haga clic en el campo Id_Intérprete de la tabla Intérpretes y arrástrelo hasta el campo Intérpretes de la tabla Temas. Después de completar este paso se muestra el cuadro de diálogo que aparece en la figura 21.3.

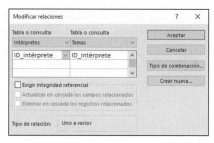

Figura 21.3. Cuadro de diálogo Modificar relaciones.

6. Como puede comprobar, aparecen los campos que acabamos de relacionar. Active la casilla Exigir integridad referencial.

7. En la parte inferior del cuadro de diálogo, observe el tipo de relación que ha seleccionado Access por defecto, en este caso, Uno a varios. Esto se debe a que cada intérprete puede tener muchos temas pero cada tema sólo puede pertenecer a un intérprete. Si quisiéramos cambiar el modelo de relación, tendría que hacer clic en el botón **Tipo de combinación** y en el cuadro de diálogo que muestra la figura 21.4 elegir la correspondencia adecuada.

Figura 21.4. Cuadro de diálogo Propiedades de la combinación.

Nota:

No siempre es cierto que un tema sólo pueda pertenecer a un intérprete, aunque para este ejemplo vamos a creer que sí.

8. Haga clic en el botón **Crear** del cuadro de diálogo Modificar relaciones y ésta quedará reflejada en la ventana Relaciones como puede ver en la figura 21.5.

9. Cierre la ventana Relaciones haciendo clic en el botón **Cerrar** y cuando Access pregunte si desea guardar los cambios, elija **Sí**.

Después de crear todas las relaciones necesarias para la base de datos musical, el aspecto de la ventana Relaciones debería ser similar al que muestra la figura 21.6.

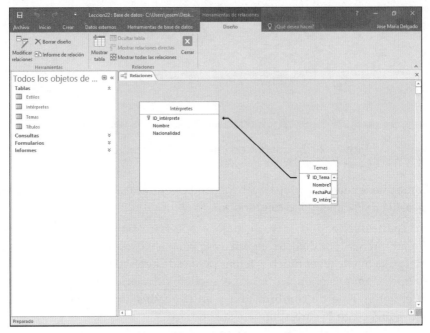

Figura 21.5. Relación creada.

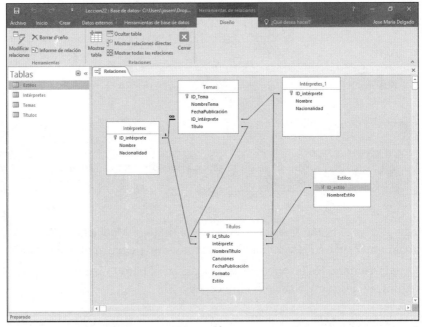

Figura 21.6. Relaciones de nuestra base de datos de ejemplo.

Nota:

Como habrá observado en el cuadro de diálogo Mostrar tabla, *Access permite incluir tanto tablas como consultas en la ventana de relaciones. El hecho de utilizar consultas no es tan evidente y lo cierto es que no se utilizan demasiado; por este motivo, describiremos únicamente las relaciones entre tablas.*

Modificar relaciones

Haga doble clic sobre la línea que define la relación y aparecerá el cuadro de diálogo Modificar relaciones en el que podrá realizar cualquier cambio que desee. Para eliminar cualquier relación, selecciónela y después utilice la tecla **Supr**. Para eliminar una tabla de la ventana Relaciones realice la misma operación.

Del mismo modo, para añadir nuevas tablas a la ventana de relaciones, haga clic en el botón **Mostrar tabla** situado en la cinta de opciones.

Un pequeño paréntesis

Al convertir los campos de texto a numéricos en las tablas, estos habrán quedado vacíos. Para solucionar el problema, puede utilizar el Asistente para búsquedas pero, ahora, teniendo en cuenta las relaciones que acabamos de definir, veamos cómo se haría con la tabla Temas:

1. Abra la tabla Temas en la vista Diseño.
2. En la lista Tipo de datos del campo Id_Intérprete, seleccione Asistente para búsquedas.
3. En la primera ventana, elija la primera de las dos opciones disponibles y haga clic en **Siguiente**.
4. En la lista de tablas, seleccione Intérpretes y haga clic en **Siguiente**.
5. Haga doble clic sobre los campos Id_Intérprete y Nombre. Estos serán los dos campos que aparecerán en la lista asociada de la tabla. Seleccione el botón **Siguiente**.
6. En el siguiente paso, deje los valores por defecto y después haga clic en **Siguiente**.
7. Asigne un nombre a la lista y pulse **Finalizar**.

Para comprobar el funcionamiento de este cambio, vuelva a la vista Hoja de datos de la tabla y haga clic en el campo Intérprete de cualquier registro. Observe que aparece un pequeño botón a la derecha; si lo pulsa, tendrá acceso a la lista de intérpretes de la base de datos tal y como puede ver en la figura 21.7. Seleccione uno de los valores y observe que aunque aparezca el nombre en el campo, el valor que realmente está almacenado es su clave. Puede repetir estos pasos para el resto de campos en la misma situación.

Truco:

Para facilitar la introducción de datos en los campos asociados a las tablas, es suficiente con empezar a escribir las primeras letras del término que buscamos para que el campo lo muestre automáticamente.

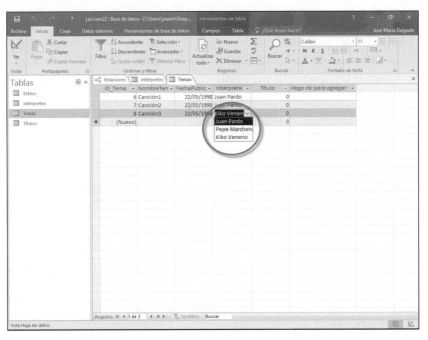

Figura 21.7. Lista de datos asociada al campo Intérprete.

Consulta con varias tablas

Una vez definidas las relaciones, veamos cómo utilizarlas. Diseñaremos una consulta en la que aparezcan las canciones de la tabla Temas junto a sus intérpretes.

1. En la cinta de opciones seleccione la ficha Crear.
2. Haga clic sobre el botón Diseño de consulta situado en el grupo Consultas.

3. En el cuadro de diálogo **Mostrar tabla**, haga doble clic sobre la tabla Temas y después sobre la tabla Intérpretes. Después, haga clic en **Cerrar**.

4. Observe que aparece representada la relación en la consulta mediante una línea que une los campos que definen la relación.

5. Haga clic en el campo NombreTema de la tabla Temas y arrástrelo hasta la primera columna de la consulta.

6. Seleccione el campo Nombre de la tabla Intérpretes y arrástrelo hasta la segunda columna de la tabla.

7. Ejecute la consulta y compruebe en la figura 21.8 como junto a cada tema aparece el nombre de su intérprete.

8. Guarde la consulta.

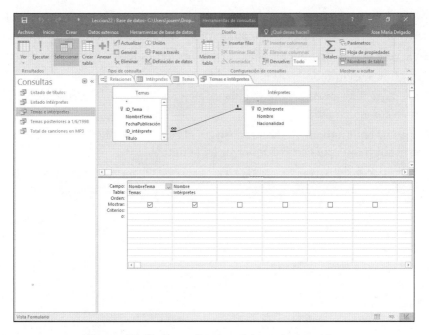

Figura 21.8. Consulta de tablas relacionadas.

En las consultas puede hacer que intervengan tantas tablas relacionadas como necesite para obtener el resultado deseado.

Subformularios y subinformes

También es posible aprovechar las ventajas de Access como base de datos relacional en formularios e informes. Para comprobarlo crearemos un nuevo formulario en el que, además de introducir la información de intérpretes, completaremos todos los datos de sus canciones:

1. En la cinta de opciones seleccione la ficha Crear.

2. En el grupo Formularios haga clic sobre el comando Asistente para formularios.

3. Elija la tabla Intérpretes en la lista Tablas/Consultas.

4. Haga clic en el botón >> para seleccionar todos los campos.

5. Despliegue de nuevo la lista Tablas/Consultas, seleccione la tabla Temas y haga clic en el botón >> para incluir todos los campos en la ventana Campos seleccionados. Con estos dos últimos pasos le hemos indicado al asistente que se trata de un formulario que a su vez contiene un subformulario asociado al añadir campos de dos tablas diferentes. Haga clic en **Siguiente**.

6. Seleccione Por intérpretes como opción para ver los datos y en la parte inferior, active la opción Formulario con subformularios. Haga clic en **Siguiente**.

7. En la ventana de distribución seleccione la opción Tabular y haga clic en **Siguiente**.

8. Introduzca un nombre para el formulario y otro para el subformulario.

9. En la parte inferior de la ventana puede elegir entre cambiar el diseño del formulario o comenzar a trabajar con él.

10. Haga clic en **Finalizar** y Access mostrará el aspecto de nuestro formulario junto con el subfomulario como puede ver en la figura 21.9.

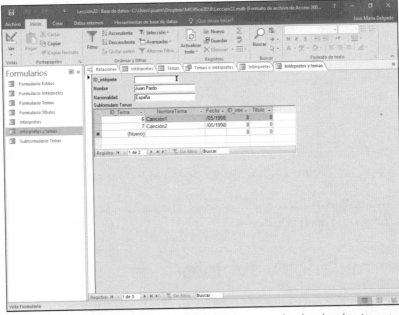

Figura 21.9. Formulario con subformulario creado desde el asistente.

El funcionamiento del formulario con el subformulario integrado es sencillo. Para cada intérprete puede introducir todos los temas que le correspondan. Todo desde la misma ventana y gracias a que están vinculadas las tablas en la ventana Relaciones.

Nota:

En la ventana Formularios *aparecerán el objeto formulario y el objeto subformulario lo que permite tratar cada uno de ellos de forma independiente si fuera necesario.*

Añadir un subformulario a un formulario ya existente

Si ya ha diseñado el formulario principal y necesita añadirle un subformulario similar al que hemos creado en el ejemplo anterior, los pasos serían los siguientes:

1. Abra el formulario en la vista Diseño. Probablemente necesite ampliar el espacio disponible y para hacerlo sitúe el cursor en la esquina inferior derecha del formulario y arrastre, pero no la esquina de la ventana del formulario, sino de la parte cuadriculada que define el espacio útil del formulario.

2. En la ficha Diseño asociada a la categoría Herramientas de diseño de formularios se encuentra el grupo Controles.

3. Entre los controles disponibles debe seleccionar Subformulario/Subinforme; el cursor se transforma en una cruz junto a un pequeño formulario.

4. Haga clic, arrastre para definir las dimensiones del subformulario.

5. A continuación aparece el primer paso del asistente. Seleccione la opción Usar tablas y consultas existentes para elegir una tabla o una consulta como origen de los datos del subformulario. Haga clic en **Siguiente** para continuar.

6. Seleccione la tabla o consulta y los campos del objeto que quiere utilizar. Haga clic en **Siguiente**.

7. Elija la expresión que refleje la vinculación que servirá como enlace entre los datos del formulario y del subformulario. Preste atención a las posibilidades que ofrece este cuadro de diálogo, y seleccione aquella que determine realmente el sentido del subformulario. Si no estuviera conforme con ninguna de las opciones disponibles, haga clic en el botón **Definir la mía propia** y establezca personalmente los campos que relacionarán el formulario y el subformulario. Cuando termine haga clic en el botón **Siguiente**.

8. Por último, escriba un nombre para el subformulario y haga clic en **Finalizar**.

Después de estos pasos, el resultado debe ser idéntico al obtenido en el anterior apartado cuando usamos el asistente.

Sin duda, la mejor forma de introducir información relacionada es asociar subformularios a un formulario principal. Además, si lo necesita puede incluir más de un subformulario dentro de un formulario.

Analizador de bases de datos

Antes de terminar con el tema de las relaciones en Access y aunque no tenga mucho que ver con éste, queremos comentar las funcionalidades de los comandos situados en el grupo Analizar situado en la ficha Herramientas de base de datos:

- Analizar tabla: El principal objetivo de esta herramienta es localizar información redundante o repetida en las tablas de nuestra base de datos. Como hemos comentado, es un problema grave sobre todo cuando trabajamos con volúmenes de información importantes. El asistente que aparece después de elegir esta opción comprobará nuestra base de datos.

- Analizar rendimiento: Optimiza todos los objetos que componen la base de datos. Además, sugiere que añadamos índices o que modifiquemos algún tipo de datos para que se adapte mejor a la información que contiene.

- Documentador de base de datos: La gran pesadilla de todo programador es la documentación de sus aplicaciones. Si hablamos de bases de datos, siempre resulta conveniente tener una descripción de las tablas, campos, relaciones, etcétera. Pues bien, parte de este trabajo lo puede hacer el documentador de Access.

Resumen

Como ya comentamos en los primeros capítulos, Access es un gestor de bases de datos relacional lo que significa que la información que almacena no se encuentra de forma aislada en su interior, sino que se encuentra enlazada para optimizar su rendimiento y hacer más eficaz el acceso a los datos.

Básicamente, las tablas se relacionan mediante la vinculación de sus campos, por ejemplo, una tabla Libros podría tener un campo Editorial que contuviera un código que representara los datos de la editorial y que tuviera su correspondencia en otra tabla Editoriales con los datos completos de cada organización.

La ventana de relaciones es fundamental para determinar gráficamente estos vínculos. Los subformularios y subinformes se aprovechan de las ventajas de las relaciones entre tablas para hacernos mucho más sencilla la introducción de datos vinculados.

Índice alfabético